贾志刚著

说春秋

之三

晋楚争雄

广西师范大学出版社
· 桂林 ·

图书在版编目（CIP）数据

贾志刚说春秋. 晋楚争雄 / 贾志刚著. —桂林：广西师
范大学出版社，2009.9
ISBN 978-7-5633-9024-3

Ⅰ. 贾… Ⅱ. 贾… Ⅲ. 中国—古代史—春秋时代—通
俗读物 Ⅳ. K225.09

中国版本图书馆 CIP 数据核字（2009）第 156180 号

广西师范大学出版社出版发行

（广西桂林市中华路 22 号　邮政编码：541001）

（网址：http://www.bbtpress.com）

出版人：何林夏
全国新华书店经销
北京东海印刷有限公司印刷
（北京市大兴区黄村镇芦城工业区创新路 3 号　邮政编码：100071）
开本：720 mm × 960 mm　1/16
印张：21　字数：300 千字
2009 年 9 月第 1 版　2009 年 9 月第 1 次印刷
定价：29.80 元

如发现印装质量问题，影响阅读，请与印刷厂联系调换。

晋国卿世系
（第三部·晋楚争雄）

狐氏
狐偃—狐射姑（晋悼公七年出奔）

先氏
先轸—先且居—先克—先縠（先轸少子，晋景公三年被灭族）

赵氏
赵衰—赵盾（赵同、赵括、赵婴）—赵朔（晋景公四年被灭族）—赵武（晋景公十七年获平反）—赵景叔—赵鞅—赵无恤—赵浣（赵无恤兄赵伯鲁之孙，三家分晋后为赵献侯）

胥氏
胥臣—胥甲—胥克—胥童（晋厉公八年被杀）

郤氏
郤缺—郤克—郤锜（晋厉公八年被灭族）

士氏（范氏）
士会—士燮—士匄—士鞅—范吉射（晋定公十五年，被驱逐，后战败奔齐）

栾氏

栾枝—栾盾—栾书—栾黡、栾针—栾盈（栾黡子，晋平公七年被逐，后战死于曲沃，被灭族）

荀氏（中行氏）

荀林父—荀庚—荀偃—荀吴（中行吴）—中行寅（晋定公十五年，被驱逐，后战败奔齐）

荀氏（智氏）

荀首（荀林父之弟）—荀罃—智盈（荀罃之孙）—智跞—智瑶（前453年被赵、韩魏三家联手所灭）

韩氏

韩厥—韩起—韩须—韩不信—韩庚—韩虎—韩启章—韩虔（三家分晋后韩景侯）

魏氏

魏犫—魏颗、魏锜—魏颉（魏颗子，别出为令狐氏）、魏绛（魏颗子）—魏嬴（魏绛子）—魏舒—魏侈—魏驹（魏侈孙）—魏都（魏驹孙，三家分晋后为魏文侯）

春秋出世的祖师奶和祖师爷（三）

肉袒（裸奔）祖师爷：

许僖公

爱国商人的祖师爷：

弦　高

徇私枉法的祖师爷：

赵　盾

权力斗争的祖师爷：

赵　盾

复活的祖师爷：

秦国间谍

模仿秀的祖师爷：

优　孟

心理战的祖师爷：

楚庄王

因人设事的祖师爷：

郤　克

目 录

1

第八十一章　重回五鹿

晋文公五年正月(前632年),晋楚争霸拉开了序幕。

晋国三军齐发,一路东进。晋文公亲自统军,荀林父担任御者,魏犨出任车右。大司马赵衰,掌管三军的赏罚。三军帅佐统领各自的队伍,中军和下军都是四十多岁的帅佐,再看上军,两个六十多岁白发老头领军。

第一个目标,曹国。

为什么打曹国?两个原因。

对外公开说的原因是,当年晋文公路过曹国,遭遇曹共公性骚扰,严重走光。

真实的原因是,曹国去年刚刚投靠了楚国,讨伐曹国,楚国不得不来救。

这就是狐偃和先轸的妙计吗?是。但是,这仅仅是个开头。下棋看三步,狐偃是个超级高手,他不仅仅看了三步,他看了十三步,已经把结果看到了。

借道卫国

在晋国攻打曹国之前,抓紧时间介绍曹国的历史。

尽管曹姓起源略为复杂,不过我们基本上可以认为曹姓主要起源于曹国。

周灭商之后,周武王封十三弟姬振铎在曹邑,也就是今天的山东菏泽、定陶、曹县一带,伯爵。由于地盘不大并且经营不好,曹国始终是一个小国,夹在卫宋之间,春秋时期主要投靠宋国。公元前485年,曹伯阳被宋国俘虏,

1

曹国被宋国所灭,这是后话。

看看地图,晋国与曹国并不接壤,要讨伐曹国,必须借道郑国或者卫国。向谁借道?来看看具体情况。

郑国,楚国的保护国,楚成王是郑文公的大舅子。

卫国,卫文公三年前鞠躬尽瘁了,儿子卫成公继位,卫成公一年前把妹妹嫁给了楚成王,现在是楚成王的大舅子。

两个国家,两条裙带。

狐偃选择了向卫国借道,因为向郑国借道是不可能得到同意的,那么只能直接攻打郑国。而郑国紧邻楚国,楚国势必出兵救援,于是,晋国从一开始就要与楚国决战。

不好玩,游戏结束得太快,没劲。所以,狐偃决定向卫国借道。

卫成公刚刚送走楚国特使。楚国特使前来,是要求卫国出兵,从北面进攻宋国,配合楚国大军围攻宋国首都睢阳。

卫成公没有办法拒绝这样的要求,他答应尽快出兵。

这个时候,晋国特使到了。

"请问,贵国有何见教?"卫成公接见了晋国特使,还算客气。不过,他瞧着晋国特使特别别扭,不知道什么原因。

"借道,我国要攻打曹国,借个道使使。"晋国特使说话的声音阴恻恻,还有些尖利。卫成公恍然大悟:哦,这是个死太监,怪不得看着别扭,没胡子。

晋国特使是谁啊?勃鞮。

卫成公很恼火,你晋国派个死太监过来做特使,明摆着瞧不起人啊。再说了,什么叫借个道使使?连句客气话也没有,借你妈个头啊。

"不借,朝别人借去。"卫成公一时火起,当场拒绝。

"哎,别后悔?"勃鞮一听,什么?屁大的国家,跟你借道你不借?当时歪着脖子就问了。

"嗯,你威胁我?来人,赶出去。"卫成公火更大了,这死太监竟然还威胁自己,要不是看在晋国是个大国的分上,直接砍了。

好在卫成公没让人砍勃鞮,否则,勃鞮动起手来,先死的恐怕就是卫成公了。

勃鞮被赶了出去,一路上骂骂咧咧,离开卫国,路上还担心:没完成任务,回去会不会被扣年终奖?

勃鞮不知道的是,他的任务完成得很好。派他去,要的就是这个效果。

如果真想借路,那就应该派职业外交官胥臣去了。派勃鞮去,一来是故意要羞辱卫成公;二来呢,勃鞮就一太监,懂什么?

果然,勃鞮受到表扬。

拿下五鹿

"卫国,当年的国君粗暴拒绝了我国主公的问候,现在的国君不仅粗暴拒绝了我们借道的合理请求,还羞辱我们的特使。是可忍孰不可忍?羞辱特使,就是羞辱晋国国君;羞辱国君,就是羞辱晋国人民。兄弟们,告诉我,我们该怎么办?"出征动员大会上,中军主帅郤毂正在煽情。

"打这些狂妄之徒!"三军怒吼。

狐偃笑了,先轸也笑了。

如果直接打卫国,理由不充分,毕竟当年拒绝他们的卫文公已经不在了。如今这样,理由充分了,士气也鼓起来了。

晋国军队渡过黄河,杀奔卫国,一路上秋毫无犯,直取五鹿。

提起五鹿,当年随晋文公流亡齐国的兄弟们就牙痒痒,那是一辈子最饿的时候,如今说起来,还觉得肚子里空空如也。

"主公,先轸愿为先锋,拿下五鹿。"先轸请战,实际上等于替当年的兄弟们请战。三军六名帅佐,狐家兄弟和先轸是当年流亡的兄弟,而那老哥俩自然不是做先锋的合适人选。

于是,晋文公派先轸为先锋,魏犨为副将,以两百乘战车,先行出发攻打五鹿。

五鹿,也算是卫国的边防重镇。

卫国大将公子休驻守五鹿,由于卫国投靠了楚国,因此加强了五鹿的防守,以对抗齐国。没想到的是,齐国军队没来,晋国军队倒来了。

怎么办?迎战。卫国从来没有跟晋国交过手,因此也谈不上谁怕谁,既然来了,那就打打看。

这是先轸第一次带晋军打仗,怎么打?先轸早有成算。对于五鹿的地形,他记得清清楚楚。不仅五鹿,凡是他到过的地方,他都绘有地形图,哪里适合车战,哪里适合步战,哪里可以埋伏,等等,都在他的地形图中。

而公子休显然没有想到,他将要面对的是春秋第一名将。

城西三十里,晋卫两军摆好阵势。

战车,一百乘对一百乘。双方大将,晋国是先轸,卫国是公子休。

两军对圆,也没什么话说,干吧。

卫军一通战鼓,按理,晋军也要一通战鼓,双方交战。可是,晋军没有擂鼓。

卫军再一通战鼓,晋军还是没有动静。

"嘿,学曹刿啊?"公子休乐了,他掰指头算了算,自己已经两鼓了,再来一鼓那就三鼓,对方来个一鼓作气,自己的队伍不就栽了?

"你以为就你聪明?"公子休决定,卫军也不擂鼓了,嘿,你等我的三鼓,等死你。

就这样,两国军队谁也不擂鼓,也不对话,对视了一个时辰,好像比耐心一样。

最后,卫国人在比耐心的比赛中取得了胜利,因为晋国人先说话了。

"公子休,投降吧。"先轸大声喊道。

"哈哈哈哈,先轸,你投降吧。"公子休也喊。

"你回头看看。"先轸又喊。

"你也回头看看。"公子休顺口喊道,喊完之后,忍不住还是要回头看看。

回头一看,公子休傻眼了。

五鹿城头,不知道什么时候已经换成了晋军的大旗。现在公子休知道自己被耍了,城池都被人家偷袭了,自己还傻乎乎在这里比耐心呢。

卫军一阵骚动,大家都慌了手脚。就在这个时候,对面晋军终于擂响了第一通战鼓。公子休总算明白了,晋国人根本就不必等自己的第三通战鼓。

卫军崩溃,晋军掩杀过来。公子休掉转车头,夺路而逃。刚刚逃过一个山坡,前面闪出一路晋军,为首的大将正是魏犨。原来,在这边比耐心的时候,魏犨率领剩下的一百乘战车,换上卫军的旗帜,大大方方进了五鹿,然后杀散守军,城头上换上晋军大旗。一切妥当,这才率军出来夹击卫军。

公子休遇上了魏犨,这位可不跟你比耐心,大戟直接刺过来,公子休急忙横戟去挡,哪里挡得住,被魏犨连人带戟挑在空中,当场丧命。

一月九日,晋军南征第一战,零伤亡拿下卫国五鹿。

记得十二年前晋文公路过五鹿时的故事吗?那时候狐偃断言十二年后可以得到这里,并且预测了具体时间为戊申这一天。

一月九日,恰好就是戊申日。

神哪,狐偃就是诸葛亮的祖师爷啊。

拿下五鹿,晋文公记下先轸和魏犨的首功,之后亲自前往当初野人赠土的地方,看看那个野人还在不在。很遗憾,野人不见了,据另外的野人说,那个野人在那次赠土事件之后就疯了,后来不知所终。

"神人哪,神人通常就是以疯子的面目出现的。"狐偃说。

所以,整天神神叨叨的不一定就是神经病,他还可能是神人。

没有见到那个野人,晋文公有些失望。之后,大家又去了介子推割肉的地方。晋文公追思介子推,忍不住泪流满面。每个人都被感动了,被介子推,也被晋文公。

先轸升任元帅

卫军五鹿守军全军覆没，消息传来，卫国首都楚丘震动。

现在卫成公知道了，跟晋国对抗，基本上相当于鸡蛋碰石头。如果说现在还有两条路可以选择的话，那么第一是求和，第二是投降。当然，还有一条偷偷摸摸走的路，就是派人去楚国紧急求援。

卫成公派大夫宁俞前往五鹿，向晋国求和。

"我们请求和平谈判，晋卫两国，一衣带水，血浓于水，世世代代要友好下去。"宁俞专拣好听的说，一边说一边偷看晋文公。

"宁大夫，别说这些了，早干什么去了？没得谈。"晋文公对宁俞还挺客气，不过态度很坚决。

"这，我们投降行不行？"宁俞摊了底牌，平起平坐谈判没资格的话，投降也行，这是来的时候卫成公交代好的。

"不行，不接受投降。"晋文公够狠，投降都不接受。

宁俞哭着回去了。

不谈判，而且不接受投降，晋文公想干什么？攻破楚丘，灭了卫国吗？否。

晋国军队停在了五鹿，并没有进攻楚丘。他们在干什么？他们在等。

按照计划，第一步顺利攻占五鹿之后，军事行动暂停，下一步的战略部署展开。

国际形势是这样的，楚国军力强大，所向披靡，导致以鲁国为首的中小国家纷纷投靠楚国。目前，除了被攻打的宋国之外，还没有投靠楚国的就只有秦国和齐国。其中，秦国是晋国的亲戚兼战略合作伙伴，齐国则在不久前刚刚被楚国军队侵略。

联合齐、秦，共同对付楚国，这就是晋国第一步也是最根本的战略部署。

晋国特使从五鹿出发，前往齐国和秦国，谋求合作对抗楚国，要求对方派出军队，协同晋军作战。

很快，齐国和秦国作出正面回复：支持晋国，尽快派兵。其中，齐国还提出建立战略合作伙伴关系，齐国国君齐昭公将亲自来五鹿歃血为盟。

齐国国君不是齐孝公吗？原来，自从被鲁国忽悠之后，齐孝公气愤不过，把自己给活活气死了。原本是儿子继位，谁知儿子太小，被齐孝公的弟弟公子潘杀死，公子潘就当了齐昭公，公子开方位居上卿。就在等待齐昭公来到的时候，晋军发生了一件很不幸的事情：中军元帅郤縠在军中去世，享

年五十六岁。

中军元帅死了,谁来继任?

最高机密会议。

"舅舅,老师,你们认为谁比较合适?"晋文公问。

"先轸。"狐偃和赵衰对视一眼,一起说道。

"那就是他了。"晋文公一拍桌子,其实,他也认为应该是先轸。

下军佐先轸,现在是中军元帅,地位仅次于晋文公。胥臣替补为下军佐。

狐偃和赵衰,觉悟咋就那么高呢?

晋齐结盟

二月,齐昭公和公子开方来到卫国的敛盂(今河南省濮阳县),晋文公已经等候多时。两国国君共同追忆了齐桓公的丰功伟业,重温了两国之间从周武王和姜太公开始的长达数百年的裙带关系,两国国君主表示:南蛮楚国侵犯中原,必须要痛打。

两国元首签署了战略合作伙伴备忘录,歃血为盟。

最后,晋文公表示,晋国政府支持齐国收回谷城的合理要求。而齐昭公表示,打击楚国侵略者是天下人共同的责任,为此,齐国将派兵前来协助晋国。

两国元首会谈期间,卫国元首卫成公数次派人前来,申请加入盟会,重回中原正统怀抱。

"没得谈。"晋文公多次断然拒绝。

卫国大夫宁俞转而求助于公子开方,希望这位卫裔齐国人能够看在血浓于水的分上,为卫国人在晋国人面前求情。

"不可以,我是齐国人,不是卫国人。"公子开方断然拒绝。

卫成公绝望了,楚国的援兵还看不到影,而晋国人只要愿意,一个早晨就能拿下楚丘。怎么办?跑吧。

卫成公把楚丘交给了弟弟叔武和大夫元咺,自己跑到小城襄牛躲起来了。

晋军随时可以抓捕卫成公,也随时可以攻破楚丘,甚至灭掉卫国。可是,晋文公为什么不动手?因为,晋国人的目的不在这里。

如果捉住了卫成公或者拿下了楚丘,也就等于晋军控制了卫国,那么,楚军就没有来救卫国的理由了,也就意味着,宋国的包围依然没有解除。

相反,放着卫成公和楚丘不动,卫国就依然是晋国手中的砝码,依然有利用价值。等到解除了宋国的危机,那时灭掉卫国也不过是顺手之劳。

就这样,晋国人在卫国等待着楚军北上。而元帅先轸已经布好了陷阱,单等猎物出现。

楚成王的选择

楚国会救卫国吗?

楚成王在接到卫国求援之后,有些犹豫。尽管没有和晋军交过手,但是他知道晋文公的团队是什么样的成色。要打,是没有把握取胜的,可是,要是见死不救,今后还怎样号令诸侯?

“各位,晋军攻击卫国,显然是为解宋国之围,我们救还是不救?”楚军大营,成王召集了各国君主和大将,商讨此事。

“主公,晋国人忘恩负义,帮助宋国来跟我们捣乱,我们一定要救卫国,给晋国人一点颜色看看。”成得臣第一个发言,他的意见是救。

“不然,我们打宋国,他们打卫国,各不相干,如果我们去救卫国,那就等于是我们直接挑起了两国之间的战争,道理上说,正义并不在我们这一边啊。依我看,不如遣使往晋国,展开斡旋。”大夫芿(音伟)吕臣建议。

一时间,说什么的都有,各有拥趸,也各有道理。

成王左思右想,与晋国交手他不愿意,可是,就这样放过宋国,他又不甘心。想来想去,最后想到一个办法:“这样,子玉留一半兵力继续攻打睢阳,我亲自率一半人马北上,解卫国之围。”

就这样,成得臣以一半楚军外加陈、蔡两国军队,原地不动,继续攻城,另一半楚国军队连带郑、许两国军队,随楚成王去救卫国。

这一边,成得臣加紧攻城,力争拿下睢阳,之后前去增援楚成王。宋国知道晋国军队已经出动,也士气高昂,防守更加卖命。所以,睢阳这里战事与从前差别不大。

那一边,楚成王率军北上。

原本,楚成王就有些心里打鼓,虽然决定救卫,但心里始终还是犹豫。大军走得极慢,而且是越走越慢,进入卫国之后,早早扎营,并不向楚丘进军。与此同时,派出间谍前往楚丘及晋军前线打探消息。两天之后,间谍们回来了,带来的消息如下:

第一,晋军士气高昂,训练水平极高。目前,先轸为元帅。

楚成王一听,心凉了半截。如果晋军是别的人领军,他还有点底,如今是先轸为元帅，说明晋国人不仅善于用人，而且空前团结，因为如果论资历，根本轮不到先轸，如今狐偃、赵衰他们让贤，晋军是绝对占据"人和"的。先轸他是知道的，早在晋文公在楚国的时候，楚国将军们就说过先轸比他们都强，甚至有人建议把先轸留在楚国。如今先轸执掌晋国军队，从技术上来说，自己这边已经处在下风了。

第二，齐国军队在国归父、崔夭率领下已经抵达卫国，与晋军协同作战；而秦国军队在小子慭（音印）率领下，也正在向卫国开来。

这也是个坏消息。如今天下大国不过是楚晋齐秦，这下楚国要独自面对另三个大国的合击，楚成王的心算是彻底凉了。怎么办？楚成王有些发愁。

"大王，我看，咱们还是趁早撤军吧。"芮吕臣见楚成王的脸色不对，知道他在犹豫，于是上来劝说。

"你说说为什么。"楚成王说。冲这语气，就知道想要芮吕臣找个撤军的借口。

"大王，你想，晋国军队零伤亡拿下五鹿，之后不许卫国投降，可是又不拿下楚丘。是晋国人拿不下楚丘吗？当然不是，那么他们想干什么呢？他们就是在诱使我们过来。别人不知道，大王还不知道先轸的能力吗？还不知道魏犫的勇猛吗？我们就算全军过来，也不一定能取胜。如今咱们一半的兵力来，面对三个大国，大王啊，风险太大啊。"

"嗯，有道理。"

"大王，要撤就赶紧撤。我担心晋国人正准备正面攻过来，而齐国人和秦国人从两肋包抄，那时再撤，可就晚了三秋了。"

"撤。"

就这样，楚军迅速撤军。

《史记》记载："楚救卫，不卒。"

楚军撤去了哪里？申。大致是担心被成得臣嘲笑，楚成王的部队并没有回到睢阳前线。

第八十二章　挖祖坟和纵火案

楚军没有进入晋军的包围圈就撤退了,这多少让晋国人有些失望。不过,这更增强了晋国战胜楚国的信心。尽管楚国人因此而逃脱,却也暴露出楚国人从内心对晋国的畏惧。

"主公,我们怕楚军。可是,楚军也怕我们。两军交战,勇者胜。虽然晋楚还没有交手,已经算我们胜了一仗。"狐偃对晋文公说。他知道晋文公对楚军的战斗力非常畏惧,如今正好给他打打气。

"下一步怎么办?"晋文公问。

"按既定方针办。"

按照既定方针,既然楚国不救卫,晋军下一步就要拿下曹国,进一步刺激楚国人的神经。穿过卫国,晋军挺进曹国,卫国则交给齐国军队驻守。

对待曹国和对待卫国,方法是不一样的。对卫国,纯粹是要诱使楚军北上。对曹国,则是坚决拿下,加大对楚国人的刺激力度。

"让他偷窥,这次我要让他看个够。"晋文公想起往事,恨恨地说。

"主公,小小陶丘,何劳大军,给我三百人,我拿下陶丘等主公驾临。"说话的是谁? 天下武林第一高手勃鞮是也。

"好。"晋文公同意了。

于是,勃鞮率领三十乘战车先行,要一举拿下陶丘。

那么,武林第一高手能行吗?

第一高手栽了

勃鞮是一个急性子,总是急于立功的那种。从前这样,现在还这样。

三百人小分队早早出发了,说实话,狐偃和先轸对这个大内高手都不是太放心,单打独斗没得说,可是带兵打仗是另一回事啊,不过既然晋文公答应了他,也不好说什么。好在只有三百人,即使出了差错,也不会太严重。

赶到陶丘,恰好是中午。

"兄弟们,进城吃中午饭啊。"勃鞮说。他根本不担心自己拿不下陶丘。他已经计划好了,速战速决,自己人少,正好出其不意。

可是到了城门外,勃鞮发现,连速战速决都免了。

原来,陶丘城城门大开,不仅没人看守城门,城头上甚至没有守城官兵。

"哈哈哈哈,曹国人一定是听说晋军来了,弃城逃命了,兄弟们,进城。"勃鞮高兴坏了,他觉得自己最近的运气好得惊人,上次出使卫国也是,自己还没弄明白怎么回事就立了一功。现在呢,一座空城等着自己。

三百晋军溜溜达达就进了陶丘,哥几个还在讨论是不是先去抢点什么呢。进城一看,果然城里空无一人,大家心情都很放松。

突然,只听得"咣当"一声,身后的城门关上了,三百晋军都被关在了城里。

"不妙。"勃鞮叫了一声,这个时候才知道不妙,晚了。

大路两旁,城墙之上,突然冒出数千名曹军,更不打话,一个个手持弓箭,只听得一声喊——喊什么?喊勃鞮这辈子最不愿意听到的那个字。

"射。"随着这一声喊,万箭齐发夸张了点,但是两三千箭没有问题。随后,又是一轮。

三百晋军,没有一个人逃生,包括武功天下第一的勃鞮。

武功再高,也躲不过乱箭。自古以来,天下第一高手往往都死得不明不白。

"士可杀不可辱,该死的曹国人,为什么要污辱我?"勃鞮用最后一口气说了这句话。

晋文公大军抵达陶丘已经是第二天,眼前的一幕令他大吃一惊。

陶丘城头,三百名晋军尸体悬挂着,其中一具尸体被剥得精光,不用看脸,就知道那是勃鞮。

别说晋文公吃惊,所有晋军士兵都大吃一惊。

"气死人了,给我拿下曹国。"晋文公大怒,就要下令攻城。

"主公，且慢。曹国人这种做法，对我们的军心是个打击。贸然攻城，只怕伤亡很大。先扎下大营，找更好的办法。"元帅先轸急忙阻止。元帅发了话，晋文公只得忍一忍。

晋军扎了大营，晋文公亲自和先轸来看城，只见城上的曹军一个个十分得意，对着晋军尸体指指点点，似乎很有信心。

看完城，众人回到大营，召开战前会议。

"刚才我们看了城，这座城城高墙厚，比一般城池难攻，当初宋军围攻一个月拿不下来。我看，不要急着攻城。我军主要敌人是楚军，不可在这里折了锐气。"元帅先轸率先发言。

"先元帅说得有理，可是，曹国人将勃鞮等人悬尸城上，还故意扒了他的裤子，是可忍孰不可忍？若不尽快拿下陶丘，对我军士气影响极大。"晋文公发言，他的意思是要尽快攻城。

于是，帅佐们开始讨论，有支持先轸的，有认为应该立即攻城的。

狐偃没有发言，他始终没有说话。

"舅舅，你怎么看？"先轸问。越是有疑难的时候，狐偃就越是有办法。

"我的上军要移出大营，单独屯扎。"狐偃冒出这么一句来，见大家都不解其意，接着说，"曹国人不仁，我们自然不义。他们悬挂我军士兵的尸体，我们就挖他们的祖坟地。我们把上军直接屯扎到他们的祖坟地，扬言发掘祖坟，焚骨取暖。这样，曹国人必然害怕，不得不交还尸体，那时，我们再想办法破城。"

狐偃的主意非常阴损，可是没办法，曹国人的做法也很阴损啊。

主意一出，大家都说好。

打仗打仗，打成了挖人家祖坟。

尸体换尸骨计划

狐偃的主意确实好使，这边晋军上军屯扎到了曹国祖坟地，士兵们开始挥舞铁锹掘墓的时候，城里就乱了营。

古人对祖先和鬼神都是很敬畏的，不像如今挖祖坟已经成了时尚。那时候祖坟被挖，惊动了祖上的神灵，那是后辈子孙的极大罪孽。如今挖祖坟，是祖上的神灵在叹气："唉，我造了什么孽？生下这些不肖子孙。"

曹共公慌了神。羞辱晋军士兵的尸体他可以不在乎，可是老祖宗的遗骨被弄出来当柴火烧，那可受不了。

"该死的晋国人，咱们还是兄弟啊，挖我的祖坟，不就等于挖你们自己的

祖坟吗?"曹共公破口大骂,也不想想晋国人为什么要挖他的祖坟地。

骂归骂,曹共公还是赶紧派人去晋军大营,提出"以尸体换尸骨"的交换方案,也就是曹国把晋军尸体还给晋军,晋军撤出曹国祖坟地。

"原本呢,我们非把你们祖坟给挖了,骨头喂狗,头盖骨盛尿。看在祖上还是兄弟的分上,放过你们。不过,三百具晋军尸体被你们晾了这么多天,必须用上好的棺木给装殓了,三天之内送出来。否则,我们还要挖坟。"先轸答应了"以尸体换尸骨",但是,提出了必须用棺材把尸体运出来的条件。

到了这个时候,曹国也只好答应了。

问题是,三百具尸体要用三百副棺材,一时半会儿去哪里弄这么多棺材?当初射杀晋军的时候嫌杀得太少,如今才发觉杀得太多了。

"能不能两个人一副棺材?"曹共公派人去讨价还价。

"去你妈的,你们曹国人才两个人一副棺材呢。要是你们棺材不够,我们就从你们祖坟里挖出来给你们用。"先轸强硬地回答。

没办法了,就是拆门板也要拆了。曹共公发出"实干苦干加巧干,三天造出三百棺"的号召,整个陶丘连续奋战三个昼夜,终于在第三天下午将三百副棺材做好了。

棺材做好了,将三百具晋军尸首一一装好。每副棺材用一辆车拉着,开了城门,浩浩荡荡拉了出去。

如果外面的敌人不是晋国人,而是鲁国人或者宋国人,那么,曹国人这样的行动是没有问题的,因为鲁国人和宋国人决不会在两军进行交换的时候动手。

可惜的是,曹国人面对的是晋国人。

曹国人的车队刚刚出城不远,就被晋军拦住了。

"卸车,验尸。"晋国人提出要验尸,没办法,曹国人只好把棺材抬下来,再把棺材打开给晋国人检查。

前面的车停下来验尸,可是城里的车队依然在向外走。很快,车队拥堵起来,城门挤满了拉棺材的车。

"咚咚咚,咚咚咚。"鼓声响起,紧接着,晋军从四面八方杀来。

"关城门,关城门。"守城的曹军急忙要关城门,可是,城门里都是棺材,哪里关得上?

晋军越过棺材,杀进城中。

战斗很快结束,守城曹军大部投降,其余被歼。自曹共公以下,曹国卿大夫全部被活捉。

三月八日,晋军攻陷陶丘。

三八纵火案

现在,开始报仇。

曹国国库被搬空,全数运往晋国,后宫美女劳军。

曹国官员秩序册交到了晋文公手中,一一过目,看看哪些人该杀。看了一遍,发现全部该杀,理由很简单:曹国贤人僖负羁竟然不在这个名单中。一问,原来是僖负羁性格太直,不被曹共公喜欢,因此已经被开除出公务员队伍。

晋文公把曹共公叫来,痛骂一顿。《左传》记载:"数之,以其不用僖负羁而乘轩者三百也,且曰:'献状。'"什么意思?

就是斥责曹共公手下有三百个高级公务员,却解雇了僖负羁。乘轩者也就是使用公车者,意思是你曹国狗屁大个国家,竟然有三百辆公车,而其中却没有僖负羁一辆。"献状"是什么意思?就是你不是喜欢看我的排骨吗?这次让你看个够。

小小曹国三百辆公车啊,可见自古以来,公车数量直接反映政府腐败程度。

好人被开除,那么当官的一定都不是好人。好人没有公车坐,坐公车的一定不是好人。

这是晋文公的结论,基于这个结论,晋文公下令:凡是坐公车的,杀,抄家。

三百换三百,公车换棺材。

你杀我三百人,我杀你三百家。

仇要报,恩更要报。这是晋文公的做人原则。

"僖负羁全族受晋军保护,任何人胆敢动僖负羁家一草一木,斩首示众。"晋文公下令,他还记得当初僖负羁送熟食,千里送鸿毛,礼轻情义重啊。

报仇,没人反对;报恩,有人不满了。

魏犨和颠颉是跟随晋文公流亡的,两个人都自我感觉不错,觉得自己功劳不小。可是,论功行赏的时候,哥俩都落在第三档次,两人心中就有些不服。如今看晋文公对僖负羁这么好,不仅下令保护,而且还准备重赏,两人不禁愤愤不平。

"魏哥,你说咱们出生入死跟着主公,大好青春都耽误了,也不过混个三等功臣。这僖负羁无非就送了两盘羊杂碎,主公就这样优待他,太便宜他了。"颠颉来找魏犨喝酒,喝得半醉,开始发泄心中不满。

"他奶奶的,你说得对啊。你说咱们兄弟,真刀真枪那么干,脑袋拴在裤

第八十二章 挖祖坟和纵火案

13

腰带上,最后不受待见,僖负羁这种人动动嘴皮子,送几盘羊杂碎,就好像成了大功臣,我想不通。"魏犨听了颠颉的话,也有点不平。

哥俩你一言我一语,互相拱火,最后一拍大腿:"我们也不动他家什么,我们要烧了他家。"

俗话说,一个人缺心眼不可怕,可怕的是两个缺心眼碰在一块。

哥俩商量好了,也不去想后果,趁着酒劲,各带了贴身随从,直奔僖负羁家而去。

当时已经是半夜,巡街晋军见是魏犨和颠颉,也不敢盘问。两人带着人来到僖负羁家,一人前门一人后门,开始放火。当晚有微风,风助火力,眼看着火势大起。魏犨烧得高兴,忘了危险,结果被一棵横梁掉下来,躲闪不及,砸在胸口。也就是魏犨,换了别人,直接砸死,魏犨只是胸部受伤,倒给砸清醒了,急忙离开火场。

僖负羁家里人在睡梦中被火烧醒,哭爹喊娘,四处奔逃。

附近的晋军看见火起,急忙来救。

僖负羁被困在房内,逃不出来。晋军急忙找工具砸门砸窗,纷纷喊:"有没有锤锤?""有没有铲铲?"

等到找到锤和铲的时候,已经晚了三秋。

僖负羁被烟熏死了,而家里也被烧成一片灰烬。

事后统计,一共二十五人被烧死,七十六人受伤。

赵衰当晚展开紧急调查,很快确认这是一起人为纵火案。继续调查,发现是那两个二百五干的。

由于这一起纵火案发生在三月八日晚上,因此我们称之为"三八纵火案"。

杀一留一

第二天一早,最高机密会议。

现在这个会议增加了中军元帅先轸。

赵衰首先把昨晚发生的事情的经过作了一个简短介绍,并且确认昨晚大火是魏犨和颠颉放的。

"这项罪名,怎样处置?"听完了汇报,晋文公问赵衰。

"杀。"

晋文公一时没有说话,这两个兄弟跟随自己流亡十九年,要杀他们,真有些下不了手。

14

"主公,魏犨为天下第一勇士,楚国人历来怕他,是否可以让他戴罪立功?"于公于私,先轸为魏犨求情。

"老师,你看呢?"晋文公问赵衰。赵衰是行军司马,赏罚都出于他,所以,晋文公要跟他商量。

"先轸说的也有道理,还没有跟楚国人开战,先斩两员大将,确乎有损军心。不如我去看看魏犨,据说他昨晚受了伤,如果伤势严重,留着也没有什么用,那就杀他。如果伤势没问题,那就留下他,杀颠颉。"赵衰建议。

"就这么办。"晋文公同意。

赵衰是个有原则的人,但也是个灵活的人。

有原则很可贵,但是有原则而且灵活,就更加可贵了。

赵衰回去洗了一把脸,撒了一泡尿,又换了一身衣服,然后去看魏犨。

来到魏犨军帐,守门士兵通报了,魏犨亲自出帐迎接。

"司马前来,不知有何见教?"魏犨给赵衰看了座,假装不知道赵衰来干什么。想想看,法院院长到你家了,还能有什么事儿?

"昨晚的大火,据说是你放的,你有什么话说?"赵衰单刀直入。

"司马,不瞒您说,我也是刚才醒来才知道。昨晚跟颠颉喝酒喝得烂醉,我都不知道自己干了什么。司马,究竟,烧了谁家?"魏犨现在装糊涂了,这时候,除了装疯卖傻,没别的法子。

赵衰没好意思揭穿他,一起混了这么多年了,魏犨的酒量谁不知道?

"听说你受伤了,伤势怎样? 主公让我来问候你。"赵衰问。其实,这才是他最关心的。

"嗨,司马,你还不知道我? 那点伤,搔痒一样。你坐好了,看我给你比划两下子。"魏犨说。是死是活就靠这两下子了。

《左传》记载:"距跃三百,曲踊三百。"什么意思? 就是魏犨摸爬滚打来了一套魏家拳,打得虎虎生风,威风八面。

赵衰一看,看来老魏还行。

赵衰走了,魏犨咕咚倒在床上,干喘气起不来,胸口阵阵剧痛。

"娘的,多亏了先轸来通风报信,够意思,现在把老赵给忽悠了。"魏犨自言自语。原来,最高机密会议一结束,先轸就派人来给魏犨通风报信,告诉他就是痛死也要打一套魏家拳给赵衰看。性命攸关,魏犨让手下把自己的胸用白布缠好,然后忍着剧痛,若无其事在赵衰面前表演。

只有一样,魏犨以为自己忽悠了赵衰,其实,赵衰根本没有被忽悠,他之所以磨蹭了一阵才来,就是给先轸通风报信的时间。

又坚持了原则,又不给别人留下把柄,赵衰也算是个老油条了。

中军大帐,元帅先轸主持宣判大会。

"查：颠颉违抗军令,伙同魏犨烧毁僖负羁家,该当何罪?"先元帅大声喝问。

"报元帅,死罪。"司马赵衰答道。

"推出,斩首示众。"先轸发令,颠颉还要辩解,刀斧手根本不给机会,直接推出辕门,"咔嚓"一声,脑袋落地,就挂在辕门示众。

大将违令,照杀不误,这叫做"做法",也就是杀一个人来明正法令。后来打仗,经常有主帅出师之前故意找人"做法",就是源于此处。

"魏犨,饮酒大醉,在不知情情况下协同犯法,该当何罪?"先轸问,算是直接给开脱了。

记大过? 错。

内部警告? 错。

通报批评? 错。

双规? 错。

"报元帅,革职。"赵衰答道。那年头,还没内部警告、记大过之类的说法。

"魏犨,革去军中一切职务,戴罪立功之后另行考虑。此外,为严肃法令,禁闭十五天。"先轸下令。禁闭十五天实际上是给他养伤时间。

魏犨被带走关禁闭去了,晋文公戎右的位置由舟之侨出任。

此外,僖负羁已死,晋文公下令僖负羁幸存的家人移民晋国,任命僖负羁的儿子为晋国大夫。杀了颠颉,晋文公让颠颉的儿子做了大夫,也算对颠颉有个交代。

第八十三章　退避三舍

这边拿下了曹国,那一边宋国已经十分危急,宋国特使门尹般前来告急,说是楚军攻势凶猛,睢阳危在旦夕,请晋军火速增援。

宋国危急,救还是不救? 怎么救?

"如果不救宋国,听任宋国被攻破,那我们此前的一切都是白做;如果救,我又担心秦国和齐国不肯和我们一同对抗楚国。各位,有什么好办法?"晋文公有些发愁,他甚至考虑是不是跟楚国人讲和。

赵衰没有说话,打仗的事情,他并不是太内行。

"主公,据我所知,宋国人的防守十分牢固,虽然看似危急,其实再顶一个月也没有问题。至于秦国和齐国的问题,我也考虑过了。这样,让宋国人直接去找秦国和齐国,请他们劝说楚国退军。与此同时,我们把曹国和卫国的土地分给宋国一部分,激怒楚国人。那么,楚国人一定会拒绝秦国和齐国的调解,得罪他们。那时候,我们三国就可以紧密联合了。"元帅先轸把整套方案说了出来。

"舅舅,你看呢?"晋文公又问狐偃。

"哈哈,先元帅已经比我高明了,听元帅的吧。"狐偃笑道。对于先轸,他一直看好,如今先轸的表现比他预料的还好!

成得臣

一切都在晋国人的掌握之中。

宋国人向秦国和齐国送去了礼物,请他们调解与楚国人之间的关系,而

他们的调解受到了楚成王的断然拒绝。

大家都是大国，开个口也不容易，既然不给面子，就干一场。

于是，秦齐两国主动向晋国表示，大家一起干楚国佬。

战争的乌云正一步步逼近。

很快，楚成王得知晋齐秦成为紧密型合作关系之后，他发觉自己上当了。进而，楚成王感到自从晋军出动之后，似乎每一步都被晋国人掌握主动，楚军在战略上完全被动，被晋国人牵着鼻子走。

"这仗已经没法打了。"楚成王得出这样的结论。在这个结论得到芳吕臣的支持之后，楚成王果断作出决定：全线撤军。

楚成王派人分赴谷地和睢阳，命令戍守谷地的申叔时撤军，自然，公子雍和易牙也跟随撤回。命令成得臣撤军，命令见于《左传》："无从晋师。晋侯在外十九年矣，而果得晋国。艰难险阻，备尝之矣；民之情伪，尽知之矣；天假以年，而除其害。天子所置，其可废乎？《军志》曰：'允当则归。'又曰：'知难而退。'又曰：'有德不可敌。'此三者志，晋之谓矣。"

什么意思？大意是说晋文公德才兼备，还有上天的帮助，别跟他对抗。

注意，"艰难险阻"和"知难而退"这两个成语的出处就在这里。

申叔时得到命令，当天撤军，他早就想走了。

成得臣呢？

"撤军？无条件撤军？这不等于把曹卫白白送给了晋国人？这不成了楚国历史上最丢人的一次出征？"成得臣这火就大了，他骂了出来。可是，他不敢骂楚成王，他只好骂楚成王身边的人，基本上，他骂的就是芳吕臣了。"这一定是奸佞之人嫉妒我，不愿意看到我立功，该杀的小人，我一定要灭了晋军，给他看看什么叫马王爷三只眼。"

于是，成得臣拒不撤军，他派伯棼（音焚）向楚成王请战。

伯棼，姓斗名椒字子越，因此又叫斗椒或者斗越椒，他是斗伯比的孙子，子文的侄子。为什么这里要介绍他，因为后面有他的故事，"狼子野心"这个成语与他有关。

伯棼是这样代表成得臣请战的："非敢必有功也，愿以间谗佞之口。"（《左传》）意思是打败晋国人是次要的，关键要给谗佞小人看看。

楚成王很不高兴，非常不高兴，《左传》的话叫做"王怒"。

楚成王实在是不愿意跟晋国直接对抗，可是，成得臣拥兵自重，不肯撤军，楚成王也不愿意搞得太僵。

"好，既然你不见棺材不落泪，那你就打。"楚成王一咬牙一跺脚，批准了成得臣的请战。

18　　按理说，面对第一强劲的对手，应该全军出动，可是，楚成王不肯把自己的部队全部给成得臣。给了多少？《左传》记载："惟西广、东宫与若敖之六卒实从之。"

西广，楚军的右军；东宫，太子的部队；若敖之六卒，成得臣的族兵。

基本上可以这样判断，西广部队和若敖部队一直跟随成得臣攻打睢阳，现在楚成王把东宫的部队给了成得臣。也就是说，现在成得臣用来对抗晋国的部队，实际上只占楚军的一半强。

成得臣用若敖六卒的一百八十乘战车为中军，子西斗宜申率领西广部队为左军，子上斗勃率领东宫、陈国和蔡国军队为右军。

现在，箭在弦上，不打也不行了。

将计就计

楚国人的前敌会议在睢阳城外召开，参加者为子玉成得臣、子西斗宜申、子上斗勃和伯棼斗越椒。

"各位，大王显然不相信我们能够战胜晋国人，你们有什么想法？"成得臣征询意见，战略上藐视敌人，战术上还是要重视敌人。

"令尹，恕我直言，其实，这一仗不一定非要打。"斗勃说话了。成得臣瞪了他一眼，有些不高兴地问："事到如今了，请战也请了，增兵也增了，怎么能说不打了？"

斗勃笑了笑，他知道成得臣是个战争狂人，有仗不打那不是他的性格。可是，斗勃知道，晋国人可不是宋国人，也不是齐国人，晋国人很难对付。

"其实，令尹之所以要与晋国人交战，是因为不愿意无条件撤军而已。如果我们向晋国人提出条件，让他们恢复卫国和曹国，我们解围宋国，双方同时撤军。这样不就又挽回了面子又得到了实惠？不用打仗，您也立了一件大功啊。"斗勃接着把自己的想法说了出来。

成得臣一听，这主意不错啊。

"好主意，可是，万一晋国人不干呢？"成得臣有疑虑。

"如果他们不干，那宋国人、卫国人和曹国人都会怨恨他们，他们自己的士兵也会不满，那时再打，我们就可以占据优势了。"

"子上，你太有才了，先轸也不过如此。"成得臣大喜。你晋国人玩心眼，我楚国人也会。

于是，成得臣派大夫宛春前往晋军大营，提出"以曹卫换宋国"的和平方案，同时向楚成王汇报。

宛春来到晋营，见人打招呼，因为跟晋国那帮人在楚国的时候混得很熟。

"哎哟，老狐，身体倍儿棒啊。"

"哎哟，胥臣，胖了，长胖了。"

"哎哟，老魏，别拍我，我怕你。"

一路"哎哟"，宛春来到了中军帐，元帅先轸正在办公。在楚国的时候，宛春就叫先轸为"小先"，如今先轸当了元帅，不怒自威，宛春也不敢嘻嘻哈哈了。

"先元帅，我家元帅有个建议派我来与贵国协商。"宛春看了座，把斗勃的和平方案说了一遍。

斗勃的方案说出来，晋军帅佐们发出"切"的声音，虽然没说话，眼神里分明流露出的意思是："楚国人什么时候也学会忽悠人了？"

狐偃笑了，直接拍拍宛春的肩膀："春哥，你这不行啊，你们用一个国家换我们两个国家，不公道啊。"

"这，这个，曹国和卫国加起来也没有宋国大啊，哈哈哈哈，和平万岁啊。"宛春打个哈哈，算是回答。

大伙儿还要说话，元帅先轸摆摆手。

"想当年，我们欠楚国的人情，这次，吃亏点就吃亏点吧。这样，宛春大夫是我们的朋友，留在这里叙叙旧，让我们也尽尽东道主的意思，过几天再走。楚国的方案我们全盘接受，宛春大夫先派副使回去通报子玉将军。啊，就这样了，来人，带宛春大夫去迎宾馆休息用餐。"先轸一通号令，答应了楚国人的全部条件，而且不给大家商量的余地。

宛春高高兴兴走了，他知道自己实际上是被扣留了，不过这也没有什么。

宛春出去之后，大家就开始议论了，都说吃亏了，先轸不该这么草率答应他们。

"先元帅，是不是草率了一点？"晋文公问，他也有疑惑。

"舅舅，你说呢？"先轸问狐偃。

"哈哈，还是你说。"狐偃不肯说。

"既然这样，我就说了。"先轸沉吟一下，慢慢说道："楚国人的和平方案等于是救了三个国家，如果我们拒绝，就等于害了三个国家，道义上我们已经输了，三个国家的人民都会怨恨我们。如今，我们答应了他们，但是，并不等于就被他们忽悠了。要跟我们玩忽悠，他们还嫩点。按照和平协议，我们恢复卫国和曹国国君的位置，但是，我们可以命令曹卫两国国君发出绝交信给楚国，这样，恢复了三个国家，但是都成了我们的，楚国人一定恼火。我们再扣留宛春，楚国人就更受不了，他们就一定要来攻击我们。那时候，我们利用他们的急火攻心,必然能够击败他们。"

先轸说完,看看狐偃:"舅舅,我说得对吗?"

"哈哈,看来,我可以退休了。"狐偃笑道。

成得臣得到了宛春副使的回报,说是晋国人全盘接受了和平协议,恢复卫国和曹国国君的地位。不过,宛春被晋国人留下叙旧了。

成得臣高兴啊,这个功劳算是不费吹灰之力得来的,比楚成王无条件撤军那不是合算了上百倍?他立即派斗勃前往申,向楚成王汇报这一巨大成就。

"真的?"楚成王当场表示质疑。

三天之后,斗勃回来了,随身带着两份国书。

"大王让我给你的。"斗勃把那两份国书给了成得臣,斗勃自己也没有看过。

成得臣接过那两份国书,拆开来看,看完之后,脸色变得十分难看。

"令尹,国书上说什么?"斗勃觉得有点不对劲,忙问。

成得臣没有说话,把那两份国书递给了斗勃。斗勃一看,也是脸色大变。

原来,那两份国书来自卫国和曹国,两国国君在国书里表示:跟着楚国混,越混越没劲,从此之后,一刀两断。

得,辛辛苦苦保全了这两个国家,可是人家成了晋国人的跟班了。

"奶奶的,晋国人,老子忽悠不过你们,咱们真刀真枪战场上见。"成得臣被彻底激怒了。

第二天,围攻睢阳的楚军拔寨而起,北上曹国挑战晋国。

退避三舍

三月二十九日,楚军抵达曹国,晋楚两军在历史上首次对垒。

第二次南北战争,如果算上当年齐桓公伐楚,这是第二次南北战争;如果以战争的实际发生为标准,这就是第一次南北战争。

面对咄咄逼人的楚军,晋军怎样?

晋军撤了。

晋国人害怕了?晋国人又出诡计了?

都不是,晋国人出成语了。

前敌军事会议。

"各位,晋楚大战在所难免,有何建议?"元帅先轸发话。

别人没有说话，这一次狐偃抢着说话了。

"先别说怎样战斗，退九十里再说。"狐偃的话一出来，所有人都吃了一惊，为什么要撤退？"各位，当初主公在楚国的时候，曾经答应楚王，两国若开战，晋军退避三舍。国君的话，要讲信用。"

大家不以为然，什么时候的事情了，还管那些干啥？

"对面又不是楚王，何必要退呢？况且，楚军远程来袭，已经很疲惫，我们完全可以在这里击败他们。"中军佐郤溱说道。基本上，他代表了大家的意见。

"打仗，关键在于理的曲直，有理的一方士气高昂，无理的一方士气低落。当年受了楚国的恩惠，我们应该退避三舍报答他们。如果他们也退，我们并没有损失；如果他们追上来，那就是他们无理了。何况，楚军一向精悍，如今算不上疲惫，再拖他们九十里，我们更有把握。"狐偃坚持道。

先轸有点拿不定主意了，看看大家，再看看晋文公。看到晋文公的眼神的时候，先轸下了决心，他一拍桌子，下令："撤，后撤九十里。"

"退避三舍"，这个成语就来自这里。

成得臣似乎永远搞不懂晋国人想干什么，他觉得那是一帮火星人。

三月三十日，成得臣派斗勃去下战书，不多久斗勃回来了，告诉他："令尹，晋国人不见了。"

"什么？"成得臣听了一愣，晋国人逃跑了？

到晚上，哨探来报，说是晋国人一口气退了九十里，一直从曹国退到了卫国的城濮（今河南省范县西南）。

"他们为什么要退？"成得臣问。

"说是当初在楚国的时候，晋侯答应了大王要退避三舍。"

成得臣想起来了，是有这么回事，不过自己从来没有把晋文公当初的话当回事。

"嗯，他们怕了，为逃跑找个借口而已。我说过，晋国人只会忽悠。"成得臣打死也不会相信，晋国人这个时候竟然会守信用。

"我看，既然他们退了，咱们也不要追了。大家撤军，也不伤和气。"斗勃的意思，楚军到此为止算了。

"追。"成得臣没有理会斗勃，他现在的信心更足了。

成得臣不知道，晋国人忽悠你的目的就是要打你。

布 阵

四月一日,楚军追到了城濮,背靠丘陵下寨。

晋军先一天赶到,并没有丝毫懈怠,一切按照大战前的准备进行。

中军帐里,晋文公还有些不放心,于是大家开导他。

"昨天晚上我做了一个梦,梦到我和楚王摔跤,结果他把我压在身下,还咬我的头,是不是个坏兆头啊?"晋文公说。他真是越到大战临近了,越觉得心里没底。

"好兆头啊。"狐偃立即就说话了,他知道越是到了关键时刻,就越是必须把任何可能引发悲观情绪的事情扼杀在摇篮阶段,所以他根本不给别人发言的机会,"主公仰面朝天,证明得到了天的照顾。而楚王面朝下,正是跪地认罪啊。就凭这个,我们一定能战胜楚国人。"

正说着,斗勃来了,来干什么?下战书。

古人下战书是很客气的一件事情,似乎这是文化人的事情。来看看斗勃是怎样转达成得臣的话,感受一下。

"请与君之士戏,君凭轼而观之,得臣与寓目焉。"(《左传》)翻译过来是这样的:请求与晋君您的战士游戏,请您站在车上观赏,得臣我也陪着您看。

多客气啊,好像不是打仗而是奥运会体操比赛。

楚国人很客气,晋国人同样客气,晋文公派与斗勃同等级别的下军帅栾枝前往楚军大营回复战书,栾枝代表晋文公的话也很客气,再感受一下。

"寡君闻命矣。楚君之惠未之敢忘,是以在此。为大夫退,其敢当君乎?既不获命矣,敢烦大夫谓二三子,戒尔车乘,敬尔君事,诘朝将见。"(《左传》)翻译过来是这样的:我明白您的意思了。楚王的恩惠我不敢忘怀,所以一直不敢挑战贵军。我们退避三舍,就是希望能够避免作战。既然你们不肯放过我们,我只好麻烦您通知你们的兄弟,准备好战车,为你们的国君而战吧。明天早上,不见不散。

真是客气。

古人打仗,有的时候是很优雅的。

四月二日凌晨。

晋、楚两军分别布阵。

晋军总兵力七百乘战车,其中包括齐军和秦军的战车。

楚军尽管不是全部兵力,但是加上陈、蔡两国军队,战车数量同样在七百乘上下。

楚军中军由成得臣指挥,兵力为若敖的一百八十乘战车,这是楚军最精

锐的部队,尽管战车数量不多,但是战斗力惊人。

楚国左军为原右军,子西斗宜申统领;楚军右军为东宫军,外加陈国和蔡国军队,由子上斗勃统领。阵势列好,楚国人有一种很奇怪的感觉,他们似乎没有往日必胜的信心,对于对面的敌人,他们捉摸不透。

事实上,先轸的指挥才能远远高于成得臣。

中军,先轸坐镇。前部,三层弓箭手;其后,执戟战士;后部,公族精锐,一百乘战车。

左路,下军佐胥臣虚张下军帅栾枝军旗,率一半下军对阵楚军右军。

右路,狐毛、狐偃各率一半兵力,高坡上列阵,迎战楚军左军。栾枝率一半下军,埋伏于高坡之下三里之外的一片树林后面。

秦国、齐国军队在晋军之后,听候调遣。

布阵完毕。

"今日必无晋矣。"大战开始之前,成得臣说了一句很无厘头的话,意思是今天一定要消灭晋国军队。

人有多大胆,地有多大产。这大概是成得臣的信条,可惜的是,他这次面对的不是宋襄公。

第八十四章　城濮大战

一切都在计划之中，一切都在掌控之中。

先轸知道，胜利已经在望。但是他或许不知道，这将不是一场寻常的战斗，这将是一场意义深远的，影响整个中国军事历史乃至世界军事历史的完美战例。

"开始吧。"先轸下令。

精兵出击

晋国人的战鼓率先响起，晋国左军发起冲锋。

下军一半的兵力就敢冲锋？

对于成得臣把陈蔡两国军队放在右军，先轸几乎要笑出来。如果是他，宁可让这两国军队上山头去当拉拉队，这也是先轸不用齐秦两国军队的原因，尽管齐秦两国军队比陈蔡两国军队的战斗力要强很多。

"成事不足，败事有余。"这是先轸对陈蔡两军的定义，这样的军队，一个冲锋就能击溃。

胥臣额外为陈蔡军队准备了一份礼物，以保证两军还没有交手就让陈蔡军队崩溃。

记得当年鲁国公子偃大破宋国南宫长万的那场战斗吗？胥臣博学多才，他决定照方抓药。晋军前排战车上，每匹马都披上虎皮。

披着虎皮的马是忽悠不了人的，但是可以忽悠马。

晋军的"马虎"冲锋，对面陈蔡军队的战马就开始哆嗦了。国家弱小，连

25

马的胆子也小。陈蔡军队的马要逃命,马车上的人更想逃命。原本还不敢逃,怕秋后算账,现在有借口了:不是我要跑,是马要跑。

只见陈蔡两国军队瞬间乱了营,大家都是拨转车头逃命,谁还有心思打仗?

"陈、蔡奔,楚右师溃。"《左传》如此记载,一个"奔"字,无比传神。什么是奔?就是没命一般地逃跑,根本不回头。

陈蔡崩溃,连累楚军东宫部队。东宫部队除了被陈蔡战车撞翻和压死的之外,其余战士誓死不退,被晋国左军一通横扫,十死七八,斗勃拼死杀出,率领残军逃命。

第一战,叫做以我之长击敌之短,率先突破敌人的薄弱点。

后来《孙子兵法》中有一句话叫做"乱军引胜",其原理就来自这里。

歼灭战

楚军左军战鼓响起,楚军冲锋。

晋军二狐的上军旗号混乱,呼兄唤弟,看上去,狐家兄弟根本不是统军的材料。楚军开始冲锋之后,晋军后队变前队,立即逃命,比楚军右军的崩溃还要快。

斗宜申有点不敢相信,晋军这也太离谱了吧?狐偃难道就是个南郭先生,平时吹牛一套一套,真要上阵就原形毕露了?莫不是晋国人有什么诡计?

斗宜申急忙传令停止前进,楚军将士一片哗然,晋国人逃跑了,为什么不追?

斗宜申在观察,他要确认敌人是诱敌还是真的逃跑。很快,他得出了结论:晋国人逃跑了。结论怎样得出呢?二狐的队伍逃下了山坡,已经看不见他们。但是很快,更远处灰尘大起,说明晋国人没命在逃,已经逃了很远。

"全速追击。"斗宜申下令。

"楚军驰之。"《左传》如此记载,真要佩服古人用词的精到了,一个"驰"字,把楚国人以轻快的步伐全速追击晋国人的场景表现得淋漓尽致。

可是,楚国人没有能够"驰"太久,很快他们就"驰"不动了。

楚军以加速度冲下山坡之后,从他们的右翼杀出一支军队来,这支军队的彪悍程度即便在楚军中都是顶级的。只见大旗飘飘,上面写着一个"郤"字,原来,这是中军佐郤溱率公族部队拦腰杀来。当先一员大将,正是魏犨。

魏犨的勇猛楚国人是知道的,看见他,楚军士兵不战而怯,无人敢挡。

此战之后，楚国人把不知死活的行为称为"找魏犨"，后简化为"找犨"，这就是当今"找抽"这个词的来源，此是后话。

当时楚军被冲成两段，紧接着，左后方杀出一路大军，正是晋军上军，楚军后段正当其冲。楚军前部正要回头助战，谁知前方又杀出一路晋军，帅旗上大写一个"栾"字，原来，是下军主帅栾枝率领一半下军杀到。

现在，楚军左军实际上遭到晋军上中下三军的夹击。楚军被冲成两段包围，晋军人数占据绝对优势。这一仗打得是昏天黑地，日月无光。楚军有史以来都是拿别人开宰，什么时候当过被聚歼的对象？当时杀得楚军哭爹喊娘，呼兄唤弟，不死即伤。斗宜申在亲随卫队保护下，拼了老命撞开重重包围，车也不要了，翻山越岭而逃。计点手下逃出的人马，只剩两成上下。

《左传》记载："楚左师溃。"

现在来看看先轸的部署。

二狐的上军故意乱打旗号，迷惑楚军。待楚军进攻，晋军上军后撤，下坡之后向左，在一片山丘后埋伏。栾枝率领下军一半人马在正后方的树林后埋伏，预先砍伐树枝，待上军撤下山坡并埋伏好之后，用马拖着树枝来回跑动，激起灰尘，造成晋国上军已经逃跑到这个位置的假象，引诱楚军追击。栾枝的这一招，后世广泛应用，《三国演义》中张飞在当阳桥就曾经用来欺骗曹操。

楚军果然上当，全速追击，这个时候，中军公族杀出，上军下军前后夹击，消灭楚军。

第二战，叫做集中优势兵力打歼灭战。毛泽东的战术思想，就来自先轸这里。

春秋以前，两军交锋以击溃对方为目的；春秋以后，常常以歼灭对手为目标。这样的改变，就是出自先轸。

楚军左右两军惨败，中军怎么样？

晋军中军一直没有进攻，成得臣也没有轻举妄动。很快，楚军右路被击溃的消息传来，成得臣担心晋军左路会来夹攻，更加不敢进攻。

得到左军也溃败的消息之后，成得臣的脑子已经一片空白。

"完了。"成得臣只有这样的念头。

"后队变前队，弓箭手押后，撤。"这个时候，好在儿子成大心还算冷静，而且宗族部队强悍而忠诚。

于是，楚国中军缓缓后撤。

这个时候，晋文公就在车头看着成得臣逃走。

"主公，现在我们三面夹击，一定让他们片甲不回。"先轸在下令追击之前，要问一问晋文公。

"算了，放他们走吧，算是我们回报楚王。"晋文公轻轻地说。他是个知恩必报的人。

城濮之战，中国历史上著名的城濮之战，交战双方投入了总共超过十万人的兵力，创下了春秋以来的战争人数纪录。其结果以晋国的全面获胜而告终结，此前无敌于天下的楚国损失了几乎一半的精锐部队，元气大伤。以此为标志，春秋进入晋楚争霸的时代。而晋文公也因此登上春秋第二位霸主的宝座，先轸则凭此一战成为一代名将。

城濮之战，晋国君臣联合策划上演了一出精妙绝伦的战争大戏，这出大戏，对于中国军事思想的发展具有划时代的意义。这场战争，从策划到实施，从谋略、外交到具体的战斗部署，都是一部战争教科书。此后著名的《孙子兵法》，极大地受到这场战争的启发和影响。

晋文公、狐偃、先轸、赵衰、栾枝、胥臣、魏犫，等等，一个个鲜活的历史人物应该永远被我们记住。而楚成王的远见、成得臣的强横以及楚军的精悍，也同样令人难忘。

这样一场具有深远历史意义的战争，却是源于三个弱国国君的一次无聊的会见。

城濮大战，晋国大获全胜。尽管楚军是轻装追到城濮，粮食辎重还是有一些。晋军进驻楚军大营，在里面会餐三天，才把楚军的粮食吃完。然后，能带的辎重带走，带不走的，一把火烧掉。《史记》记载："火数日不息。"

战胜楚国，也就意味着天下无敌，可是，晋文公还是忧心忡忡的样子。

"主公，我们已经战胜了楚国，为什么还要担忧？"众人问。

"唉，战胜了强敌还能够怡然自得的，那是圣人才能做到的啊。虽然楚军败了，但是成得臣还在，只要他在，我们就过不安生啊。"晋文公说。他了解成得臣，那是一个生命不息战斗不止的战争狂人。

众人默然，每个人都知道，成得臣是一个难缠的对手。

郑文公的妙计

吃饱了喝足了，干什么？

"趁热打铁，趁着大胜的机会，先不要回国，直接朝拜王室，确定霸主地位。"狐偃建议，众人都赞成。于是，三军拔寨都起，向洛邑进军。齐秦两国军队各自回国。

胥臣作为使者先行，走到半路遇上了王室派来的王子虎。原来，听说晋军大胜，周襄王高兴，派王子虎前来祝贺。胥臣把晋文公的意思说了，王子虎也高兴,高兴归高兴,心里却有些疙瘩,犹豫了半天,决定实话实说。

"老胥啊,有句话说出来不怕你笑话。晋侯要来,真是一件大好事。可是有一点,王室现在穷得叮当响,要招待各国诸侯吧,那就是打肿脸充胖子,非砸锅卖铁不可。要不招待吧,那说不过去。我看,干脆贵国就在郑国衡雍的践土(今河南省原阳县境内)修建行宫,到时候贵国做东,天子亲自过来接见大家,一来显示贵国的实力,二来王室不用破费,你看怎么样?"王子虎说来说去,就是不想当东道主。

"好啊,这个主意好,就这么定了。"胥臣高兴,这样等于晋国是主办国,周王亲自前来证明晋国面子大,其余诸侯来都等于给晋文公当绿叶了。

两人商量好,胥臣直接回来了,把事情一汇报,大家都夸胥臣行事果断。

于是,晋文公派出各路特使前往各诸侯国,邀请他们参加周王亲自出席的盟会。除了太远的国家和楚国之外,只有一个国家没有邀请,那就是真正的东道主郑国。

为什么不邀请郑国?晋文公的意思,在盟会之后,直接灭了郑国。

郑文公这段时间过得很不舒坦,楚老大被打翻了,马仔当然就很恐慌。在庆幸自己的队伍没有参加城濮之战之余,他必须要考虑今后的前途了。

干革命要跟对人。

从前跟楚国也不能说没有跟对人,不跟也不行。可是如今现实问题就在眼前,当年得罪了晋文公的曹国和卫国都处于半亡国状态,晋文公还没有表态是不是让他们存在下去,自己是第三个得罪了晋文公的人,而且又是楚国的头号马仔,怎么办?

对于郑文公来说,干不干革命不重要,跟对人才重要。什么样的人是对的?谁强就跟谁。没办法,北面是晋国,南面是楚国,谁也得罪不起。

晋国人在郑国的地盘上开建楼盘,把郑国当透明,郑文公意识到了危险,巨大的危险。郑文公厚着脸皮,派人送鸡送肉给晋军,晋军照单全收,但是一个谢谢也没有,好像就是郑国欠他们的。

热脸贴上冷屁股,郑文公知道仅靠送肉是不够的。于是,郑文公亲自出马,来到伟大首都洛邑朝见周襄王。好些年没来过了,好在有当年给周襄王送肉的面子,死皮赖脸套上近乎,送上礼物,说些"血浓于水、兄弟情深"一类的套话,算是说动周襄王,答应为他调解。

周襄王派王子虎陪同郑国大夫子人九前往衡雍求和,看在周王的面子上,晋文公总算答应了郑国的请求,并派栾枝出使郑国确认。

即便得到了栾枝的确认,郑文公还是心里没底,想来想去,想出一个好招。什么好招?

五月九日,周襄王驾临衡雍,随从队伍中有一个人,这个人就是第二天

结盟的相礼,也就是主持仪式的官员。而这个官员,就是郑文公。

"我现在是天子的随从人员以及明天活动的主持人,你杀我吗?"郑文公就这个主意。别说,这主意挺好,搞得晋文公哭笑不得。

当天,晋文公和郑文公在衡雍结盟,郑文公算是彻底放心了。

也别笑话人家郑文公,在强国夹缝中混,人家容易吗?

授权典礼

晋文公五年(前 632 年)五月十日,这是一个晋国人民永远不能忘怀的日子。

这一天,阳光明媚。

怎么又是阳光明媚?不行吗?最高领导人光临,阳光不可以明媚一下吗?

来看看节目安排。

第一个节目:献礼;

第二个节目:阅兵;

第三个节目:宴请;

第四个节目:授权;

第五个节目:再见。

节目主持人:郑文公。

与会嘉宾:周襄王、晋文公、齐昭公、鲁僖公、宋成公、陈穆公、蔡庄公以及多个小国国君。受邀而没有前来参加的国君只有秦穆公和许僖公,想来而来不了的是曹共公和卫成公。曹共公此时正在五鹿的晋国牢房中观摩"晋文公菜板图",原来,晋文公说了"让你看个够"之后,令人画了一幅"肋骨图"给曹共公去看,这幅图就是"晋文公菜板图";卫成公想来但是不敢来,偷偷派了自己的弟弟叔武过来,看看组织上是不是肯收留。

大家看着郑文公忙前忙后,都觉得好笑,这厮几年前还在给楚成王玩"九献",现在又给周襄王当司仪,确实有点跳梁小丑的意思。没办法,只要能不跳楼,跳梁无所谓了。其实看看鲁僖公、陈穆公那一帮,谁又比谁强多少?

不跳梁,就跳楼。或者反过来更恰当,不跳楼,就跳梁。

第一个节目是献礼,晋文公向周襄王献礼。

这是一份大礼,令诸侯瞠目结舌的大礼。

首先献上的是晋军在曹国国库中淘到的宝贝,然后是晋军在楚军大营中搜获的楚国特产。

随着一阵鼓声，一百乘崭新的由四匹马驱动的战车驶过主席台，这些战车都是晋军从楚军手中缴获的战利品，都是当时天下最先进的战车。战车的后面，是一千名勇武的战士。不好意思，这些战士都是楚军俘虏，从此之后，他们将是周王室的底层士兵。

现场一片哗然，看见楚军战车和士兵，各国诸侯忍不住还有些心惊，没办法，从前被打怕了。

周襄王高兴得合不上嘴，这么多先进战车和好马，就算自己不用，趸出去也是不少钱呢。

第二个节目，阅兵。（此处省略一千五百二十五字）

第三个节目，宴请。（此处省略一千五百二十五字）

第四个节目，授权。

根据《左传》记载，授权仪式如下："王命尹氏及王子虎、内史叔兴父策命晋侯为侯伯，赐之大辂之服、戎辂之服，彤弓一、彤矢百，玈（音卢）弓矢千，秬鬯（音唱）一卣（音有），虎贲三百人。曰：王谓叔父：'敬服王命，以绥四国，纠逖王慝（音特）。'"

这段话别看字数不多，翻译起来可就多了，所以免了。那么，什么意思呢？

就是周襄王从国库的箱底弄了一堆礼物给晋文公，然后说："叔叔啊，从今以后，您就代表我安抚诸侯，讨伐叛逆了。"

为什么叫叔叔？这是规矩。周王跟诸侯的称呼，同姓的叫叔父，异姓的叫伯舅。

之后，颁发了"策书"，也就是证书。什么证书？授权证书。

证书发了，开始盟誓，与会诸侯共推晋文公为盟主。

因为结盟的地点在践土，此次结盟被称为"践土之盟"。

现在，晋文公成为继齐桓公之后，第二个名正言顺、实至名归的霸主。

春秋第二霸，晋文公。

从齐桓公和管仲到晋文公和狐偃，称霸天下最看重的就是一个"信"字，这不是不约而同，这是真理。而这个"信"字，内涵其实就是法治。取信于民，国家富强；取信于天下，诸侯信服。

春秋的霸主，绝不仅仅是军事强大这么简单。

那么，晋文公的"信"与宋襄公的"仁"有什么区别呢？

"信"是灵活的有具体指向的，譬如晋军对楚军退避三舍，但是对其他国家没有这样的承诺，决不会这样做。说到就做到，做不到就不说，这就是晋文公的原则。"仁"是一种自我约束，对任何人都适用，宋襄公对楚军不肯半

渡而击,对任何国家也都如此。"信"是看得见摸得着的东西,而"仁"是一种概念化的东西,所以,"仁"的变种很多,诸如"妇人之仁"、"假仁假义",等等,而"信"只有一种。时至今日,信用是可以评级的,而仁义则没有办法界定。

用如今的体育项目来比喻,"信"就是对抗项目,比分决定一切;"仁"就是打分项目,评委决定一切。腐败生于"仁",而止于"信"。

司马迁写道:"晋文公,古之所谓明君也。"

孔子评说:"齐桓正而不谲,晋文谲而不正。"哈哈,孔夫子比较不喜欢晋文公。

至于评点《东周列国志》的蔡元放,对晋文公可以说崇拜得五体投地:五霸之中,当推第一。认为晋文公的人品、学问、见识优于齐桓甚远。

第八十五章　秦晋联军

晋国大军浩浩荡荡回到绛,受到百姓的热烈欢迎。

晋国人民真是做梦也没有想到,自己的国家竟然战胜了楚国,自己的国君竟然成了霸主。

论功行赏,这一次晋文公的论功行赏大会开得非常及时。

赏罚分明

古人行赏,从最高等级开始,而不是现在先从安慰奖开始。在开始之前,人们一致认为头功得主非中军元帅先轸莫属。可是,人们都想错了。

"头功得主,狐偃。"晋文公宣布。一片哗然,谁都没有想到,连先轸也有些意外。

大家忍不住去看狐偃,只见狐老头神色坦然,面带微笑。

"暗箱操作。"大家都这么想,亲舅舅嘛。虽然这样想,大家还是感到不满,晋文公从前不是这样啊,当了国君了,就开始搞腐败了?再说狐偃,老头一向有自知之明啊,这回怎么这么不要脸?还笑呢,老不要脸,难道人老了就可以不要脸?

"城濮大战,先轸之谋。"终于有人忍不住,喊了出来,为先轸鸣不平。

晋文公不慌不忙,开始解释。这一段见于《史记》,晋文公这样说:"城濮之战,狐偃告诉我不要失信,先轸告诉我取胜不择手段。用先轸的谋略,我们取胜了一场大战。但是,先轸的话只是一时之用,狐偃的话受用万世。一时之利和万世之功,谁更大?"

沉默,寂静无声。

随之,一个人开始鼓掌。谁?先轸。之后,掌声雷动。

晋文公的解释令所有人心悦诚服。

这是一个让人心悦诚服的解释吗?你认为是就是,你认为不是就不是,这取决于你所站的高度。

作为头功,狐偃得到贾为封邑。后来,狐偃的儿子狐射姑以封地为姓,改称贾季或贾佗,是贾姓的另一起源。

功劳榜上排名第二的先轸被封在原,因此先轸后又称为原轸,先轸也是原姓的始祖之一。

赏完了,开始罚。

第一个被押上来的是祁瞒,他是中军的掌旗官,负责中军大旗。古时作战,没有无线电,全军的作战方向都靠战鼓和军旗来指挥,因此掌旗官的地位很高,责任也很重。城濮大战开始之前,突然刮来一阵大风,竟然把前军左军的大旗给放了风筝,险些动摇了军心。

按今天的话来说,这属于一起严重的责任事故,事后问责。

"身为掌旗官,中军大旗被吹走,该当何罪?"晋文公发问。

"当斩。"司马赵衰回答。

"斩。"晋文公下令。

祁瞒被推出去,斩首。

什么是问责?这才是问责。

第二个被押上来的人令人吃惊。谁?舟之侨。舟之侨犯了什么事?说起来,都是爱情惹的祸。

原来,践土之盟前,元帅先轸派遣舟之侨先行回国,在黄河渡口准备船只,等候大军凯旋。按理,干这样的事情舟之侨有经验,根本不在话下。

到了黄河渡口,舟之侨收到了一封家书。

家书,并不一定都是好东西。

家书是老婆写来的,青梅竹马的老婆,两人感情一向情比金坚。信上的内容大致是:老公,我得了重病,想你在我的身边。

舟之侨爱老婆啊,算算那边盟会的日程,先回家看看老婆完全来得及。于是,舟之侨把事情交代给了副手,自己回家看老婆去了。

可是,人算不如天算,那边盟会提前了。等晋国大军凯旋回国到了黄河渡口,船只还没准备好,一问,舟之侨回家看老婆还没回来。晋国大军又临时搜找船只,这才渡过黄河。过了河,舟之侨也回来了。没说的,擅离职守,捉拿。

"舟之侨接受君命,而擅离职守,延误大军渡河,该当何罪?"晋文公又

34

问。

"当斩。"司马赵衰回答。

"斩。"

可怜舟之侨,为了爱情,送了性命。想舟之侨多聪明的人啊,竟然这样死法,冤不冤?

城濮一战,晋文公斩了颠颉、祁瞒和舟之侨三个大夫,同时通报诸侯。于是,天下人都说:"看人家老晋,赏罚分明啊。该赏的不客气,该杀的更不客气。"

后来,晋文公又恢复了卫国和曹国,依然让卫成公和曹共公当国君。其气度再次受到广泛好评,这是后话。

成得臣之死

城濮大战,彻底改变了天下的格局,势力范围重新划分。原先,除了齐秦晋宋,天下都是楚国的势力范围,如今,楚国算是树倒猢狲散,扈从国纷纷投靠晋国,只剩下许国一个国家还在充大头。

这一天,晋文公君臣几个一起喝早茶,回顾当年流亡的日子。喝着喝着,大家开始算天下还有哪些国家没有投顺,一算,除了楚国和八竿子打不着的燕国越国之类,就只有秦国和许国没有参加上一次的会盟了。

"嗯,主公,我看,要抓紧时间收拾这些不服的国家。"狐偃将着胡子说。

"对了,主公,谁不服我跟先哥就去打谁,我老魏专治各种不服。"魏犨说。从城濮回来,他的处分被撤销了,因此还有资格跟晋文公一起喝茶。

"政策,"晋文公瞪了魏犨一眼,笑着说,"要注意政策。现在不一样了,我们是盟主了,凡事要讲政策。上次盟会的时候,咱们还不是盟主,人家不去说得过去,怎么能无缘无故去打人家?"

别说,晋文公的政策水平有了很大提高。

但是,各种不服还是要治的。

头脑风暴之后,赵衰的建议被采纳。什么建议?晋国在本国的温召开春秋霸主的第二届联大第一次全会,各诸侯国参加,同时邀请周王前来与大家亲切见面。如果哪个诸侯敢不参加,联合国军队将无情打击。

那么,不担心楚国出兵吗?不用担心,因为成得臣已经死了。

成得臣怎么死的?让晋国人继续喝茶,我们来看看楚国。

成得臣率领的中军在城濮之战中全身而退,撤退途中又收拢了一些残余部队,还好斗勃、斗宜申都还活着。

"奶奶的,先轸狗日的不讲规矩。"成得臣败得很恼火,到现在还没弄明白自己的队伍是怎样把这场战争稀里糊涂地给输掉的,反正就觉得先轸玩阴的了。这时候,他挺怀念宋襄公。

骂归骂,骂完了,还要考虑自己的前途问题。

打了败仗,属于罪人,成得臣不知道该怎么处置自己,因为楚国从来没这么败过。

"我,我没脸活着回去了,我自绝于祖国算了。"成得臣就要抹脖子,说实话,作作秀而已,真没想死。

众人连忙拦住,斗勃说了:"令尹啊,其实打败仗不怪您,不是我们太愚蠢,而是晋国人太狡猾。我看,还是先请示大王,大王让您死,您再自杀也来得及啊。"

真想自杀的,谁也拦不住。成得臣本身就做做样子,斗勃这一说,他顺势下台阶,自己和几个兄弟不敢回去,就留在连谷这个地方,派儿子成大心带着残部去申地请示楚成王了,意思是看儿子能不能帮自己求个情什么的。

成大心到了申,直接去见楚成王,楚成王正火大呢。

"什么?你爹还有脸回来?整个西广被你爹给送个干净了,他不怕被申、息两地的父老给剐了吗?告诉他们,去死吧。"楚成王一顿臭骂,把成大心给骂出来了。

原来,楚军西广部队的士兵来自申、息两地,这次几乎全军覆没,两地百姓怨声载道,有人还准备示威游行。

成大心灰溜溜到了连谷,把最高指示一传达,实际上就三个字:"去死吧。"

成得臣的心凉了,他不想死,他可以逃走,尽管他知道晋国大概不会欢迎他,但是秦国一定欢迎他。可是,他是一条好汉,他宁愿去死。

成得臣选择了战士的死法:横剑自刎。

斗宜申选择了比较斯文的方式:上吊。不过他运气不好,用了一根不够结实的绳子,结果绳子断了,他只吊得个半死,在地上倒了半天气,准备第二次上吊。

三个人中,斗勃年纪最小,职位最低,所以他要负责给那两个收尸,然后才能轮到自己。他还没有想好自己用什么方法,自刎和上吊都被人用了,他觉得自己试一试一头撞死更好一些。

世界上的事情总是这样,利好和利空不是绝对的。就在斗宜申痛苦地准备二次上吊的时候,一匹快马已经赶到。

"传大王口谕,所有人一律免死。"来人是楚成王的特使,原来楚成王后悔了,他决定赦免所有人。

斗宜申激动地扔掉了手中的绳子,捡起那一段断了的绳子,他决定用那段幸运绳做裤腰带;斗勃笑了,他这时候才领悟到,官小有官小的好处。

成大心痛哭起来,他觉得自己真傻,他问自己为什么要快马加鞭赶回来呢?就算在路上多拉一泡屎,爹也死不了啊。

"我真傻,真的,我分明憋了一泡屎啊,呜呜呜呜。"成大心这叫一个后悔。

不管怎样,成得臣死了。

"莫余毒也已。"得知成得臣的死讯之后,晋文公高兴地说。"莫余毒也",尽管少有人用,但是扎扎实实是一个成语,意思是再也没人能伤害我。这个成语的出处就在这里,见于《左传》。

接替楚国令尹职务的是芀吕臣,晋文公对他的评价是:"奉己而已,不在民矣。"(《左传》)意思是尽忠职守,不喜欢用兵。

成得臣已死,晋文公知道,现在只有一个世界警察了,那就是他自己。

讨伐许国

晋文公五年冬天,第二届联大第一次全会在晋国的温召开。践土盟会缺席的秦穆公这次出席,践土盟会担任司仪的郑文公无故缺席,而许国依然没有与会。

大会在晋文公的主持下,就当前的国际形势进行了热烈的讨论,与会诸侯国君纷纷表示,世界和平需要一个盟主,而这个盟主就是晋文公。

大会期间,周襄王亲自前来看望大家,并与大家亲切交谈。

最后,大会强调了要在晋文公的领导下,团结在王室周围,为世界和平作出贡献。大会作出决议:许国投靠楚国,背叛正义,打它该死的。

晋文公五年十一月十二日,联合国军讨伐许国。

许国急忙向楚国求救,楚国的回答是:我们始终坚持以和平方式解决国际纷争,希望交战各方坐下来进行谈判。同时,对于晋国等国家粗暴干涉别国内政的行径进行谴责,强调由此造成的一切后果必须由晋国承担。

"唉。"许僖公几乎要哭出来,你说你不救就不救吧,说这一堆屁话干什么?

老大都衰了,跟班还有底气吗?现在的许僖公只有两个字可以定义:后悔。

"我们投降。"许僖公直接开了城门,挂了降旗。

"不许,你们不是牛吗?来啊,看看联合国的铁拳比楚国的怎么样。"晋

文公代表联合国拒绝了许僖公投降的请求。

感觉上，晋国人经常拒绝别人投降，这一点，不像齐桓公。

许僖公慌了，连投降都不准，那就是要灭了你啊。怎么办？这时候，只有最后一招了，什么招？肉袒。就是把自己光着个膀子捆起来，插上荆条，去跪求对方饶恕。

说起来，这算是许僖公的老行当了。二十八年前，当时许国跟着齐国混，结果被楚成王包围，那时候就是靠着肉袒过关的。想不到，二十八年后，还要故技重演。

许僖公把自己剥成光猪，拾掇好了，迈开大步，向联合国军走去。联合国军将士一看，人家打仗都穿盔戴甲，许国的兄弟怎么光着就出来了。走近了一看，好嘛，玩肉袒的。

俗话说：杀人不过头点地。如今人家光着屁股来给你磕头认错，还能怎样？

晋文公服了，心想，跟人家相比，自己当年那点走光算得了什么？于是，联合国接受了许国的投降。

在许国，联大第二次会议举行，再次盟誓。

从齐桓公到晋文公，都喜欢开联大会议，时不时提醒大家：我才是你们的老大。

晋文公和秦穆公进行了私下会谈，双方决定两国结成超强版战略合作伙伴关系，具体内容就是：晋国打谁，秦国帮忙；秦国打谁，晋国帮忙。

看起来，秦晋之好又发展到了一个更高的层次。

可是，再好的朋友，做合伙生意也是很危险的。

花匠烛之武

晋文公六年，天下基本还算太平。这一年，晋国组建了三个步兵军来抵御狄人的进攻，称为三行，其中中行主帅是荀林父。到这个时候，晋国已经意识到靠车战与狄人的骑兵作战太吃亏，还不如用步兵的强弓硬弩来得有效。

这一年里，鲁国遭受自然灾害，而郑国又投靠了楚国。

晋文公七年秋收之后，晋国终于决定要收拾郑国了。根据和秦国的战略合作伙伴协定，秦国应当同时出兵。秦穆公没含糊，亲自领军出征。

晋国军队率先抵达，驻扎在函陵。第二天，秦国军队抵达，驻扎在汜水南面。两国军队呈夹击之势，准备对郑国都城荥阳进行合围。

郑文公慌了，急忙派人前往楚国求救。两天之后，特使回来。

"楚王怎么说？"郑文公忙问。

"楚王说了，楚国一贯坚持以和平方式……"特使还没说完，郑文公摆摆手示意他别说了。

"什么时候了，还忽悠呢。"郑文公不屑地说。真是三十年河东三十年河西啊，现在楚国竟然都当缩头乌龟了。"各位，大家说怎么办呢？"

打，那是肯定打不过的；逃，那也是不能逃的。

"投降吧。"有人建议，可是立即被否决，不是不能投降，而是晋国人根本就不接受你的投降。

"肉袒吧。"又有人建议，可是立即也被否决了。郑文公倒不是担心丢脸，比这更丢脸的事情也不是没干过，可是他知道自己跟许僖公不一样，自己从前还得罪过晋文公，况且这次没那么多诸侯在，晋文公也不用装大度了，到时候郑文公自己剥光了去了，弄不好直接就给扔锅里，连剥衣服都省了。

郑文公很发愁，所有人都很发愁。

"主公，既然投降不行，想别的办法吧。我看，也不一定一门心思想着晋国，要是能先把秦国给忽悠回去，晋国就好对付了。"说话的是大夫佚之狐。郑文公一听，这也是个办法，也只好死马当做活马医了。至少把秦国忽悠走了，自己实在不行逃命还能逃出去。

"那，你有什么办法忽悠他们？"郑文公问。

"我没办法，可是我有一个朋友叫烛之武的，他肯定行。"

"他干什么的？"

"国家大花园种花的。"

"你怎么知道他行？"

"实不相瞒，我家邻居的老婆长得漂亮，我垂涎已久，可是没有办法。后来烛之武帮我去忽悠了一通，结果那人把老婆亲自给我送来了。就因为这个，我知道他能忽悠。"

"那赶紧叫他来。"

烛之武来了，干瘦一老头，说话还有点结巴。大家一看就乐了，就这么个老头，能把别人老婆给说跑了？

近视眼不等于枪法不好，结巴也不等于口才不好。忽悠靠嘴，更靠脑子。

郑文公把情况简要介绍了一遍，然后说："老兄啊，国家和百姓就指望着您了。"

"别、别介。"烛之武听完了，翻了翻白眼，摆摆手说："主公，我年、年轻的

时候尚且没、没什么用处,现在老、老了,什、什么也干不成、成了。"

"我知道了,从前我没有重用您,那是我的过错,我道歉行不?这次只要您能把秦国人忽悠走,我让您当卿,还给您三个年轻漂亮的老婆,怎样?"郑文公马上反省,立即许愿。

"主、主公,我老、老、老了。"烛之武又说自己老了,大家一听,这还是要推辞啊,可是大家错了,在连说了三个老之后,烛之武接着说:"那东西不、不中用了,老婆就不、不要了,给三个老、老、老妈子伺候我,就行、行了。"

哄堂大笑。

郑文公对烛之武有信心了,一个知道自己真正需要什么的人,他一定也知道秦国人需要什么。

第八十六章　结巴老头大忽悠

烛之武是一个忽悠大师，一辈子忽悠了不知道多少人，可是，忽悠诸侯这样的事情还是第一次干，有把握吗？他不怕忽悠不成，被秦国人砍了吗？

"忽悠的最高境界是什么？是忽悠自己。如果被秦国人砍了，那我不就是忽悠了自己吗？那不是死得很值吗？"在忽悠秦国之前，烛之武先这样忽悠自己。

结巴老头忽悠秦国人

当天晚上，烛之武出了城，一步一颠，直奔秦军大营而去。

秦穆公正和百里奚、公孙枝等人研讨攻城策略，突然守营军士来报，说是捉了一个郑国奸细，该奸细口口声声说有大事要找秦伯。

奸细被押了上来，秦穆公一看，什么奸细，就一个干瘦老头。不用说了，就是烛之武。

"你是干什么的？到我军大营来干什么？"秦穆公喝问。

"我是郑、郑、郑伯……"干瘦老头说。秦穆公一听，什么，你是郑伯？你是郑伯他爹还差不多，刚要发话，谁知老头刚才的话没说完，接着说："派、派来的使臣，我叫烛、烛之武。"

这个大喘气，一下子把秦穆公等人都给逗乐了。

"你连话都说不利索，还当使者？"秦穆公笑着问。

"我说话不利、利索，可是我心眼利、利索。不像君侯您，说话利、利索，可是缺心眼。"烛之武结结巴巴，竟然开骂秦穆公。看来，当年宁戚的套路大

41

家都学到了。

秦穆公一愣，勃然大怒，这个结巴老头竟然敢羞辱自己。

"你活、活腻了，我杀、杀了你。"秦穆公一急，把自己也给急结巴了。旁边人看了想笑，又不敢笑。

百里奚在一旁看着，他知道这个老头一定不是个寻常人，一个结巴老头，孤身一人，半夜来骂秦穆公，一定有他不可告人的秘密。

"烛之武，你说我家主公缺心眼，有什么证据？"百里奚问。

烛之武结结巴巴，开始了一次历史上著名的忽悠，为阅读方便，不再用结巴语言："秦晋两国围攻郑国，郑国一定会被灭掉。可是秦国和郑国之间隔着晋国，所以郑国一定被晋国吞并，秦国不过是个抬轿的角色。晋国更加强大了，对秦国是好事吗？晋国下一步一定会吞并秦国。别以为你们对晋国有恩，这年头流行白眼狼。你们还记得晋惠公父子吗？晋国人都是忘恩负义的，楚王当初对晋国人多好，落得个被晋国人骑在脖子上拉屎的结果。秦伯啊，你是被人家卖了还给人家做广告啊，你不缺心眼，谁缺心眼？"

一番话，说得秦国君臣目瞪口呆。

"我靠，这话虽然结巴，可是理不结巴呀，我们还真是缺心眼啊。"秦穆公和百里奚几个倒吸一口凉气，庆幸在这样一个没有月光的晚上遇上了这样一个明白人。

烛之武一看，自己这番话挺管用，于是又加了几句话："若舍郑以为东道主，行李之往来，共其乏困，君亦无所害。"（《左传》）意思是：如果放弃攻打郑国，那么郑国可以作为贵国东道上的主人，今后贵国使者来往，我们也能提供食宿什么的，对你们不是也没有坏处吗？

"东道主"这个词，这个如今被用烂了的词，就来自这里。

紧急磋商，秦国君臣紧急磋商之后，决定明天早晨就撤军，去他妈的战略合作伙伴。秦穆公还不过瘾，他觉得不仅不能攻打郑国，而且要保卫郑国。于是，秦穆公命令杞子、逢孙、杨孙三员大将率两千士卒，协同郑国守城，就算是秦国志愿军。

"老、老师，跟我回秦国、国吧。"秦穆公盛情邀请烛之武，称他为老师，别的没学到，先把结巴学到了。

"等、等到祖国安定了，我还没、没有死的话，我一定去。"烛之武婉拒了秦穆公的邀请。

结巴老头忽悠晋国

晋军大营。

秦军私自撤军的消息传来，晋文公君臣先是惊讶，后是愤怒。

"该死的秦伯，被一个结巴老头给忽悠了，缺心眼啊。主公，秦国撤军，士兵一定急于回家，我们从后追杀，一定大胜。"狐偃气得差点吐血，一辈子忽悠人，这回被这缺心眼的给忽悠了。

元帅先轸以下，包括赵衰在内，一致要求追杀秦国人。

晋文公沉吟片刻，缓缓说道："算了，如果没有秦伯，哪里有我们的今天？他们也就是缺心眼罢了，没有恶劣到该被追杀的地步。"

有恩必报，晋文公是个厚道人。

现在，盟军跑了，是继续打，还是也撤军，商量了一阵，没有结果。晋文公的意思，撤军算了，可是大家都觉得就这样撤军太没面子，何况不用秦军，晋军也能拿下郑国。

谁都没有想到的是，结巴老头能忽悠走秦国人，同样也能忽悠走晋国人。

又是夜里，又是没有月光，又是一个结巴老头，又是被晋军守营军士捉到了主帅大营。一句话，又是烛之武来了。

"你是什么人？"晋文公喝问。

"我是郑、郑、郑伯……"烛之武又搞了一次大喘气，这次把晋国人也给乐得够呛。这是烛之武的固定套路，他有很多类似这样的套路，通常都能把正常人忽悠得晕头转向。

气氛轻松了，说话也就好说多了。

"你是怎么把秦国人忽悠走的？"狐偃问，他很感兴趣。

"我跟他们说，郑国准备接、接受晋国的条、条件了，你们在这里是多余、余的。所以，他们就走、走了。"烛之武说。

"什么条件？我们有什么条件？"狐偃挺奇怪，他自己都不知道晋国有什么条件。

"我听、听说公子兰在晋侯、身边，晋侯攻打郑国就是想让公子兰回来继、继位。我家主公愿意听、听从贵国的命令，立公子兰为太、太子，今后世世代代跟着晋国干、干。"话虽结巴，理却不结巴。

公子兰是谁？郑文公的儿子，当初被郑文公从郑国赶到了晋国，晋文公很喜欢他，把他带在自己的身边。此次攻打郑国，确实有让公子兰取代郑文公的意思。而公子兰拒绝随同晋军来攻打郑国，他说不管怎样都不应当攻打自己的祖国，因此他留在了晋国边界。而正因为这样，晋文公更喜欢他了。

大家都看着晋文公,每个人都知道这是一个台阶,如果要撤军,没有比这更好的台阶了。

"好,就这么办、办了。"晋文公表态了,也学到了烛之武的结巴。

第二天,郑国派出石甲父、侯宣多两个大夫随同晋军前往晋国,迎请公子兰回国。

烛之武,一个结巴老头,忽悠了秦国,又忽悠了晋国。

千万不要轻视结巴老头。

一代霸主鞠躬尽瘁

天下太平,讨无可讨。

晋文公九年春天,楚成王派斗章前来晋国,请求建立友好关系。晋文公非常高兴,派阳处父前往楚国问候楚成王,并签署晋楚友好和谅解备忘录。这标志着,楚国承认了现有的势力版图,承认了晋国的霸主地位。

当所有这些事情都办好之后,晋文公突然发现自己没什么事情可做了,自己闲下来了。不仅晋文公,狐偃也觉得很无聊了,魏犨也觉得有劲没地方使了。

人间没事干,活着干什么?

狐毛、狐偃兄弟二人率先离开了人世,狐偃享年六十六岁,魏犨大醉之后坠车归天,只有五十一岁。

到了冬天,晋文公知道自己看不到明年的春花了。

晋文公九年冬(前628年),春秋第二霸晋文公溘然长逝,在位九年,享年四十五岁,英年早逝。公子欢继位,就是晋襄公。

晋文公,生的伟大,死的冷静。为什么这样说?

在晋文公知道自己将要鞠躬尽瘁之后,将自己在身边的四个儿子做了妥善安排。大儿子公子欢是太子,准备继位。其余三个儿子,公子雍送去秦国,在秦国当大夫;公子乐送去陈国,担任陈国大夫;小儿子黑臀送去周王室的首都洛邑,担任王室的大夫。

从此之后,这成为晋国不成文的规矩。除了太子,所有公子都送去国外。历史证明,这有效地防止了骨肉相残,也为异姓人才提供了上升的通道。

但是,这也必然产生了一个严重的后果。什么后果?

这里有一个学术问题需要提出来单独讨论,那就是关于晋文公(重耳)、狐突、狐偃和狐射姑的关系和年龄问题,这是一个千古以来的疑难问题。直到今天,依然争论纷纷。限于篇幅,资料出处在此不一一注明。

重耳出奔时的年龄有两种说法,《史记》说是四十二岁,《左传》说是十七岁。那么,晋文公去世的年龄就成了七十岁或者四十五岁。而重耳的年龄又影响到狐突、狐偃父子俩的年龄,这就产生了问题。

如果按《左传》的说法,那么狐突、狐偃父子的年龄是比较合理的,而如果按《史记》的说法,狐偃特别是狐突的年龄就太高寿了,而且七十多岁还能出任申生的"御戎",那真是牛得一塌糊涂了。不仅狐突、狐偃父子俩的年龄问题难以解释,事实上,整个重耳团队的年龄问题都是难题。

可是,如果按照《左传》的说法,同样有问题,首先,晋文公死得太年轻了,与《左传》的某些记载有冲突;其次,晋文公的年龄也跟他父亲献公的年龄差距太大,无法解释出逃前的事情。

综合而论,本书中重耳的年龄以《左传》为准。

狐射姑是不是狐偃的儿子又有疑问,狐射姑、贾季、贾佗是不是一个人也有诸多不解之处。狐射姑、贾季、贾佗应该就是一个人。那么,狐射姑究竟是不是狐偃的儿子呢?根据推理,应该是。

按照记载,狐射姑的名声几乎不亚于狐偃,他也是一个非常有才能的人,为什么在晋文公的时代始终无法出头呢?最合理的解释就是,狐偃是他父亲,有这个超级强势的父亲在,没有他发挥的空间。狐偃做到了卿,狐射姑不可能与父亲平起平坐,因为他受到礼法的压制。直到狐偃去世,他才成为卿,才开始进入最高管理层。

晋文公的一生还要去评判吗?他是一个俗人,一个有血有肉的俗人,一个朋友,一个大哥,这就是对他的最高评价了。

如果还需要,那么再送一句话:干革命就要跟晋文公这样的人。

晋文公的团队是一个传奇一般的团队,这不能不说是晋文公的人格魅力。十九年的流亡,如此多的时代精英坚定不移地跟随他,这本身就是一个奇迹。

狐偃的深谋远虑、随机应变,赵衰的公正无私、明白变通,先轸的运筹帷幄、决胜千里,胥臣的博学多才、机敏善变,这四个人,对于整个春秋的影响都是巨大的。晋文化在整个春秋战国都是强势文化,晋地的人才几乎左右着整个春秋战国史的方向。而这一切,都是晋文公及其团队打下的基础。

《国语》中有很多关于晋文公的小故事,挑选其中的两个来说说。

晋文公治国非常勤奋,也很亲民。他的宫室修建得非常简陋,并且下令不得大建楼堂馆所,农忙季节不得征用民工,等等。同时,他还很好学,拜了胥臣为师。

一天,胥臣向他推荐一个人,此人名叫郤缺。郤缺是谁?郤芮的儿子。郤芮,晋文公的仇人。胥臣推荐郤缺的理由是这样的:胥臣到冀考察工作,恰好看见郤缺在地里干农活,郤缺的老婆给他送饭,结果是"敬,相待如宾",虽然家道没落了,两口子还是很讲究礼仪和互相敬爱。

"相敬如宾"这个成语来自这里。

"这说明郤缺的品德很高尚啊。"胥臣说。

于是,晋文公任命郤缺为下军大夫。

还有一次,晋文公对大夫郭偃说:"原先我以为治理国家很容易,可是现在我知道这是一件很困难的事情。"

郭偃回答说:"当您以为容易的时候,困难很快就会来;当您觉得困难的时候,事情就正在变得简单。"原话是这样的:"君以为易,其难也将至矣;君以为难,其易也将至焉。"

多么富于哲理的对话!

秦国人在行动

晋文公去世的前后脚,郑文公也鞠躬尽瘁了,公子兰继位,就是郑穆公。

两个文公都没有了,有人就有想法了。谁?

杞子、逢孙、杨孙从晋文公七年冬天开始留在荥阳守城,转眼过了两年。别人的老婆都生两个了,自己这两年连老婆的屁股都没摸过。几个兄弟很郁闷,想要回国,可是没有最高领导的指示,谁也不敢走。

郑穆公登基之后,那是死硬的亲晋派,早就看这帮秦国乡巴佬不顺眼,可是又不好明目张胆赶他们走。于是,郑穆公搞了一些小动作来膈应他们,譬如菜里放死老鼠、军营旁边搞个粪坑之类,总之,就是要让秦国人自己滚蛋。

哥三个这叫一个郁闷,也不知是谁突然灵光一现,想了一个好主意,对大家一说,大家都说好。于是,驻郑国的秦国人民志愿军打了一个报告给秦穆公。

秦穆公这两年基本上已经把秦国人民志愿军给忘了,这一天收到秦国人民志愿军的加急密报,这才想起来还有两千多个兄弟在郑国呢。

打开密报一看,上面写着:郑装虽然穿在身,我心依然是秦国心。如今我三人掌管郑国都城北门,若趁着郑文公、晋文公刚死,两国人心不稳,我国出兵偷袭,我等为卧底,内外结合,可灭郑国。妥否?请指示。

这就是那三兄弟的主意了,灭郑国事小,关键借这个机会捞一把,然后名正言顺回老家看老婆孩子。

秦穆公一看,好主意啊。这一回,也不召集大会了,因为这是一件需要保密的事情。秦穆公直接找来大将百里孟明视、西乞术和白乙丙,战车三百乘,点将出发。同时,派人回复那三兄弟,约好了日期。

百里奚和蹇叔听说了,都来劝秦穆公:"主公,千里偷袭,兵家大忌啊,何况还要经过晋国的地盘,何况在道义上也说不过去,何况……"

两个老头一大堆何况,听得秦穆公心烦。他知道,人老了,就胆小怕事;人老了,就没上进心了;人老了,就容易老年痴呆了。总之,他就觉得跟眼前这两个八十多岁老头没什么共同语言了。

其实,秦穆公忘了,自己也五十多岁了,也老了。人老了,就很偏。

"不行,机不可失,时不再来,这是一个向中原国家宣示实力的机会,一定要干。"秦穆公是下定了决心,内心里,他想当霸主了。

两个老头说了半天,秦穆公忍不住了,说声送客,直接给赶出来了。

大军出发,秦国人民像欢送英雄一样欢送他们。当然,没有人傻到告诉大家自己去偷袭别人,公开的说法是秦军前往王室参加联合国军事演习。

无论是出征的战士,还是送行的群众,都是兴高采烈,好像这是去领奖。只有两个老头哭哭啼啼,泪流满面。哪两个老头? 就是百里奚和蹇叔。

秦穆公的心情原本非常好,可是看见两个眼泪鼻涕横流的老头,美好心情一下子受到了破坏。

"哎,二位,省省吧,哭什么啊? 要哭回家去哭,别在这里惑乱军心。"秦穆公说话也没客气。

"主公啊,只怕我们能看见他们去,看不见他们回来啊。"蹇叔一边抹眼泪,一边说。

"你这什么话? 你是说你活不了几天了? 嘿,老爷子,你算长寿了,要是像常人一样,你现在坟墓上的树都有一抱粗了。"秦穆公更来气了,说话也够阴损。

正说着,白乙丙过来了。蹇叔将他拉到一边,对他说:"儿啊,你知道你会死在哪里吗?"

白乙丙一听,爹怎么这个时候说这种丧气话,换了别人,早一拳打翻了。

"我不知道。"白乙丙说,心说最好死在美女怀里。

"晋国人一定在崤谷伏击你们,崤谷有两个山头,南面的是夏朝天子皋的坟墓,北面的是周文王当年避雨的地方,你一定会死在这两座山头之间的,到时候我去那里找你的尸骨。"蹇叔说。当年从送过来秦国的时候路过那里,他印象深刻。白乙丙不愿意听了,心说老爷子八成老年痴呆了,要不

就是幻想狂了，支吾几句，走了。

另一边，百里奚比蹇叔稍微乐观一点，他在想万一孩子能活着回来呢？

"主公，我有个小小请求。"百里奚说。

"说吧。"

"如果孟明视能活着回来，请主公赦免他。"

"赦免？立大功回来，奖励还来不及呢。"

"不，主公，你要答应我。"

"好，我答应你。"秦穆公有些不耐烦了，顺口说道。

第八十七章　崤之战

　　秦军吼着秦腔向东开进,基本上,每个人都相信这是一趟腐败之旅——好吃好喝还有女人可以玩。

　　对于秦国人来说,其实他们此时的动机与戎狄没有什么两样,都是准备去捞一票就走的。而他们的主帅百里孟明视是一个打狼出身的人,什么阵法、纪律在他看来都是没用的东西,最重要的是兄弟们卖命。至于谋略,什么叫谋略?

　　所以,这就是一支打狼的队伍,一路叫着向猎物行进。

　　在他们的眼里,世界上只有狼。可是,世界上不仅仅有狼,还有猎人,还有猎杀猎人的猎人。

　　从秦国到郑国,有很长的路要走。不仅要穿过晋国南部的狭长地带,还要经过周王室的伟大首都洛邑,还要经过几个类似滑国的小国家,之后才能到达郑国。

　　让秦国人走着,看看世界上的其他人怎么反应。

晋国人要行动

　　绛,晋国朝廷。

　　驻秦国地下办事处最新的线报是秦军三百乘战车在孟明视的率领下向东进发,出发时,蹇叔和百里奚都在痛哭。据内部人士透露,秦军是准备偷袭郑国。

　　秦国人的保密工作很差。

而崤谷一带守军也以快马加急来报,说是秦军吼着秦腔通过晋国,一路向东去了。

"秦国人要干什么?"晋襄公问。襄公是过过苦日子的人,人很宽厚,性格与他父亲有些相像。

"如今天下没有战事,秦军东行而不事先向我们借道,必有阴谋。三百乘战车,一定不是一件小事。依我看,他们一定去郑国。如果我没有猜错,他们准备偷袭郑国。"先轸是什么人?他认为驻秦办的情报是准确的。

"先元帅,为什么秦国人不是去换防呢?"栾枝问。

"第一,换防不可能出战车三百乘;第二,不可能派孟明视去戍守郑国;第三,如果换防,士兵一定很沮丧,不可能一路唱着歌过去。"先轸分析,十分透彻。

现在,每个人都知道秦国人要干什么了。

"那,我们怎么办?"晋襄公问。他刚刚登基,甚至也可以说还没登基,因为父亲还没有下葬。

"消灭他们。"先轸说得斩钉截铁。

大哗。

从情理上说,秦晋两国是亲戚,而且晋国欠秦国很大的人情,更何况两国还是战略合作伙伴关系。所以,凭什么要消灭对方?

从另一个角度说,秦军在上次的联合行动中出卖晋军,这一次又趁着晋文公刚刚去世偷偷摸摸单独行动,似乎又有打的理由。

"元帅,秦伯对先主公有恩啊,还没有报答他们就要打他们,不好吧?"栾枝有不同意见。

"不然,秦晋两国都是大国,而且紧邻,两国之间今后必有一战。再说,秦国要去偷袭我们的同姓国家,那就是要伤害我们的兄弟,我们怎能袖手旁观?这次放过他们,今后几代人都要遭受他们的祸患。若能一战歼灭他们,我们的子孙都能过得舒坦一点。为了子孙后代的利益,一定要打。"先轸决心已下。

尽管所谓的同姓兄弟的说法大家听起来就是放屁,但是为了子孙后代的说法还是引起了共鸣。

"好吧,那就打。那么,要不要派人赶紧给郑国送信?"晋襄公没什么主意,既然大家说打,那就打。

"不用,千里奔袭,我看他们根本到不了郑国。"先轸断定。

王孙满看出问题

秦军吼着秦腔,穿过了晋国,这一天来到了周王室的伟大首都。

"传令,所有人脱盔下车步行。"经过洛邑北门的时候,孟明视下令。这一点规矩他是懂得的,在出发之前他爹还特别交代过。

除了御者,秦军士兵纷纷跳下车来,摘下头盔,可是只走了两步,又纷纷跳上车去。

洛邑城头,人们纷纷前来参观秦军的军容,看着乱七八糟的秦军车队,纷纷感叹:"这哪里是军队,简直就是一群打狼的。"

这确实是一群打狼的。

周襄王的孙子王孙满那时候还小,看完秦军,回去对周襄王说:"爷爷,秦军一定要被打败的。"

"为什么?"

"秦军轻佻无礼,所以不仅没有谋略,而且不够细心,这样的军队,能不失败吗?"王孙满说。

伟大首都的小孩子都看出问题来了,可见问题真是不小。

卖牛的忽悠秦国人

秦军吼着秦腔,来到了滑国(今河南偃师县一带)。刚刚扎下大营,一件令他们始料未及的事情发生了。什么事情?郑国使节来了。

郑国使节名叫弦高,送了四张熟牛皮和十二头肥牛来劳军。

"三位将军,我国国君听说你们过来,十分高兴,特地派我赶了十二头牛来犒劳大家。另外,我们已经准备好了贵国军队的食宿,还有保安人员,保证让你们住得安心,玩得开心,走得放心,绝对没有安全问题,哈哈哈哈。"弦高说,听起来很热情,但是话里带着话,分明是告诉秦国人:来吧,我们已经有准备了。

孟明视傻眼了,大家都傻眼了。毫无疑问,行踪已经被郑国人发现了,偷袭不成,肯定没戏了。

尴尬,十分的尴尬,为了掩饰尴尬,孟明视开了句玩笑:"嘿嘿,老弦,你们这么客气,赶了这么多头牛过来,知道的说你是郑国使节,不知道的还以为你是牛贩子呢。"

"我就是个牛贩子啊,哈哈哈哈。"弦高大笑。

"你是牛贩子？哈哈哈哈。"孟明视也笑了，他觉得郑国人很有意思。

其实，孟明视不知道的是，弦高不是在开玩笑，他真的不是使节，他就是一个牛贩子。孟明视甚至没有注意到弦高根本就没有代表使节身份的旌，这印证了王孙满的话，秦国人很粗心。

弦高，郑国商人，确切地说就是个牛贩子。可别小瞧牛贩子，春秋时期的牛贩子牛得很，相当于现在的汽车经销商。

那一天，弦高赶了二十多头牛从郑国去洛邑卖，这一趟下来，能大赚一笔，一年就不用再干别的了。

到了滑，就听人说秦军来了，不知道干什么来。

别看是个商人，弦高可是个爱国商人。他一分析，发现秦国人没安好心，一定是来偷袭郑国的。前面一个小孩看出了问题，现在一个卖牛的又看出了问题，可见得秦军的行动确实很不专业。

敌人来偷袭伟大祖国了，怎么办？弦高灵机一动，计上心头。

这边，派人立即赶回郑国，向郑穆公报告。另一边，自己冒充郑国使节，赶着牛，假装代表郑国犒劳他们，让他们最好知难而退。

十二头牛啊，等于一个车队，可是，为了国家利益，弦高没有犹豫，他毅然决然地献了出去。这是一种什么精神？这是一种专门利人毫不利己的爱国主义精神。我们说，弦高就是爱国商人的祖师爷。

弦高成功地忽悠了孟明视，于是秦军原地不动，派人前往郑国探看情况。而郑国的情况令他们绝望，因为郑穆公在接到报告之后，派人去看戍守秦军的动静，结果发现他们正在"束载、厉兵、秣马"，就是在收拾家伙准备打仗呢。"厉兵秣马"这个成语出于此。郑穆公大怒，立即将驻郑国秦军赶走了，那三个兄弟不敢回国，杞子逃往齐国，逢孙和杨孙逃往宋国，其余的兄弟作鸟兽散，各自逃往秦国去了。

孟明视哥三个一看，卧底没了，郑国是不用去了，可是也不能白出来一趟啊，贼还不走空呢，堂堂秦国大将，空手回去多没面子。

于是，哥三个也没客气，顺手把滑给灭了。国君杀死，国库清空，奸淫掳掠一通，回师秦国了。

你说人家滑招谁惹谁了？这就是命。

崤之战

秦国军队又是一路吼着秦腔，沿旧路向秦国进发。

这一天，秦军来到了崤谷，过了崤谷，就是秦国了。大家高兴啊，这一趟算是没有白出来,好歹把滑国的东西都给抢来了。

"哎,兄弟,咱们出来的时候,两个老爷子要死要活的,这不,咱们不是平平安安回来了。"孟明视高兴啊,打这么多年狼,就这次收获最丰富。

"老孟,你爹还好啊,哭哭就是了。我爹那叫一个烦啊,说咱们非死不可,还给指定了一个地方,说非死在那里。"白乙丙接过话头,得意地说。

"你爹说什么地方?路过的时候,咱们在那里喝两盅,看看死的地方风水怎么样啊,哈哈哈哈。"孟明视大笑,他觉得蹇家老爷子很搞笑。

"说是在崤谷,哎,向导官,咱们这是到哪里了?"白乙丙说着,问向导。

"报,这里是崤谷。"

"南边那个山头是什么山?"

"那是夏朝天子皋的坟墓。"

"北面的山头呢?"

"那是周文王当年避雨的地方。"

"哈哈,老孟,说着了,我家老爷子说的地方就是这里啊,咱们仔细看看,哈哈哈哈。"白乙丙大笑,孟明视也大笑,西乞术也跟着大笑。

笑声经久不息,因为笑声萦绕。为什么笑声萦绕?因为这是个山谷。

笑过之后,哥三个开始看这个预言中的死地。

崤谷,一座山谷。南北向各有一座山,东西向各有一个谷口,这里就像是一个葫芦的肚子。

"嘿嘿,还别说,这要是有人把住两头,咱们还真就死定了。"西乞术说,他看出一点门道来了。

"这么说,咱爹也不是乱说啊,哈哈。"白乙丙还没回过味来。

孟明视的脸色有些不好起来,虽然是打狼出身,但也是要讲究地形地貌的,赶狼也不是乱赶的。现在这个地形,确实看上去很不舒服,狼都不愿意往这里跑。如果自己是晋国人,一定在这里设伏。

"传令,加快行军速度,快速通过这里。"孟明视已经笑不出来了,声音有些发紧。

可是,已经晚了。

一声巨响。

随后是滚石的声音,只听见巨石檑木从山上滚下的轰隆声,秦军前军后军一片惊叫。两头的谷口已经被乱石堵住。

随后,两侧山上闪出无数的晋国士兵,都是张弓搭箭。

孟明视心中咯噔一下,脑子里只有两个字:"完了。"

"你,你喊一喊,问、问问山上是什么人?"孟明视令他身边一个嗓门大的军士喊一喊,万一山上是搞错了伏击对象呢。

秦国人能喊,而那个士兵又是最能喊的,当时扯开了嗓子,对山上大喊:"你们是什么人?"

刚把"人"字喊出来,山上一支箭就过来了,准准地扎在这名军士的脖子上,军士咕咚倒在地上。

秦军炸了营,一个个跳下车来,四处乱窜。孟明视大声喝止,这时候大家都慌了,谁听他的?

山上,晋国军旗招展。没有人向山下喊话,因为没有必要,晋国人是要消灭秦国人,跟一帮要死的人说话,有什么意义呢?

"嗖嗖嗖。"山上开始第一拨箭雨,两个方向同时开射,秦军惨叫声一片。

箭,一拨连着一拨,中间还夹杂着从山顶推下来的巨石。秦军士兵非死即伤,即便有人侥幸爬上山顶,也被山顶上的晋军杀死。

孟明视、白乙丙和西乞术吓得半死,躲在石头后面不敢动。看着自己的兄弟们死伤枕藉,三个人抱头痛哭。

等到惨叫声越来越稀少的时候,晋军停止了射箭,开始下山进行地毯式搜索。

秦军无一幸免,所有士兵均被杀死,高级军官则被俘虏。

孟明视、白乙丙、西乞术都被活捉。

秦晋之好,这就是秦晋之好。

因为行军的需要,不适合穿白色丧服,晋军此次出征全部改穿黑色丧服。到晋文公下葬的日子,就使用了黑色丧服。从那之后,晋国通用黑色丧服。

秦国战俘逃生

秦国三帅很悲惨,因为晋国人已经决定用他们去祭祀祖先了。这样说来,还不如就死在崤山好些。

难道就等死吗?可是,除了等死,还有什么办法?

有史以来,人们就在讨论究竟是生儿子好还是女儿好。到现在认为生女儿好的人渐渐多起来。为什么很多人认为生女儿好?因为女儿天生是顾娘家的。

当初晋惠公被秦国捉住,结果是穆姬以死相威胁,这才留了晋惠公一条小命。

这一回,秦国三帅被捉回来之后,有人有想法了。谁?辰嬴。

辰嬴是谁?就是当初的怀嬴,也就是先嫁给怀公再嫁给文公的那一位秦穆公的侄女。

当初晋襄公还是公子欢的时候，由于生母已经去世，晋文公特地指定辰嬴为他的养母，尽管辰嬴的岁数比晋襄公还要小。

辰嬴听说晋军伏击了秦军，感到十分伤心。到后来知道三帅被捉回来而且要杀了祭祖，她就急了，这些都是娘家人啊。不行，娘家人一定要救。

怎么救呢？来硬的？来硬的就不是辰嬴了，人家是一知性美女，玩的是智慧。

当下，辰嬴稍稍打扮了一下，去找晋襄公了。

晋襄公是个实在人，平时对辰嬴也很尊重，看见辰嬴来，连忙让座看茶。

"夫人，有什么事？尽管吩咐。"晋襄公话说得很客气。

"听说，你们捉了秦国的三帅。"

"是。"

"怎么处置他们？"

"杀了他们祭祖，不过，还没最后敲定。"

"你要放他们回去。"辰嬴见晋襄公说话客气，就直接把自己的目的说了出来。

"为什么？"晋襄公问。其实他并不看重这三个人，放回去未尝不可。

"因为我听说这三个人挑拨秦国和晋国之间的友好关系，这次偷袭郑国都是他们的主意。秦伯对他们恨之入骨，恨不得将他们剥皮剔骨。我看，放他们回去，让秦伯处置他们吧。再怎么说，秦伯是我的伯父，也是你姑父啊。"辰嬴的道理说得挺浅显，还拉出了裙带关系。

"没问题，放。"晋襄公也没多想，下令放人。

先轸也惦着秦国三帅呢，心里不踏实，总觉着不早点把他们宰了，他们就有逃走的可能。而秦国能够带兵的也就是这三个人，杀了他们，至少二十年不用担心秦国人。于是，先轸来找晋襄公，看看是不是早点处置他们。

"元帅，请坐。"晋襄公很敬重先轸，这不仅是叔叔辈的，曾跟着老爹走南闯北，还是天下名将啊。

"主公，我来问问，那三个秦国俘虏是不是早点处置？"

"已经处置了。"

"处置了？怎么处置的？"

"辰嬴夫人来找我，说是放他们回去让秦伯杀他们，想想也是，我把他们给放了。"

"啊？"先轸听完，腾地就站起来了，指着晋襄公的鼻子吼了起来，"小子，我们三军将士费了这么大力气捉来的，一个女人几句话你就给放了？这不是打击我们的士气吗？晋国离完蛋不远了，啊呸！"

先轸一口口水吐过去,吐了晋襄公一脸。

晋襄公满脸通红,用袖子擦擦脸,弱弱地说:"元帅说得对,元帅说得对,放的时间不长,快去追吧。"

先轸头也不回,大踏步走了。

回到元帅府,先轸立即命令大将阳处父快车去追。

"要死的,不要活的。"先轸下令。

秦国三帅,现在是秦国三囚。

"老白,你爹真厉害啊,什么都料到了。"孟明视对白乙丙说,虽然自己就要死了,还是要表达对蹇叔的敬意。

"一般般啦,也不算都料到了,咱们不也没有死在崤山吗?"到这个时候了,白乙丙还要谦虚一下。

正说着,晋襄公的赦令到了,哥三个当场释放,外面有辰赢给备好的车。

"哎,老孟,要不要去向晋侯致谢?"白乙丙问。

"脑子有病啊?赶紧跑吧,指不定晋国人什么时候就反悔呢。"孟明视比白乙丙明白多了,赶紧上了车,催驾车的立即出发。

哥三个坐着车一路狂奔,向西直奔黄河而去。什么叫漏网之鱼?什么叫惊弓之鸟?

那四匹马跑了两个时辰,终于来到黄河岸边,哥三个刚一下车,四匹马就倒下了两匹,累的。

也不知道怎么就那么巧,在岸边就泊着一条小船,船上坐着一个艄公。哥三个来到船边,定睛一看,都笑了。原来,那个艄公是百里奚家里的老家人了。

"哎哟,老主人说万一你们没死,一定会逃到这里,让我来等你们。没想到还真等到你们了,快上船。"艄公急忙招呼。

"等等,我先撒泡尿,憋了一路了。"西乞术说。

"尿个屁,赶紧上船,去对岸尿吧。"孟明视瞪了他一眼,心说大家都憋着呢,是命要紧还是尿要紧啊?

哥三个上了船,艄公用力撑开船,船到河中央,只见河边赶来十多乘战车,阳处父的追兵到了。

阳处父跳下战车,目测一下,射箭正好够不到小船,怎么办?阳处父急中生智。

"三位将军,先元帅听说你们回国,特地派我送来好马三匹,回来带走吧。"阳处父大声喊道,一边假模假样解自己车上的马。

"留着自己用吧,三年之后,我们一定回来拜谢。"孟明视喊道。

阳处父不甘心,还要接着忽悠,却看见西乞术在船上站了起来,脱了裤子,对着这边撒起尿来。阳处父叹了一口气,连西乞术都开始尿自己了,说明秦国人已经不是那么好忽悠了。

"老孟,还是你爹厉害啊,什么都料到了。"这一回,轮到白乙丙对百里奚表达敬佩了。

"嗨,都是蒙的。"孟明视笑了,替老爷子谦虚一回。

夕阳下,黄河上,又传来了秦腔的吼声。

第八十八章　战神之死

秦国三帅回到雍城的时候,秦穆公亲自率领群臣到郊外迎接,倒好像是迎接获胜而归的英雄。

蹇叔和百里奚看到各自的儿子捡了一条命回来,百感交集,痛哭失声。

"主公,这三人全军覆没回来,为什么不杀他们?"有人问秦穆公。

"为什么要杀他们呢? 当初是我不听蹇叔的劝告,让他们去的,都是我的过错啊。他们有什么过错呢? 不能以一眚(音省)掩大德。"秦穆公说。他是一个勇于认错的人。

"不以一眚掩大德",成语,发明者秦穆公,意思是,不因为一件过错而抹杀从前的功劳。

孟明视、白乙丙和西乞术不仅没有受到处罚,反而得到一笔安慰金,同时,官复原职,继续统领秦军。

秦穆公,一个厚道人。

春秋的君主,普遍有一种反省的精神。

这一点,是后世的君主们所不具备的。

秦军全军覆没,三帅不能说没有责任,至少他们的警惕性就成问题,对于地形也缺乏判断。这样的过错,砍了他们并不冤枉。可是,秦穆公把责任都揽到了自己的身上。

敢于承认错误、承担责任,这是秦穆公能够率领秦国走向强大的根本。

而晋襄公的宽厚绝不在秦穆公之下,知错就改本身就很难得,更难得的是他能够不计较手下的过激之举。在被先轸吐口水之后,晋襄公并没有记恨先轸。

"先元帅都是为了国家,为了我。"晋襄公表示。

通常,领导人越大度,手下就越是反思。

先轸之死

跑了秦国三帅,先轸很郁闷了几天,等到他冷静下来,觉得很不安。自古以来,敢把吐沫吐到国君脸上的,似乎自己是第一个人,自己为什么这么冲动呢?自己凭什么这么牛呢?先轸认真地思考了一遍,最终他想明白了。

先轸这一拨留齐派的兄弟跟晋文公在骨子里根本就是兄弟,而不是正经八百的君臣。流亡十九年,大家都一个锅里吃饭,说话都吆三喝四,没大没小。基本上,晋文公也没把自己当根什么葱,兄弟们在一起嘻嘻哈哈,什么玩笑都开。

因此,先轸从一开始就没有把晋襄公放在眼里,认为他不过是自己的一个侄子而已,该骂就骂,该说就说,反正都是为他好。

在冷静反思之后,先轸明白了,国君终究是国君,臣子终究是臣子,不能整得太近,不能没有规矩,否则,后果不可想象。

"晋侯可以原谅我,但是我不能原谅自己。"先轸心想,他在想象自己问赵衰:"司马,当众羞辱国君,该当何罪?"赵衰会怎样回答?

聪明人应当自己解决问题,而不是等问题变大了让别人来解决。

先轸知道,自己应当自己来解决这个问题。

他怎样解决这个问题?

解决问题的机会很快到了。

在晋国的北面有一个狄叫做白狄,大致因为他们长得比较白。白狄的信息很不灵通,否则他们就应该知道晋国现在有多强。

那一年的雨水不够,秋天,草原上的草大片枯死,羊被饿死了不少,狼也饿死了许多,人自然也吃不饱。没办法,白狄的兄弟们决定到中原去抢些吃的。于是,他们进攻晋国,一直打到了箕(今山西省蒲县)。

先轸率领晋军迎击狄人,晋襄公亲自压阵。

这并不是一场著名的战争,因为这根本不是一个数量级的战斗。与先轸相比,狄人的战术素养几乎等于零。

对付狄人,击败他们并不困难,困难的是消灭他们,因为他们骑马,比车和人跑得都快。当年郑国公子突的办法就是采取诱敌深入包围歼灭的办法,这个办法被证明是最为有效的。

先轸照方抓药,略施小计,给狄人布置了一个口袋阵。

交战的时候,双方布好阵势。晋军用弓箭压住阵脚,等待冲锋的号令。

突然,晋军大阵冲出一乘战车,直奔狄人阵地而去。

"什么人?"所有人在惊问。

仔细一看,大家又吃一惊,因为战车上的人竟然没有甲胄护身。换句话说,没穿军装没戴钢盔,穿着便服就上去了。

仔细再一看,大家目瞪口呆了。因为,那人就是元帅先轸。

晋军大阵鸦雀无声,擂鼓的掌旗的都瞠目结舌,手足无措,直等到先轸已经撞进对方大阵,晋军中军副帅郤溱才回过神来,大喊:"快击鼓,快击鼓。"

晋军开始冲锋,但是一切都已经晚了。

元帅先轸死于白狄的乱箭之下。

这场大战,晋军元帅先轸战死,白狄首领白狄子被郤缺斩杀,白狄大败。战后双方交换尸体,《左传》记载:"白狄归其首,面如生。"白狄把先轸的人头送来的时候,脸色还像活着一样。

一代名将,以这样的方式结束了自己的生命。

晋襄公感念先轸的功劳,任命先轸的儿子先且居为中军帅。

战神先轸

之所以用"战神"这个词来形容先轸,是因为他配得上。

可以说,中国有史以来,第一个有记载的靠谋略打仗的人就是先轸,他改变了中国战争的传统思维方式,而第一个案例就是城濮之战。《孙子兵法》是世界上最伟大的兵书,但是请注意,不夸张地说,《孙子兵法》最主要的就是在总结先轸的战争艺术。

且看《孙子兵法·谋攻》:"上兵伐谋,其次伐交,其次伐兵,其下攻城。"如果不能理解的话,看看城濮大战的前前后后,就能准确理解。

"用兵之法,十则围之,五则攻之,倍则分之。""乱军引胜。"这就是具体战斗中晋军实施的"集中优势兵力打歼灭战"和"各个击破"的总结。

再看看《兵势》篇、《虚实》篇、《军争》篇,几乎都是城濮大战研究的理论成果,而《九变》篇、《九地》篇令人想起崤之战。

如果我们说孙子是兵圣的话,先轸就是他最重要的老师。而城濮之战,是整个春秋最漂亮的战例,先轸的战略思想和指挥艺术都堪称千年楷模。

几千年之后的中国,毛泽东领导的军队统一了中国大陆。而毛泽东的军事思想主要就是两条:集中优势兵力打歼灭战;各个击破。就这两条,打遍中国无敌手,甚至在朝鲜战场对抗实力超强的美国人,同样取得胜利。

可是，人们长期以来忽略的事实是，这两条金科玉律实际上早在春秋时期就已经被先轸创造性地运用了。城濮一战，晋军歼灭半数楚军精锐，一举遏制楚国的北上扩张。以当时的形势，如果没有晋军的胜利，楚国甚至有可能统一全国，从而让我们的历史出现一个楚朝。所以，城濮之战作为一次"扳头"战役，改写了历史。

同样，崤之战和箕之战，晋军全歼秦国远征军、重创狄军，成功震慑来自西方和北方的威胁。可以说，只要先轸在，没有任何国家敢于对抗晋国。

三国时期关云长喜欢夜读《春秋》，估计他没有读对地方，如果他能够多读几遍城濮大战，就不会有走麦城的悲剧发生了。当然，或许，走麦城也是关羽为自己设计的死法。

战神先轸，这个评价，应该是公允和不夸张的。

而战神的死法令人感慨和赞叹，真的英雄啊。

找死小分队

先轸战死的消息很快传遍五湖四海，有人遗憾感慨，有人额手称庆。

"娘的，报仇的机会来了。"在楚国人看来，这是报城濮之战大仇的机会，更是重新争夺霸权的机会。

"娘的，报仇的机会来了。"而在秦国人看来，报崤之战大仇的机会来了。

"娘的，浑水摸鱼的机会来了。"即便是小国，也都看到了自己的机会。

先轸没有想到或者根本没有想的是，由于他的死，短暂的世界和平不复存在了。

我们先来看看秦国人是怎样报仇的。

晋襄公三年（前 625 年）春天，孟明视、白乙丙和西乞术哥三个率领秦军来报仇了。当初逃命的时候孟明视声称三年之后来报仇，如今知道先轸死了，哥三个忍不住了，不到一年半的时候，来报仇了。

如果先轸还在，什么也不用说，一定是出兵迎战。话说回来，如果先轸还在，孟明视他们也不敢来了。如今先轸不在了，晋襄公还真有点心里没底。

"怎么办？"襄公问大家。

"打回去。"赵衰回答，于是大家都不说话了。赵衰认为要打，谁敢说不打？

晋国第一代领导团队现在只剩下三个人，谁？赵衰、栾枝和胥臣。而栾枝和胥臣都处于半退休状态，一个得了帕金森氏综合征，一个有些老年痴呆的状况了。没办法，栾枝这样的猛将通常都会患帕金森氏综合征，而胥臣这样的高级学者一般会得老年痴呆，其原因很简单，什么东西用得过度了，最后都会出问题。

只有赵衰的腰板还行，在先轸死后，重新回到一线撑持着晋国的霸业。

论辈分，赵衰还是晋文公的师傅，那就是晋襄公的师爷。虽然赵衰为人低调，后辈们对他是敬畏有加。

于是，晋襄公亲自领军，中军元帅为先且居，赵衰为中军佐。

两国军队在晋国彭衙相遇，一场大战就要打响。

先且居对这场战斗没有把握，他可不像老爹那样经历过大风大浪，他是第一次作为统帅指挥军队打仗。非常不利的是，秦军一个个都是红了眼的，他们是来报仇的，而晋军并没有这样不胜无归的士气。

实际上，晋军高层都有些心里打鼓。可是，事已至此，不打也不行了，硬着头皮也要打了。

两军对圆，没什么话可说。

孟明视咬牙切齿，总算找到了报仇的机会。正要下令擂鼓冲锋，突然，看见对面晋国军中杀出七八乘战车，后面跟随着一百多人，直奔秦军大阵而来。

"哎，晋国人没有擂鼓呢，怎么就有人冲过来了？难道是来投降的?"孟明视有点糊涂了，打这么多年仗，这样的事情头一回见到。

孟明视愣住了，整个秦军大营都愣住了。别说秦军大营，对面的晋军阵地也是鸦雀无声。

在所有人的注视下，那一队晋军冲到了秦军跟前。直到这个时候，孟明视才明白这些晋国人不是来投降的，因为他们并没有减速。

晋军小分队大喊着撞进了秦军阵地，一阵狂砍。回过神来的秦军连忙围拢过来，要全歼来犯之敌。可是他们发现，要消灭这些晋国人并不容易，因为这一队晋国人也是红了眼的，而且比秦国人的眼睛还要红。

晋军小分队在秦军阵地左冲右突，把个秦军大阵搅得一塌糊涂。等到秦军费了九牛二虎之力，终于把晋军小分队消灭干净的时候，整个大阵已经成了一盘散沙。

晋军战鼓擂响了，随着铺天盖地的喊杀声，晋军主力掩杀而来。这个时候，秦军还有什么办法抵挡吗？

"该死的晋国人，从来不按规矩打仗。"孟明视一边逃命，一边破口大骂。

血流成河，秦国人再次惨败而归。

这一次，孟明视又错了，因为这根本就不是晋国人的战术。

狼 潭

晋国小分队的领军人物叫做狼潭,黄继光、王成式的英雄人物。

那么,狼潭怎么想到了这么一个牺牲自己的主意的呢?说起来,还要从崤之战开始。

崤之战,晋军捉获了一个名叫褒蛮子的秦国勇士,这哥们力大无穷,虽然五花大绑,还在嗷嗷乱叫,随时可能挣断绳子。

"莱驹,砍了他。"晋襄公命令自己的车右莱驹去把褒蛮子给杀了,以免意外。

莱驹一听,挺高兴,这将来说起来自己也算是力斩秦国勇士褒蛮子了。莱驹当下拔出刀来,去杀褒蛮子。褒蛮子急眼了,大喝一声,浑身用力,"咔吧"一声,竟然将绳子挣断。

莱驹吓了一跳,手一哆嗦,刀掉在地上。褒蛮子看到了机会,一个跨步过去,就要抢地上的刀。莱驹已经傻眼了,哪里还敢去抢刀。

说时迟那时快,旁边一个晋国士兵闪电一般冲了过去,抢在褒蛮子之前抓住了那口刀,之后一边起身一边迎着褒蛮子的胸口挥刀。

刀光闪过,一道血光。褒蛮子闷哼一声,仰面摔倒在地。

肃静,欢呼。

"哼。"晋襄公看着呆若木鸡的莱驹,从鼻孔里哼出一声来。

莱驹被取消了车右资格,并且从此被驱逐出晋国军队。而那个危急关头杀了褒蛮子的士兵被晋襄公提拔为车右,这个士兵,就是狼潭。

狼潭的事迹迅速传遍了整个晋国,加官晋爵,发房子发地发老婆,就差全国巡回演讲了。亲戚朋友都来祝贺,街坊四邻都来拍马屁。狼潭高兴啊,一时间也分不清东西南北了。

可是,正在狼潭以为自己一步登天,跑步进入上流社会的时候,一个坏消息传来了。

元帅先轸免掉了狼潭的晋襄公车右的职务。先轸的做法是有道理的,国君的车右是一个非常重要的职务,级别应该是大夫以上,如果不是国家头号勇士,就是重要谋臣,随时能够为国君出谋划策的那种。晋文公的车右就是魏犨,后来是舟之侨,后来是士会。狼潭无论从地位、能力和威望上都不足以作为晋襄公的车右,所以,先轸免去他的职务是正常的。免去狼潭之后,先轸让狐毛的儿子狐鞠居做了晋襄公的车右。

可是狼潭不这么看,他觉得晋襄公都让自己当车右了,你先轸凭什么给我撤了?这不是太不给我面子了?

狼潭很郁闷,很愤怒。他曾经想过去找先轸讨说法,可是想来想去,又不敢去。

"不行,我一定要找机会表现自己,不能让先元帅小看我。"狼潭暗暗发誓。

到晋军与白狄的箕之战,狼潭曾经请求担任先锋,被先轸一口拒绝。尽管没有说原因,狼潭从先轸的眼神里也能看出对自己的轻视。

狼潭很恼火,因为自己再一次被轻视。

那一战,先轸战死了。

狼潭很伤心,因为再也没有机会在先轸面前证明自己,让先轸承认自己绝不仅仅是个只能杀俘虏的人。

很长时间里,狼潭过得很不开心。

直到随晋军迎战秦军,狼潭暗自做出了一个决定,要以死来证明自己是一个真正的勇士的决定。

于是,就有了令秦晋两军都目瞪口呆的那一幕。

"死而不义,非勇也。共用之为勇。"在狼潭英勇牺牲之后,狼潭的朋友把他的生前遗言告诉了大家,这两句遗言的意思是:如果不义而死,那不算勇敢。为国捐躯,那才是真的勇士。

《左传》上"君子"高度评价了狼潭的英雄主义精神:"怒不作乱而从师,可谓君子矣。"啥意思?就是说生气上火了但是不作乱,而是上前线找敌人泄火,这就是君子。

狼潭,一个小人物,却是一个典型的春秋英雄。他生的或许不够光荣,但死的绝对伟大。到了阴间,先轸一定会对他另眼相看的。

先轸,即便是死了,秦国人依然败在了他的手下。

战败之后的秦国人更加愤怒了,现在是恨上加恨。

第二年,秦穆公亲自领军,讨伐晋国,要报两次战败的深仇大恨。

秦军渡过黄河,秦穆公下令:"把船烧掉。"

《左传》记载:"秦伯伐晋,济河焚舟。"由此可见,项羽并不是破釜沉舟的祖师爷,秦穆公才是。

秦穆公的意思很清楚:奶奶的,这次要是还打不过晋国人,都他娘别回去了。秦穆公没有想到的是,后来项羽用同样的办法把自己的后代的军队打得个落花流水。

绝了后路的秦军比上一次更加生猛,一鼓作气拿下王官(今山西闻喜县境内)。

面对来势汹汹的秦国人,晋国人怎么办?

"算了,冤冤相报何时了。再说了,秦军是秦伯亲自领军,怎么说那也是我们的恩人,还是主公的姑父。算了,让他们一次吧,否则,年年来,烦也烦死了。"赵衰的意见是忍了,赵衰都这意思,谁还反对。

于是,晋军坚守不出。

晋国人忍了,秦国人就反思了。秦穆公知道这算是赵衰给的个面子,算是给自己个台阶。这个台阶下不下?傻瓜才不下。

秦穆公是个明白人,自己这次来讨伐,就是为了出一口气。如今对方缩了,自己这口气也就算是出了。要是还不依不饶,人家晋国军队也不是吃素的。

于是,秦军又从茅津渡过黄河,到崤谷关,收拾了当年在这里阵亡将士的尸骨,下葬树碑,然后回国。

此后,秦穆公从西戎挖来人才由余,以孟明视为大将,专心向西扩张,终于吞并了整个西戎。

秦国暂时退出了中原的舞台。

第八十九章　楚成王之死

晋国人真正的对手不是秦国人,而是楚国人。

在先轸战死当年的冬天,楚国人就迫不及待地出动了。令尹斗勃率领楚军讨伐陈国和蔡国,两国立马投降,于是,陈国和蔡国又成了楚国的跟班。

随后,楚国人讨伐郑国。这一次,郑国坚决抵抗,竟然让楚国人无功而返。

卫国趁火打劫,发兵讨伐郑国,夺回了早年被郑国抢夺的三座城池。郑国向晋国求援,晋国出兵夺回了这三座城市。可是,卫国直接进攻晋国。

许国又投靠了楚国,鲁国则在暗地里跟楚国勾勾搭搭。

天下大乱。

用现代的话来说,要重新瓜分殖民地了。

冤死的斗勃

没面子,晋国人感到很没有面子。

"怎么办?"内阁会议召开了,晋襄公对目前的局面很不满意。

"我看,我们可以派上军帅阳处父讨伐蔡国。"先且居提出建议,一来蔡国小,二来不要自己出动。

"也好。"晋襄公同意了。

阳处父是很不愿意去的,他担心楚国会救蔡国,而与楚国作战他是没有信心的。可是没办法,国君下令了,不去也得去。

磨磨蹭蹭,慢慢吞吞,晋军进军蔡国了。果不其然,蔡国立即向楚国求援,斗勃立即领军北上,他决心要把当年在先轸手上吃的亏在阳处父的手上捞回来。打先轸打不过,打阳处父还是有信心的。

晋军有多慢呢?慢到晋军还没到,楚军就先到了。两国军队隔着泜水扎营,遥相对峙,谁也不敢贸然渡河。这大营一扎就是一个多月,看看快过年了。

与楚军对峙一个多月,阳处父觉得回去已经可以交代了。可是,如果单方面撤军的话,一来名声不好,二来害怕楚国人在后面追。怎么才能体面撤军呢?想了一个晚上,阳处父有主意了。

第二天,阳处父令人前往河对岸找斗勃下战书,战书这样写道:"既然我们来了,那就只好打了。可是这样耗下去,大家没有好处。如果你是爷们,我后撤三十里,你过河来,早打晚打听你的;否则,让我们过去,休整几天,咱们就决一死战。"

斗勃一听,谁怕谁啊?你以为你是先轸啊?

"你们后撤,我们渡河,明天就打。"斗勃对来使说,他根本没把晋国军队放在眼里。

成大心急忙拦住了,他说:"老斗,不能这样啊。晋国人不是宋襄公,他们没什么信用的,万一咱们渡河渡到一半,他们半渡而击,咱们不傻眼了?到时候,抹脖子上吊就轮到咱俩了。我看,咱们后撤,让他们渡河。"

斗勃一听,对啊,这世界上哪有那么多宋襄公啊?

"那这样,我们后撤三十里,你们渡河。"斗勃心说差点又被晋国人忽悠了。

原本以为这样就不被忽悠了,可是斗勃万万没有想到,他还是被忽悠了。

第二天上午,楚军拔营都起,后撤三十里,等晋军过来决战。

对岸,阳处父哈哈大笑,对晋军官兵说道:"哈哈哈哈,看见没有,楚国人害怕,他们逃了。算了,看在先君和楚王的交情上,放他们一马,兄弟们,咱们回家过年吧。"

当天,晋军打点行装,回家过年去了。

斗勃憋足了劲,等了几天,不见晋军渡河,派人过河一看,好嘛,晋军撤离时拉的屎都硬了。

没办法,敌人都没有了,自己也撤吧。

就这样,斗勃率领楚军撤回楚国,准备过年去了。

可是,斗勃万万没有想到的是,这个年他是过不去了。

斗勃率领楚军回到楚国,楚军大营在郢都城外,回到大营,斗勃稍事休息,准备去见楚成王。正要动身,楚成王的特使已经到了。

"令尹，打败晋国人了？"特使问。

"晋国人逃了。"斗勃说。按照他的想法，虽然没有击败晋国人，但是晋国人逃了，解救蔡国的目的已经达到了，虽然算不上大功，也该算一件功劳。

"晋国人逃了？可是大王听说是你先逃啊。"特使说话有些阴阳怪气，没办法，一个太监，本来就这样。

"哈哈，怎么会？我要是逃了，晋国人不是就拿下蔡国了？"斗勃有点恼火。

"不是这么说吧？记得出兵之前你信誓旦旦要击败晋国人，怎么能让晋国人逃了？"

斗勃一时没话可说，要说是被忽悠了，太没面子；可是要不说是被忽悠了，这个问题还真不好回答。

没等斗勃想明白怎么回答，特使已经从怀里掏出来一个小瓷瓶。

"令尹，根据可靠消息，你私下串通晋国人，共同导演了一出撤军的大戏。大王说了，既然你这么喜欢晋国人，就把这件晋国进口的东西赐给你。"特使说着，小瓷瓶递了过来。

斗勃接过小瓷瓶，只见上面写着：剧毒，请勿服用。

那年头，大家也都是喜欢进口货。所以，晋国杀人用楚国的毒药，楚国杀人用晋国的毒药。

"该死的晋国人，该死的阳处父。"斗勃仰天长叹，含恨饮毒自杀了。

连续两任楚国令尹，竟然都间接死在了晋国人手中。

那么，是什么人向楚成王提供了所谓的"可靠消息"？

公子商臣

一年前，楚成王决定立太子。

"齐桓公不够聪明，迟迟不立太子，结果最后引起内乱了吧？最后被自己儿子给饿死了吧？哈哈。"楚成王说。前车之覆，后车之鉴。楚成王认真汲取教训，要立大儿子商臣为太子。

不过，在立太子之前，楚成王还是决定咨询一下令尹斗勃的意见。

"大王，我看还是等等吧。您岁数还不大，夫人这么多，现在立了太子，到时候想换可就麻烦了。再说，商臣这人，心黑手狠，不适合当国君。"斗勃表示反对。

"蜂目而豺声，忍人也。"斗勃这样形容商臣的外部特征。什么意思呢？就是眼睛长得像蜜蜂，声音像豺狼，这样的人很残忍。

楚成王没搭理斗勃,心说这又不是星光大道,还拿长相和嗓子说话?齐桓公不也是一堆老婆,立太子立得晚,怎么样?

就这样,楚成王立商臣为太子,当时暗暗发誓,就算海枯石烂,也不会废了商臣立别的儿子。

斗勃没想到的是,商臣在宫里有卧底,所有这些对话都被卧底听到,然后原原本本传到了商臣的耳朵里。

"奶奶的,不喜欢老子也就罢了,还说什么老子蜂目而豺声,人身攻击啊。你浓眉大眼长得好看是吧?别撞在我手里,否则整死你。"商臣被伤了自尊,对斗勃恨之入骨。

这一次,斗勃被阳处父给忽悠了,商臣一看,机会来了,于是赶在斗勃没回来之前,去忽悠自己的老爹了。

基本上,商臣在楚成王面前回顾了斗勃出兵之前如何信誓旦旦要全歼晋国人,强调阳处父是一个怎样的靠拍马屁爬上去的根本不会打仗的蠢材,详细分析了斗勃和阳处父勾结的可能性和可行性,最终得出结论:斗勃勾结阳处父,擅自撤军。

楚成王被商臣说动了,他认定斗勃是害怕晋国人,因此才找个借口撤军的。

"斗勃出卖国家,该杀。"商臣建议。

楚成王点了点头。

就这样,斗勃没有死在晋国人的刀枪之下,却死在了自己人的谗言之下。

自古以来,家务事特别是国君的家务事,少管为妙。

害死了斗勃,商臣只能说是出了一口气,但是还远远没有到松一口气的时候。商臣明白,斗勃对自己父亲说的话其实是有道理的,在父亲咽最后一口气之前,什么事情都有可能发生。

事情很快就发生了,在斗勃死后不久,楚成王答应了公子职的娘,要废了商臣,立公子职为太子。

什么事情如果让女人知道了,基本上第二天天亮以前所有人都会知道。公子职的老娘第一时间告诉了自己身边的侍女,侍女们第二时间告诉了宫里的其他宫女。想想宫里有多少女人,就知道这个消息泄露得有多快了。

商臣第三时间就得到了消息,怎么办?他第四时间把自己的师傅潘崇给请来了。

"师傅,大事不好了,我多要废了我,立公子职。"商臣有些惊慌失措,赶紧把情况汇报了一遍。

"公子啊,别急,啊,别急。凡是内幕消息,分成两种。一种是保密工作

没做好泄露出来的,另一种是有人故意造谣散布出来的。如果真有这事儿咱们以为没这事,还傻唧唧不当回事,那就傻帽了;如果没有这事咱们偏偏相信有这事,冒冒失失采取行动了,那就更傻帽了。所以,当前最要紧的,是弄清楚究竟有没有这样的事。"师傅出马,分析得头头是道。

"可是,会不会没等我们弄明白呢,脑袋就搬家了?"商臣还是不放心。

"孩子,说了别急啊。你想想,就算老百姓杀头猪,也要找个过年或者娶媳妇这样的借口啊。大王要杀自己的太子,难道说杀就杀?"

"师傅说的是。"商臣这才安下心来。可是,怎样才能知道是不是真有这事呢?商臣还是没有办法。"师傅,你有什么好办法?"

潘崇没有说话,他在想。这个办法既要靠谱,又不能被别人看出来自己是在刻意验证。想了一阵,潘崇一拍大腿,有了。

"公子,大王现在最宠爱的夫人是江芈,什么想法一定都会告诉她。你可以设宴请她,从她嘴里套出实情来。"别说,师傅就是师傅,办法多。

"师傅,您这主意太好了,就问她,她一定知道。"商臣高兴起来了。

"别,不能问。你要问她,她一定会告诉大王,到时候反而弄巧成拙了。"

"不问?不问请她吃饭干什么?"商臣觉得师傅前后矛盾。

"孩子,很多事情不用问,也能知道答案啊。"

验证内幕消息

江芈,来自江国的美女,年轻貌美,深得楚成王的欢心。

商臣下了些功夫,打探到江国最著名的一味菜叫做回头鱼。回头鱼是一种逆水向上游的鱼,肉味十分鲜美。商臣知道,江芈一定喜欢。

商臣找了一个楚成王睡觉的时间来到宫里,求见江芈。

"夫人,我那里最近来了一个江国的厨师,好手艺,特别是回头鱼做得十分鲜美。这样鲜美的美味我不敢一个人享用,特地来请夫人前去品尝。"商臣发出邀请。

江芈犹豫了一下,她知道这是个敏感时期,干革命不能站错队。可是,万事有不一定,这个时候得罪商臣也绝对不明智。她咽了一口口水,回想起家乡的回头鱼,忍不住又咽了一口口水。

"这个,不大方便吧。"江芈的意思是说,偷偷溜出宫去不太好。

"没什么啊,父王过两天要去狩猎,那时候我安排好宴席,亲自来接您。"商臣知道江芈没什么借口再推辞了。

70   果然,江芈点了点头。

楚成王去云梦狩猎去了,江芈则来到了太子府赴宴。由此可见春秋时期,偷情其实还是挺容易,只不过这一次是偷吃而已。

大宴?当然不是,只是小宴。这样的事情只能偷偷摸摸,要是给大王知道,那谁能说得清?

江国师傅的回头鱼做得果然鲜美,江芈十分高兴,吃得津津有味。

"好吃,好吃,鲜嫩,鲜嫩。我从小就喜欢,可惜嫁到楚国之后就少有吃到。"江芈夸赞。

"嘿嘿,我说夫人的皮肤怎么这样鲜嫩,原来是因为吃这样鲜嫩的鱼长大的。"商臣语带调戏,一双色眼在江芈的脸上扫来扫去。

江芈有些恼火,她一向不喜欢商臣。想想看,一个两眼突出,说话声音跟狼一样的男人,谁会喜欢。可是,江芈忍住了。

"夫人,你看,多么圆的月亮啊。大王打猎去了,夫人何不在我这里打个野食?"商臣厚着脸皮说,两眼就盯在江芈微露的胸口。如果说刚才那句是调戏,这句就是赤裸裸的勾搭了。

江芈终于忍不住了,她腾地站了起来。

"啊呸,不要脸,臭流氓。怪不得你爹想废了你立公子职,你真是活该背时。"江芈涨红了脸,指着商臣的鼻子大骂起来,嘴里没咽下去的回头鱼喷了商臣一脸。

商臣一点也不生气,他依然面带笑容,得意的笑容。

"送我走。"江芈说着,转身就走。

"哎哎,要不,再给你打包两条鱼回去?"商臣笑着说。

"留着自己吃吧,吃一条少一条了。"

杀 父

事情已经很清楚了,内幕消息是准确的。事实上,内幕消息历来基本上都是准确的。

商臣不担心江芈去父亲那里告状,因为江芈根本就不敢说自己偷偷摸摸出宫,否则她比商臣还要死得早。

"师傅,现在我们怎么办?"商臣问潘崇。

"孩子,记得我给你讲过的杜原款和申生的故事吗?"

"记得,那两个晋国傻帽。"

"你想学习申生吗?"

"我的师傅可不是杜原款。"

"那我问你,你能够心甘情愿主动让出太子位,今后接受公子职的领导吗?"

"不能。"商臣的回答十分坚决。

"你能甘心逃亡国外,做一个外国的大夫吗?"

"不能。"回答同样果断。

"那么,你能干掉大王吗?"

"能。谁不让我好过,我就不让谁好过。"商臣毫不犹豫。

"蜂目而豺声,忍人也。"还记得斗勃的结论吗?以后遇上这样的人,一定要小心。

一个月以后,到了十月。

商臣以东宫也就是太子府的部队包围了王宫。王宫的部队为什么没有抵抗?因为王宫的部队也在商臣的指挥之下。

楚成王被软禁在了自己的宫里,确切地说是被关押了。

楚成王傻眼了,现在这个时候,真是呼天天不应,叫地地不灵。一开始几天还好,还有人伺候,有吃有喝。之后,没人伺候了,每天只有稀饭。再之后,连稀饭也没有了。

"我靠,我怎么跟齐桓公一样了?"楚成王是做梦也没有想到,齐桓公的命运竟然会落在自己的头上。

想见商臣,可是商臣不见。

"弟兄们啊,我知道商臣要害死我。死就死吧,我提个最后的请求,能不能给我煮个熊掌,让我饱着肚子去死啊?"楚成王提出最后请求,其实他依然心存侥幸。如果儿子能够答应这个要求,说不定就能放过自己一条老命。

熊掌没有,绳子有一条。

就这样,楚成王上吊自杀。

"斗勃啊,我没脸见你啊。"临上吊,楚成王哀叹道。

一代雄主,落到如此一个下场。

那一年,是楚成王四十六年(前626年),楚成王享年五十七岁。

同样的死法,楚成王和齐桓公犯的却不是同样的错误。齐桓公的错误在于立太子太晚,以至于太多人有想法了;楚成王则是立太子太早,而后来又想换,以至于太子要下毒手。

自古至今,多少人死在接班人的问题上?

楚成王原本应该是春秋的第二任霸主,遗憾的是,他遇上了晋文公及其团队。如果没有城濮之战的大败,他绝对是名正言顺的春秋第二霸。

即便没有成为霸主,楚成王依然是伟大的。在他的英明领导下,楚国不仅在强国的路上继续前行,而且完成了华夏化的进程,这为楚国此后的发展打下了基础。而楚成王具有的霸气和大气,其实并不输于齐桓公和晋文公。

如此一个伟大的楚成王,却有一个如此凄凉的结局。

商臣,现在是楚穆王。

公子职被楚穆王亲手勒死,公子职老妈为楚成王殉葬。至于楚成王的小老婆们,全数被楚穆王接手。

江芈,楚成王的宠妾,现在成了楚穆王的宠妾。

不过,江芈还是不喜欢楚穆王,她很忧郁,以至于两年之后就香销玉殒了。楚穆王十分怀念江芈,于是发兵灭了江国,这是后话。

楚穆王尽管心黑手狠,但是知恩图报。

楚穆王把自己的太子府整体移交给师傅潘崇,除了自己的孩子和孩子他妈,其余男女老少包括自己的小老婆们一律留给了师傅,而自己净身进王宫,接管父亲的一切。潘崇被任命为太师,主持国政。

说到潘崇,请全世界潘姓起立致敬。

潘姓起源其实有些说不清,一种说法是出于姬姓,毕公高的儿子封在潘,后代姓潘;另一种说法是出于芈姓,楚国公族潘崇为潘姓之祖。两种说法都有存疑,没有证据证明潘崇是楚国公族,很可能潘崇就是毕公高的后代。不过不管怎样,潘崇是潘姓最早的名人,也被潘姓广泛接受为始祖。当今联合国秘书长潘基文祖籍河南荥阳,当是潘崇后代。

第九十章　龟鳖大战

晋国的情况有些复杂,或者准确说,有些微妙。

晋国的政治体制叫做"六卿制",某种意义上可以这样表述:以国君为核心,在中军帅领导下的六卿集体负责制。

听起来有些复杂了,简单说,国君管理国家和军队的分量大幅缩减,主要的军政管理工作由中军帅为首的六卿委员会来执行。换言之,这是早期的内阁制。

在这样的体制下,六卿的作用就显得非常大,而中军帅的影响力甚至超过国君。这意味着什么? 意味着许多人都在盯着六卿的位置。

糟糕的是,六卿中的赵衰、栾枝和胥臣都已经是风烛残年,而先且居身体状况很差。有四个卿的位置供人们去遐想,这绝对不是一件好事。

当时的形势是这样的,在平静的外表之下,有两种势力在进行暗中的较劲。

第一种势力:"海龟"二代。

留齐派是晋国称霸的主要力量,也是晋国最强大的政治势力,他们的后人非常渴望承袭父辈的地位和权势。

这一派的代表人物是狐射姑和先且居。其余还有赵衰的儿子赵盾、胥臣的儿子胥甲以及尽管不是留齐派但是与留齐派关系密切的栾枝的儿子栾盾等人。其中,狐射姑原本就是留齐派,只是被父亲狐偃压制而始终无法成为一线领导人,不过现在他已经是太师,尽管没有实权,但是地位极高。先且居则借助父亲的英勇战死,直接成为中军帅。

第二种势力:土鳖。

这一派属于本土势力,他们靠着军功和年纪一点点熬上来,现在已经接近了权力的核心。这些人中以阳处父、荀林父、箕郑父、郤缺等人为代表,他们的资历使得他们已经可以觊觎中军师或者六卿。

一场空前的"龟鳖"大战就要拉开大幕。

宁 嬴

晋襄公六年(前 622 年)冬季,太傅阳处父前往卫国聘问。作为晋襄公的师傅,阳处父知道自己很快就会位极人臣,没有人比自己更能影响晋襄公。因此,他把这一次的卫国之行看成自己的一次巡视,为自己今后执掌晋国朝政打下外交基础。

在卫国,阳处父受到热情接待,卫国君臣一通马屁,把个阳处父拍得屁颠屁颠,分不清东西南北了。

出了卫国,在回绛的路上,路过晋国的宁这个地方(今河南省修武县),阳处父遇上了一个人。此人叫宁嬴,宁嬴的父亲和阳处父以前是朋友。

"阳叔,那个什么,我今后就跟您混了呗?"可以想象,宁嬴提出这样的请求。

"没问题,小宁,你跟我吧。"阳处父春风得意,决定提携老朋友的儿子。

宁嬴一看,高兴得也找不到东西南北了。回家跟老婆一汇报,老婆也高兴啊。

"老公,去吧,跟着阳处父,以后吃香的喝辣的,老婆我也跟着享福啊,嘻嘻。"老婆全力支持,还约好今后升官发财了不许娶小老婆。

就这样,宁嬴跟着阳处父走了。

宁嬴的老婆在家里做着发财梦,基本上亲戚朋友左邻右舍也都通知到了,有羡慕的有嫉妒的有不服气的还有晚上往他家扔砖头的。

可是,好梦不长。自古以来,好梦都不长。

第三天,宁嬴回来了。

"老公,你回来了? 接我们全家去首都?"老婆兴奋得猴子上树一般,从小到大,还没去过大城市呢。

"去什么首都啊,好好活着吧,我不走了。"宁嬴说。

"不走? 阳处父把你赶回来了?"老婆吃了一惊,还有些失望。

"不是,我不想跟他了,没劲。"

"吹罢,是人家不要你了吧?"

"还真不是。"宁嬴看了老婆一眼,然后说了一句名言:"干革命要跟对人,知道不?"

老婆一愣,她就知道"女怕嫁错郎,男怕入错行"这类话,干革命这样的事情她哪里能知道?

"不知道。"老婆老老实实地说。

"阳处父这个人,学问是没得说,可是太过刚强,刚强到刚愎自用,根本不管别人的感受。这样的性格就很容易得罪人。他这人说得多,做得少,华而不实,这样的性格,很容易被人瞧不起。我担心跟着他得不到好处,反而会被他连累。"宁嬴说。

"哼,你是怕自己没本事跟着他吧?狗肉上不了大席,我嫁给你,真是倒了八辈子霉了,呜呜呜呜。"老婆哭了,她恨老公没本事。

"我都没脸出门了,呜呜呜呜。"老婆又加了一句,她觉得没面子。

先 克

阳处父没有想到的是,他在外面巡游的时候,首都发生大事了。什么大事?栾枝患帕金森氏综合征晚期,不治身亡;第二天,胥臣也结束了老年痴呆的痛苦生活;同日,赵衰也终于为老一辈领导团队画上了句号。更为震撼的是,中军帅先且居突发脑膜炎病故。

不到三天时间,晋国政坛四个重量级人物去世。设身处地想想看,四个主要国家领导人在短时间内接连去世,内阁成员少了三分之二,这个国家会处在一个怎样的微妙处境下?我们来解析一下。

对于任何一个朝代的建立也好,或者任何一个国家的崛起初期也好,第一代领导团队通常都是强势的,这个团队的特点就是个人能力与团队精神的完美结合。于是,这个团队对于国家的控制力是超强的。而一旦这个团队纷纷故去之后,权力的真空就会出来,而第二代缺乏有足够能力和威望的人来填补这个真空,于是,权力斗争就展开了。

狐偃、先轸的强势以及赵衰的威望让晋国的权力场平静了很多年,但是,当他们先后去世之后,已经没有人能够让这个国家的权力场继续平静下去。

权力斗争,中国有史以来最为残酷的的权力斗争已经拉开帷幕了。晋国的权力斗争就像潘多拉的盒子或者那个装龙口水的坛子,一旦打开,就再也无法挽回。从那之后的几千年里,中国的权力斗争就再也没有停歇过。晋国的权力斗争就像是一部权力斗争的教科书,指导着历朝历代统治阶层内部的钩心斗角和互相残杀。

很多人喜欢看《春秋》,有的人看到的是大义,有的人看到的是谋略,有的人看到的是权力斗争。所以,有的人越看越傻,有的人越看越聪明,有的人越看越老辣。譬如,关羽看到的是大义,所以他死得很惨;诸葛亮看到的是谋略,所以他很聪明;曹操看到的是权力斗争,所以他玩弄汉献帝和大臣们在股掌之中。

任何有志于在权力场中有所作为的人,可以关注后面发生的故事。

下面,我们将在讲述春秋故事的同时,为大家总结权力斗争的金科玉律。

假设我们现在进行的是北京奥运会 110 米栏的决赛,那么,在权力的起跑线上站着五个人,尽管呼声不同,实力有差距,但是现在实实在在地站着五个人,他们谁都有可能被绊倒,也都有可能率先撞线。哪五个人?

第一道,阳处父,太傅,晋襄公的老师。

第二道,狐射姑,太师,硕果仅存的留齐派。

第三道,士縠,司空,资历最老的本土元老。

第四道,赵盾,赵衰的儿子,留齐派第二代的带头大哥。

第五道,先克,先且居的儿子,爷爷和父亲先后出任中军帅。

中军帅、佐的位置同时空出来,晋襄公决定立即补上人选。

与阳处父良好的自我感觉截然相反的是,晋襄公从一开始就没有考虑让阳处父出任中军帅,而原因与阳处父伐蔡有关。那一次阳处父忽悠了斗勃,回到晋国接着忽悠,说是楚国人害怕了,逃跑了;后来斗勃被杀,阳处父又吹嘘说是自己使的反间计。可是,晋国驻楚国地下办事处最终传来确切线报:先逃跑的是阳处父,斗勃之死完全是商臣在搞鬼,跟阳处父也没关系。

晋襄公没好意思揭穿自己的老师,不过也算是看透了他。

晋襄公的第一方案采取论资排辈原则,士縠做中军帅,梁益耳为中军佐;箕郑父做上军帅,先都做上军佐。这四个人都属于本土势力,按年龄和资历应该是他们晋升。其中,士縠是士芳的儿子,而先都与先轸并没有直接的关系,只是同族。

这个方案还没有宣布,但是大家都有了风闻。"土鳖们"暗自欢喜,准备庆祝。"海龟"第二代也已经探听到了消息,他们则很沮丧。怎么办?这项任命如果下来,也就意味着留齐派第二代彻底失败。

狐射姑有些急,他认为中军帅无论如何应该是自己的,可是他不好去说;赵盾也有些急,不过父亲刚去世,自己也不好去说。不过,有一个人比他们更急,谁?先且居的儿子先克。

论资历,先克属于留齐派的第三代,如果论资排辈,赵盾、胥甲等人还有得排,自己可就要等到猴年马月去了。怎么办?自己能够迅速上位的唯一办法就是让晋襄公改变提拔高级干部的规则,由论资排辈改为父业子承。

先克去找晋襄公去了，晋襄公一看先克来了，还说了些"节哀顺变"之类的话，却不知道先克早已经节哀了，现在是顺便忽悠来了。

"主公，我想问问，我父亲的职位谁来接呢？"先克也算开门见山。

"这个，打算士縠吧。哎，你父亲临走之前有没有说过谁接班比较好？"晋襄公说，他还没有最后下定决心。

"我父亲说过，说是狐家和赵家功劳最大，没有他们就没有主公的今天。我父亲说了，狐赵两家的人没当中军帅，他死不瞑目，希望主公能够考虑把他的位置留给狐家或者赵家的人。"先克一通忽悠，忽悠得晋襄公连连点头。

"你说得对啊，做人不能忘本啊，要懂得报恩啊。"晋襄公说。

第二天，新任中军人选宣布：狐射姑任中军帅，赵盾任中军佐。箕郑父为上军帅，荀林父为上军佐，先蔑为下军帅，先都为下军佐。

第一回合，"海龟"二代获得完胜，"土鳖"大败。

阳处父呢？他不仅一无所获，甚至连上军帅也给剥夺了。

阳处父不是一个合格的政治家，他应该明白，对于老人来说，冬天永远都是一个槛。他不应该在冬天出去，况且，他明知道这四个人的身体已经很不好。

权力斗争金科玉律第一条：权力交接时期，不要轻易离开权力中心。

副一条：权力就像狗不理包子，热蒸热卖。你来晚了，肯定凉了。

狐射姑

"终于熬到这一天了。"狐射姑长舒了一口气，这么多年了，压抑啊。

论能力、论资历，狐射姑甚至早就应该是中军帅了，可是，父亲活着的时候，一直被父亲压制着；父亲去世之后，似乎大家又根本想不起他来。而一个更重要的原因是，父亲狐偃太过强势，太过高傲，真正的朋友不多。因此当狐偃不在了的时候，愿意帮助狐射姑的人并不多。

换言之，父亲给狐射姑留下来的政治资源太少了。

狐射姑是一个有想法的人，大权在握，他决定要做些什么。做什么？

通常一个国家新任领导人的做法是这样的：前辈做加法，后辈就做减法。前辈做减法，后辈就做加法。

狐射姑的口号是：不折腾。

而不折腾的具体体现就是：首先，治国方式不变，沿袭留齐派的既定方针；其次，裁军，将五军裁为三军，也就是说，把新上军和新下军裁掉，采用精兵政策。

开春的时候，狐射姑决定在夷这个地方进行阅兵式，检阅三军，树立威信。

一个历史规律千万记住，新官上任的第一次点名一定要万分小心，因为新官通常会在这个时候找人过错来树立威望。狐射姑当然明白这个道理，他要看看谁是这个倒霉蛋。

臾骈，下军司马，似乎这个不中不洋的名字注定他就是个倒霉蛋。阅兵当天，也不知道是老婆叫床叫晚了还是头天晚上拉肚子了，总之，别人都到了，他没到。狐射姑正发愁找不到人发威呢，这下高兴了。

"阅兵迟到该怎样处罚？你自己说。"狐射姑喝问。

"该打一百鞭子，可是，我拉肚子啊，人有三急啊。"

"三急？只要肠子没拉出来，就不能迟到。来人，拉下去打一百鞭。"狐射姑下令。

这一百鞭可不是个小数，把个臾骈打得皮开肉绽，这还是行刑的士兵手下留情。臾骈被抬回家中，在床上整整趴了一个月才起来。一个月时间里，他用了十天咒骂狐射姑，用了十天自认倒霉，又用了十天反思。到能够下床的那一天，他终于想明白了："这事情不怪狐射姑，怪我自己缺心眼。如果再这么缺心眼，死都不知道怎么死的。"

强势，狐射姑很强势，这一点像他的父亲狐偃。可是，有一点他没有想到，那就是，他的政治环境比他的父亲差了太多。

狐偃是晋文公的亲舅舅，是留齐派的首脑。只要他发话，晋文公全力支持，大臣们心悦诚服，不服也得服。可是，狐射姑跟晋襄公之间勉强算是个表叔，谈不上亲情，更没有交情。换言之，狐射姑没有晋襄公这个坚强后盾。而由于长期不能在政治一线活动，他的人脉、他的威望都无法与父亲当年同日而语。

狐射姑的地位并不稳固，而在地位并不稳固的情况下，他裁掉了新上军和新下军，鞭责了臾骈。他的朋友没有增加，他的敌人却在成倍增长。

他不是一个成熟的政治家，而一旦不成熟的政治家执掌大权，危险就会如影随形。

权力斗争金科玉律第二条：权力应当用来发展朋友，而不是制造敌人。

阳处父

阳处父回来了,可惜狗不理包子已经凉了。

"我真傻,我怎么偏偏这个时候出去呢?"阳处父后悔得肠子都青了,原本他是盯住了中军帅的宝座的,如今被狐射姑捷足先登了,他很失望。不仅失望,他还很恼火。

说起来,阳处父最痛恨的人一个是狐偃,另一个就是胥臣。恨父及子,他对狐射姑也没有任何好感。为什么阳处父会痛恨狐偃和胥臣呢?说起来,话儿倒也不长。

原来,阳处父是一个很有学问的人,而且很自负。当初晋文公回国之后,阳处父曾经找过狐偃,求狐偃推荐自己。可是狐偃根本没有把阳处父放在眼里,认为他只会夸夸其谈,这也难怪,谁能跟狐偃相比呢?在狐偃那里被拒绝之后,阳处父转而寻求赵衰的帮助,赵衰是个老好人,看阳处父有学问,于是向晋文公推荐,晋文公就让他做了太傅,太子的师傅。

在任命阳处父作太傅之前,晋文公特地征求了胥臣的意见,因为胥臣是个有学问的人。

"臣啊,我准备让阳处父做太子的师傅,他能胜任吗?"晋文公问。

胥臣不喜欢阳处父,他觉得这个人更像是一个小人。不过胥臣知道阳处父是赵衰的推荐,自己也不好意思明说,于是胥臣拐了个弯,说了一通鸡胸不能弯腰、驼背不能挺胸之类的话,最后的结论是:"太子好不好,取决于太子本人。"

基本上,胥臣的意思就是阳处父这个人不能用。不过晋文公最终还是用了阳处父。

就因为这个,阳处父恨狐偃和胥臣恨得牙痒痒。与此同时,阳处父对一个人心存感激,谁?赵衰。

"不行,我要把狐射姑给弄下来。"阳处父不仅恨狐射姑,还认为这次自己没有能够当上中军帅是狐射姑在搞鬼。

"哎哟,老师,您回来了?"看见阳老师,晋襄公毕恭毕敬。不管怎样,还是老师啊。

"主公,我在路上听说您任用狐射姑为中军帅了,因此我赶紧回来了。"

"老师,狐射姑不行吗?"

"不是不行,是根本不行。"阳处父连拐弯都省了,直奔主题了,"狐射姑的能力不行啊,人际关系也不行啊。他当中军帅,谁服啊?我觉得吧,任命中军帅,那一定要用贤能的人,不能用那些徒有虚名的人。"

"那,老师,谁比较贤能?"晋襄公这人耳朵软,听师傅这么一忽悠,觉得挺对。再想想,好像真没有多少人说狐射姑的好话。

"赵盾啊,别看年轻,赵盾的能力比狐射姑高了不知道多少倍了。主公,换人吧。"

"这,这是不是不太好? 刚任命了,又换人家。再说,狐射姑那是老臣啊。"晋襄公还有些犹豫。

"你不好意思说,我有办法。"对付徒弟,师傅当然有办法。

夷地阅兵仅仅一个月之后,晋襄公宣布在董地进行第二次阅兵。

"怎么回事? 怎么又要阅兵?"狐射姑觉得有些奇怪,但是并没有想太多。

阅兵当天,狐射姑早早来到阅兵现场,直奔帅坛而去,准备登坛发令。然而来到坛前才发现有人比自己来的还早,令他大吃一惊的是,自己的中军帅的宝座竟然有人坐了。谁? 赵盾。

狐射姑的脸色变得很难看,赵盾这个小屁孩竟然如此不敬,胆肥了? 想当中军帅想疯了? 狐射姑一脸怒气,就要登坛呵斥赵盾。

正在这个时候,一旁阳处父闪了出来。

"太师,请在坛下听令。"阳处父淡淡地说。

"坛下? 我是主帅。"狐射姑一向讨厌阳处父,看他半阴不阳地说话,也没什么好脸给他。

"不好意思,主公有令,中军帅佐调换,赵盾任中军帅,你现在是中军佐。"

"什么?"狐射姑这个时候才反应过来,原来这次阅兵就是为了这个。不用猜他也知道,这些都是阳处父在搞鬼。

狐射姑的第一反应是拔剑,他要宰了阳处父。然而,剑拔到一半,他又把剑插了回去。他知道,可以激动,但是不能冲动。

第九十一章　疯狂的强盗

夺了狐射姑的权力,而且是以羞辱的方式夺走了狐射姑的权力,阳处父算是出了一口积郁多年的恶气。可是,他觉得这还不够,还要继续羞辱狐射姑。

赵盾年轻,年轻人有年轻人的冲劲和干劲,这一点,确实是狐射姑不能相比的。执掌国政之后,赵盾立即着手进行改革。改革主要在以下几点:第一,制定规章制度,修订法律条令;第二,清理诉讼积案,督察追捕逃犯;第三,运用契约账簿作为凭据;第四,恢复日益混乱的等级,重建已经废弃的官职,起用屈居下位的贤能。

改革方案出来之后,阳处父跟赵盾商量,把推行的任务交给了狐射姑。

狐射姑郁闷啊,被夺权了就已经很痛苦了,如今还要给赵盾和阳处父使唤。

"我忍。"狐射姑咬牙切齿,他决定继续忍。

难道狐射姑没有反击的力量? 没有,因为对手太强大。我们来看看对手的力量。

第一次谋杀

阳处父是晋襄公的师傅,这一层关系就够厉害。同时,阳处父还是本土势力的首领,他背后有一个集团的支持。

赵盾呢? 从个人来说,赵盾本人是没有什么力量的。但是,父亲赵衰给他留下了用之不尽的政治资源。赵衰在世的时候,数次主动让贤,大力推荐新人，而且行事低调，待人和蔼，可以说，满朝文武无论是留齐派后代还是本土势力，没有一个人说他的坏话，而对他感恩戴德者不计其数。

大致回忆一下，城濮之战前，赵衰曾经把中军帅和中军佐让给郤縠和郤溱，把下军帅和下军佐让给了栾枝和先轸，之后又举荐先轸为中军帅，再次把下军佐让给了胥臣。后来，又多次让贤或者荐贤。

打个比方，如果说狐射姑和赵盾在朝廷上打起来，一半的人会去帮赵盾，另一半的人会为赵盾加油。

所以，给别人恩惠，就等于给自己的后代恩惠；你提携别人的同时，你要想到，有一天别人也会提携你的后代。

在这一点上，狐偃远远没有赵衰那么聪明。

即便是狐射姑，他对赵衰也同样抱有敬意，延及赵盾的身上，狐射姑认为一切都是阳处父在捣鬼，赵盾并没有多少值得指责的地方。甚至狐射姑也很欣赏赵盾，认为他的改革方案非常好。也正是基于这一层理由，狐射姑在执行赵盾的改革方案时还算尽心尽力。

权力斗争金科玉律第三条：给人恩惠，就是在为自己的后人积累政治资本。

副一条：对人苛刻，就是在为自己的后人树立敌人。

谁也没有想到的是，狐射姑与阳处父和赵盾之间的斗争会很快升级。

八月，晋襄公薨了。这意味着什么？学生死了，师傅的地位就会松动。这还意味着什么？意味着机会来了。谁的机会？寻觅机会的人的机会。

阳处父有些傻眼，他不是那种很镇定的人。

"怎，怎么办？"阳处父跟赵盾商量。

"这个事情要请狐射姑来商量了，毕竟他是老臣，见多识广。"赵盾建议。表面上，他是很尊重狐射姑的。

阳处父没意见，于是，赵盾派人把狐射姑给请来了。

"太师，你看在目前的情况下应该怎样做？"赵盾请教，很真诚地。

"现在的情况是这样的，国际上，楚国一直虎视眈眈，随时可能来报仇；国内呢，主公去世，太子夷皋太小。如果太子继位，国家很可能会动乱。依我看，我们不如从文公的儿子中挑一个来做国君。"别说，到底是见过大风大浪的，狐射姑这个时候很镇定。

"对对对对。"阳处父点头。

赵盾偷着乐,他的看法其实与狐射姑一样,只是担心自己提出来,万一被狐射姑反对,那就麻烦了。所以,要让狐射姑来提。

一个成熟的政治家往往就是这样,自己想的事,自己不提,让别人先提出来。

"我看,就公子雍吧。"赵盾先发制人,他跟公子雍关系不错,如今是自己提出来把公子雍弄回来的,自己的地位一定更巩固,"公子雍岁数最大,喜欢做善事,能力又强,现在他在秦国做到了亚卿。他要是回来,我们等于又多了秦国这个强援,多好?"

狐射姑一听,立马就明白了。心说自己真傻,不该那么快就说出自己的想法的。

"我看不如公子乐好一些,他的母亲辰嬴曾经是怀公和文公的夫人,百姓一定欢迎他。"狐射姑当然不愿意看到赵盾这么容易就得逞,所以推荐了公子乐。

"不行,公子乐的母亲嫁了两次,太淫荡。公子乐本人也不行,大国国君的儿子,竟然跑去陈国混日子,有什么出息?"赵盾强烈反对,基本上是强词夺理。想想看,辰嬴改嫁那是辰嬴的问题吗?公子乐被送去陈国的时候不过七八岁,他能决定什么?

两人各执己见,谁也不服谁。

"别争了,少数服从多数。明天就派人去秦国,迎请公子雍回来,散会。"阳处父当然支持赵盾。

第二天,阳处父和赵盾派先蔑和士会前往秦国,迎请公子雍回来。

狐射姑非常恼火,他有一种被忽悠的感觉。他知道,如果公子雍回来,阳处父肯定要借题发挥,去公子雍面前搬弄是非,到时候自己的日子更难过,说不定连这个太师和中军佐的位置都保不住。

怎么办?先下手为强。

狐射姑管不了那么多了,悄悄派人前往陈国把公子乐接回来,到时候先占上宝座,那叫生米煮成熟饭,你赵盾和阳处父也只能干瞪眼。

主意是个好主意,可是保密工作没做好。也不知道是家里出了阳处父和赵盾的卧底,还是路上露了行踪。总之,狐射姑派人去接公子乐的消息很快被赵盾和阳处父知道了。

"怎么办?"阳处父又傻眼了,秦国虽然近,但是那是大国,不可能偷偷摸摸把公子雍给弄回来,那一定是要轰轰烈烈给送回来的,明年能送过来就不错了。

赵盾没有说话,只是用手做了一个杀头的动作。

几天之后,狐射姑派去接公子乐的人哭着就回来了。

"怎么回事?"狐射姑急忙问。

"我们顺利接到了公子乐,悄悄赶路。谁知道到了郫这个地方,出来一伙强盗,把公子乐给剁了。"

"啊?!"狐射姑倒吸一口凉气,不用问也知道这是阳处父和赵盾干的。"气死人了,欺人太甚,欺人太甚。"

忍无可忍,狐射姑真的忍无可忍了。

狐射姑找来一个人,谁? 狐鞫居,狐毛的儿子,狐射姑的堂弟。因为狐毛封在续,狐鞫居又叫续简伯,是续姓的始祖。百家姓排名最后一个的,就是续姓。

基本上,狐射姑唯一的同党,就是这个自家兄弟了。

"兄弟,阳处父这个该死的专门和我们做对,以我们狐家的功劳,兄弟你怎么不得做个帅佐什么的? 我实在忍无可忍了,兄弟,你辛苦一趟,把他给办了。"狐射姑下定决心要杀了阳处父,他不好自己出面,于是找狐鞫居来帮忙。

"好说。"狐鞫居二话没说,他也知道,只要阳处父在,自己就没有出头之日。

第二次谋杀

《左传》载:"九月,贾季使续鞫居杀阳处父。"

贾季是谁? 就是狐射姑,因为封邑在贾,又叫贾季,还叫贾佗。

续鞫居是怎样杀死阳处父的,史书没有记载。不过续鞫居不会傻到明目张胆去杀人的地步,他也会扮强盗。而且,阳处父基本上是一个文人,不需要太高的高手就可以干掉他。

就这样,阳处父从历史舞台上消失了。

宁嬴,一个聪明人。

作为政治家,阳处父是很不合格的,甚至在做人上他都不合格,他几乎是逼着狐射姑杀死自己的。

权力斗争金科玉律第四条:除非你能置对手于死地,否则,不要把对手逼上绝路。

现在,政治格局发生了微妙的变化。阳处父没有了,剩下的是赵盾和狐射姑的对抗了。

赵盾现在的心情是复杂的,阳处父的死令他悲喜交加。不管怎么说,阳处父对他是不错的,没有阳处父,自己就没有这一天,所以阳处父的死令他伤心;另一方面,阳处父总是摆出一副恩人的样子,而且越来越轻慢,赵盾已经感到与他相处会越来越难受,因此,阳处父的死令他松了一口气。可是,赵盾没有多少时间去想阳处父的事情,他现在必须要考虑的是怎样应对狐射姑。

"赵哥,绝密线报,阳处父是被续鞠居派人杀死的,续鞠居又是狐射姑授意的。"先克前来汇报,先克原本与赵盾的关系就很好,现在更好。而赵盾也很感激当初先克的仗义执言,他也很愿意把先克纳入自己的势力范围。

"兄弟,不会吧,没证据的话可不能乱说啊。"赵盾回答。其实,地球人都知道阳处父是被狐家兄弟杀的。

先克没有再说话,他是个聪明人,他知道话说到这里已经够了,再说就是多余了。

狐家兄弟悄悄地厉兵秣马,随时准备迎击阳处父残余势力的攻击。可是很快,他们发现一切就像没有发生过一样,赵盾反而更加客气了。

"看来,赵盾并没有怀疑我们,至少,他跟阳处父之间也并没有我们想象中那么铁。"续鞠居对狐射姑说。

"嗯,不过,还是要小心一些。"狐射姑说,他总觉得有些奇怪。

不管怎样,狐家兄弟放松了警惕。

事实证明,狐家兄弟还是低估了赵家小兄弟的智慧。

第三次谋杀

十月,赵盾主持安葬了晋襄公。

十一月的一天,狐射姑出门在外,去一个朋友家中做客。正吃着,家里来人了。

"报、报告,出大事了。"来人上气不接下气地说。

"什么大事?"

"狐鞠居被杀了。"

"怎么被杀的?"

"在回家的路上被一伙强盗给杀了。"

"强盗?"

86

狐射姑不是笨蛋,他知道一定是赵盾干的。公子乐、阳处父和狐鞫居都是被强盗杀的,不过地球人都知道真正的强盗是谁。

所以,自古以来,所谓强盗杀人,八成以上都是伪强盗。

狐射姑腾地站了起来,起身就走。

"快,回家。"狐射姑下令。

"来的路上,我看见路上似乎有强盗。"家人说。

"啊?那,快,一路向北。"狐射姑向御者发出命令,他逃了,除了逃,他没有第二个选择。狐射姑知道自己的实力,自己根本就不是赵盾的对手。如今赵盾既然下手了,自己只能逃命,否则,自己也会在路上被强盗杀死。

就这样,狐射姑逃到了北翟,回到了爷爷出生战斗过的地方。

"可恶的强盗,杀害了阳处父,又杀害了狐鞫居,由此可见,国家的治安需要整顿了。"朝廷上,赵盾这样对大家说。现在,晋襄公死了,新国君还没有登基,赵盾就是这个国家的老大。

"就是,强盗太猖獗了。"大家都说,大家心里也都明白强盗是谁。

对于狐射姑的逃跑,似乎不太好解释,毕竟狐射姑是太师和中军佐,他的逃跑还是引发了震动。

"狐太师为什么跑了?"梁益耳问。他故意问,因为他对赵盾不满。

"狐太师跑了?跑哪里去了?"赵盾装不知道。

"跑北翟去了。"这一次是先克回答,他早就看清了形势,"我怀疑,狐太师可能与这几起案件的强盗有关联,很可能是畏罪潜逃。"

罪名已经安好了,大家都在猜,猜赵盾会怎样做。

可是,所有人都低估了赵盾的政治智慧。

"不,绝对不可能,狐太师是我尊敬的人,他绝不会干这种下三烂的事情。莫非,他去看望他姥姥了?对了,当年在北翟的时候,他就说过以后想去那里养老。唉,落叶归根啊。既然这样,我们也就不拦着他了。臾骈,你辛苦一趟,把狐太师的家小和财产给狐太师送过去。"

什么叫大度?什么叫宽宏?什么叫政治智慧?赵盾展现给了大家。表面上,赵盾一番好意,让你全家团圆;实际上,把你全家送走,封邑自然没收,让你想回来都没机会了。

好人也做了,目的也达到了。除此之外,还有什么?真的还有。

臾骈奉命送狐射姑的家小去北翟,他带着家丁去了狐射姑家中,该收拾的收拾了,该打包的打包了,全家老小浩浩荡荡向北而去。

"将军,当初狐射姑这老狗羞辱过你,为什么不在路上杀了他全家,报仇雪恨呢?"臾骈的手下有人提出这个建议。

"我缺心眼啊?"臾骈瞪了手下一眼,问他,"你想过没有?这么多人不

派,为什么赵盾偏偏派我来送?他不知道我跟狐射姑有仇?"

后面的话臾骈没有再说,傻瓜才会说出来。

事情明摆着,赵盾之所以派臾骈,就是想让他杀了狐射姑全家,之后呢?之后赵盾就会杀了臾骈,罪名自然是公报私仇。最后的结果就是,赵盾成功把狐射姑的问题解决了,同时还不承担恶名,而臾骈成为替罪羊。

"想起来,还多亏了狐射姑当初那一顿鞭子,让我想明白许多道理。"臾骈暗自庆幸。

就这样,臾骈将狐射姑全家和财产送到了边境,交给翟国,然后才回来。

臾骈的高尚情操受到广泛赞扬,连赵盾也惊诧于臾骈的智慧。

"嗯,人才,可以用。"赵盾不由得欣赏起臾骈来。

与阳处父相比,臾骈要高明得多。

权力斗争金科玉律第五条:如果能置对手于死地,坚决不能手软。

副一条:不仅不能手软,而且要斩草除根。

秦穆公死了

阳处父死了,狐射姑跑了,晋国政治三巨头就只剩下了赵盾一个人。

赵盾非常高兴,他几乎是没费吹灰之力就扫除了两个最有力的对手。换一个角度说,阳处父和狐射姑的性格缺陷葬送了他们的政治前途。

到了这个时候,赵盾突然发现一个问题:秦国人还没有把公子雍送过来。

为什么这一次秦国人这么磨蹭?他们舍不得公子雍吗?不是秦国人磨蹭,也不是他们舍不得公子雍,而是秦国出了大事。

秦穆公鞠躬尽瘁了。

说起来,秦穆公还走在晋襄公的前面。临终时,秦穆公下了最后一道命令:子车氏三兄弟为我殉葬。

子车氏三兄弟名叫奄息、仲行、鍼虎,是秦国有名的贤良,大概是秦穆公爱才心切,再加上那时秦国有用活人殉葬的传统,因此子车氏三兄弟给殉葬了。

秦国人民对这件事情感到非常悲伤,于是有了一首诗《黄鸟》来寄托大家的悲愤,《黄鸟》后来收在《诗经·秦风》里,全诗如下:

交交黄鸟,止于棘。谁从穆公?子车奄息。维此奄息,百夫之特。临其穴,惴惴其栗。彼苍者天,歼我良人。如可赎兮,人百其身!

交交黄鸟,止于桑。谁从穆公?子车仲行。维此仲行,百夫之防。临其穴,惴惴其栗。彼苍者天,歼我良人。如可赎兮,人百其身!

交交黄鸟,止于楚。谁从穆公?子车鍼虎。维此鍼虎,百夫之御。临其穴,惴惴其栗。彼苍者天,歼我良人。如可赎兮,人百其身!

《左传》为此声讨秦穆公:"君子曰,秦穆之不为盟主也,宜哉。"

我们常说,做一件好事并不难,难的是做一辈子好事。

秦穆公,一辈子英明伟大,临死的时候做了一件被人唾弃的事情。所以说,世界上最难保的就是晚节。

就因为秦穆公死了,秦国人一门心思办秦穆公的后事,愣是没有顾过来把公子雍给送回来。秦国人不知道,由于他们的磨蹭,事情已经有了变化。

计划没有变化快

赵盾后悔了。

从前,狐射姑和阳处父在,赵盾希望把公子雍接回来,以此壮大自己的力量。可是现在,狐射姑和阳处父都不在了,自己的需求已经发生了改变。

公子雍是一个有能力的人,背后还有秦国的支持,对于赵盾来说,这绝对不是一件好事。相反,如果把太子夷皋扶上去,一个小屁孩岂不是很容易对付?

如果说从前赵盾把狐射姑当作敌人,把公子雍当作盟友的话,那么,在敌人被消灭之后,盟友还有什么用呢?当敌人不复存在,盟友就是下一个敌人。

赵盾决定,放弃公子雍,扶太子夷皋继位。可是,一个现实的问题摆在面前,从前请公子雍回来也是自己,如今要放弃公子雍也是自己,这不是自己扇自己的耳光?

赵盾有办法,他有的是办法。

很快来到了第二年的春天,秦国来通报,说是三月份送公子雍回来继位。而在晋国的朝廷,也多了两个人。

晋襄公夫人穆嬴在春天来到之后开始天天上朝,当然不是坐在国君的宝座上,而是坐在地上。穆嬴抱着儿子,每天大臣们上朝议事的时候他们就

来了,大臣们不走,他们也就不走。那么,他们去干什么?

坐地泡。

穆嬴每天都会坐在地上哭诉吵闹,基本内容是:放着太子不立,你们去从外面找人,太不仗义了吧?太残忍了吧?我就是做鬼也不会放过你们所有人祖宗八辈。

朝廷上闹完了,穆嬴又抱着孩子去赵盾家哭闹,基本内容是:我老公把这孩子托付给你了,你却放弃不管,你还算是个人吗?

基本上,天天是这出,也不知道是谁给出的主意。

"元帅,办了他们?"先克看不过去了,主动找赵盾请缨。

"怎么说话的?先主公言犹在耳,怎么能对不起他的老婆孩子?"赵盾严厉地批评了先克。

先克没有再说话,他知道,该消失的,赵盾一定会让它消失;没有消失的,一定是赵盾不让它消失。

慢慢地,大臣们给烦得受不了,而且听多了之后,渐渐觉得穆嬴的话有些道理,母子俩看上去又很可怜。

"算了,就让太子继位算了。"有人向赵盾建议,之后,这样看法的人越来越多。

到了三月份的某一天,赵盾知道秦国人已经派人送公子雍回来了,他知道,最佳机会来了。

"各位,我思虑再三,觉得还是顺应民意,扶立太子,否则对不起先主公啊。"这一天,赵盾把卿大夫们召集来,商量着要变主意。

赵盾的话一出,大家开始议论纷纷,多数人支持。其中一部分早就看出了赵盾的意图,另一部分则是同情太子母子。

"就是就是,孤儿寡母的,怪可怜的。"有人附和。

"是啊,我们有太子了,何必再从外面请呢?"有人支持。

基本上,扶立太子成了水到渠成的事情。

所有人中,荀林父是个最实在的人,虽然他也支持扶立太子,可是毕竟人家秦国已经把公子雍给送回来了,总该给人家一个合理的解释吧?

"元帅,秦国可是已经把公子雍送回来了,今天就到令狐(晋国地名,今山西临猗县西)了,咱们出尔反尔,怎么跟人家解释呢?"荀林父问。

其实,大家都有这个问题,大家也都觉得既然忽悠了人家秦国,应该想个稳妥的办法,给人家秦国一个至少说得过去的解释。实在不行,就算赔点银子也行啊。

赵盾笑了笑,给了大家一个被集体雷倒的答案。

第九十二章　逆我者亡

宣子曰："我若受秦，秦则宾也；不受，寇也。既不受矣，而复缓师，秦将生心。先人有夺人之心，军之善谋也。逐寇如追逃，军之善政也。"训卒利兵，秣马蓐食，潜师夜起。戊子，败秦师于令狐，至于刳首。

——《左传·文公七年》

赵盾给大家的答案是：如果我们接受秦国人送来的公子雍，秦国人就是朋友；如果我们不接受，他们就是入侵者。如今我们已经决定不接受公子雍了，还不做防备，秦国人就会乘机攻击我们。我们不如先下手为强，把他们赶出去。

赵盾的话说得很明白了，一个字：打。

荀林父瞠目结舌，目瞪口呆，这赵盾跟当年的晋惠公有得一比啊。

"真不要脸。"每个人心中都这样想，可是，谁敢说出来？

终于，还是有一个人忍不住说了出来。

"这样太不厚道了吧？今后我们还怎么让天下的诸侯信任我们？我们还有什么脸去见秦国人？"说话的是下军帅先蔑，当初他和士会被派往秦国迎请公子雍，在秦国受到热情接待，对秦康公和公子雍的印象都非常好。

赵盾没有回答，士会也跟着说话了。

"主帅，我也觉得不妥，不如让我们去跟秦国人说明白，如果他们不肯回去，再打也不迟啊。"士会也觉得赵盾不地道，不过说话委婉一些。

赵盾一拍桌子，喝道："胡说，我看你们两个一定是受了秦国人的好处，这个时候为他们说话。"

这句话一出来，先蔑和士会都没话说了，里通外国的帽子扣上来，谁说

得清啊？

"元帅说得对，对秦国人没什么信义可讲。"先克发言了，这么多人里，也就先克支持赵盾。

赵盾是一个执行力超强的人，当即命令三军集结，当晚出发，要在天亮的时候抵达令狐，消灭秦国人。

天理何在，天理何在啊？

第四次谋杀

秦穆公鞠躬尽瘁之后，太子公子罃继位，就是秦康公。秦穆公共有四十多个儿子，他最喜欢的始终还是公子罃，公子罃是穆姬的儿子，也就是晋文公的外甥，也是公子雍的表哥。因为长期受母亲的影响，秦康公对晋国可以说非常向往，对晋国人的印象也很好。

当初晋文公在秦国的时候，公子罃就喜欢去找舅舅谈天说地，他很喜欢这个舅舅，甚至有些崇拜他。当秦穆公出兵送晋文公回晋国的时候，公子罃依依不舍，一直把晋文公送到渭阳。临别之际，公子罃作诗相赠，至今我们还可以在《诗经·秦风》中看到《渭阳》这首诗，来看看这首诗：

我送舅氏，曰至渭阳。何以赠之？路车乘黄。
我送舅氏，悠悠我思。何以赠之？琼瑰玉佩。

后人以渭阳来比喻甥舅关系，就是从这里来的。

晋文公鞠躬尽瘁之后，公子雍来到秦国，秦康公很喜欢这个表弟，处处关照，而公子雍也很贤能，一直做到了亚卿。可以说，就算不回晋国，公子雍在秦国的前途也是一片光明。

当晋国人来请公子雍回去的时候，秦康公很为自己的表弟高兴，以为秦晋之好将可以再次实现。也是为了稳妥起见，秦康公并没有急着送公子雍回去，而是在为父亲下葬之后，郑重其事地派军队送他回去。这个时候，已经是第二年的三月了。

然而，秦康公万万没有想到的是，机会稍纵即逝。

"当年送晋文公回去的时候，就是因为兵力不够，才引发了郤芮和吕省的叛乱，这一次，要多派军队保护。"秦康公特地派出三百乘战车，老将白乙丙亲自领军，以为这样就万无一失了。

可是，他和他的父亲一样，低估了晋国人无耻的程度。

秦国军队保护着公子雍来到晋国，所到之处，毫无阻碍。三月三十日，秦军抵达令狐。按着行程，第二天就可以到达绛了。

当晚，疲惫不堪的秦军扎营休息。他们想不到的是，危险已经来临。

第二天清晨，当第一缕阳光照进军营的时候，晋国人的军队也已经杀到了。

这又是一场屠杀，毫无防备的秦军被杀得七零八落，十不存一，白乙丙战死，公子雍被赵盾亲军杀害。

这一仗，赵盾动员了晋国全部的力量，三军同时出动，狐射姑出走留下的中军佐的位置给了小兄弟先克。赵盾的目的，就是要全歼秦国军队。

黑啊，赵盾真的很黑。

冤哪，还有比秦国士兵更冤的人吗？

后来到了战国，白乙丙的后代秦将白起坑杀四十万投降的赵军，应该说就是对赵盾的报应。

先蔑和士会也被迫参加了这次战斗，看着无辜被杀的秦军，两人既愤怒又惭愧，先蔑的战车一路向西，御者困惑了："元帅，追杀敌人也已经过了，咱们该回去了。"

"回去什么？昨晚我得罪了赵盾，回去不是等死？"先蔑一方面是出于义愤，另一方面也是看清了赵盾的心黑手狠，当时咬咬牙，要投奔秦国。

当天收队，晋军发现下军元帅不见了。再一调查，叛国投敌了。

"好啊，跑了算便宜他。"赵盾放话出来。

士会听见了，心说我跟先蔑一块去秦国的，他跑了，我留在这里不是等死？算了，我也跑吧。

当天，士会也跑去秦国了。

权力斗争金科玉律第六条：不择手段，把潜在的主要对手消灭在摇篮中。

在所有人中，荀林父和先蔑的关系最好。当初，赵盾派先蔑去秦国的时候，荀林父就悄悄劝过先蔑："兄弟，本国有太子了，又去外国请，这事情基本上就是扯淡，肯定成不了。你要是去了，到时候一定把自己弄得里外不是人，背黑锅的一定是你。听老哥一席话吧，就说自己上厕所扭了叉腰肌，把这活推掉吧。"

"怎么会？没你想得那么危险吧？"先蔑不以为然。

荀林父这人特实在,见先蔑执迷不悟,一急之下,念了一首诗出来,什么诗?《诗经·大雅·板》中的第三章:"我虽异事,及尔同僚。我即尔谋,听我嚣嚣。我言维服,勿以为笑。先民有言,询于刍荛。"

什么意思呢?就是说我们是同事,给你提点建议。别笑话我,我可是认真的。

最终,先蔑还是没听荀林父的。

如今,先蔑逃去了秦国,荀林父立即去找赵盾。

"元帅,先蔑和士会虽然跑了,毕竟情有可原。我想,元帅大人大量,不如也效仿当初对狐射姑的做法,把他们家属给送过去算了。"荀林父去帮先蔑求情。

赵盾心里也知道自己理亏,索性做个好人:"好啊,那你给他们送过去吧。"

就这样,荀林父亲自领兵,把先蔑和士会的一家老小都给送到秦国去了。

噩耗传到秦国,秦康公当场昏了过去。

"姥姥的,晋国人太不要脸了。从今以后,我与晋国不共戴天。"秦康公醒过来之后对天发誓,一定要向姥姥家报仇。

从那之后,秦国人开始联络楚国,共同对付晋国。一直到秦国统一全国,秦与晋以及瓜分晋国的韩赵魏一直战争不断,其根源就在于秦国被伤得太惨,对晋国恨到了骨子里。

郤 缺

现在再来看看晋国的政治格局。

赵盾立太子夷皋为晋国国君,就是晋灵公,一个什么都不知道的小屁孩,自然被赵盾掌握在股掌之中。

《史记》十二诸侯年表中这样记载:"晋灵公元年,赵盾专政。"

专政啊,专政是什么意思?就是什么都是他说了算,不管对错。

先蔑和士会逃走,对于本土派政治势力是一个极大的打击。而赵盾的小兄弟先克借机成为中军佐,又是对赵盾的一个极大的支持。

基本上,赵盾现在的策略是:团结提拔留齐派后代,削弱本土势力。

这个时候,一个人敏锐地看到了机会。谁?郤缺。

尽管在胥臣的举荐下郤缺被晋文公任用,尽管因为战功一度被任命为下军佐,郤缺在政坛的人脉还是不足,所以很快他就被调整下去了,成了一个普通的大夫。

作为郤芮的儿子,父辈的政治资源是负面的,郤缺要想爬上去,只能靠自己了。而这个时候,他已经敏锐地看到了机会。

权力斗争,是危机更是机会,关键在于要站对队。

郤缺主动找到了赵盾。

"元帅啊,国内安定了,可是还要加强国际上的威望啊。想想看,当初卫国跟咱们作对,咱们抢了他们的土地。如今呢,大家都是友好邻邦了,如果把土地还给他们,不是显示我们大国风范?国际上不是从此要歌颂您的德行?"郤缺出了这么个主意,要提升赵盾的国际声望。

赵盾一听,好主意啊,反正土地是国家的,声望是我的,舍弃点土地有什么不可以的?

于是,赵盾派解扬去了卫国,把当初侵占卫国的土地还给了他们。

看上去,一切都挺好,可是,一年之后,出问题了。

五人帮

年轻人,一旦得意就容易忘形。

先克年纪轻轻就当上了中军佐,在内阁中仅仅排在赵盾的后面,创造了晋国历史上最年轻的卿的纪录。

赵盾很欣赏先克,自己之所以能够这么顺利掌握大权,这个小兄弟鞍前马后功劳最大。因此,赵盾处处护着这个小兄弟。

先克得意忘形了,他放松了阶级斗争这根弦。平时,除了赵盾,他谁也不尿,几乎得罪了所有人。

得意忘形是很危险的,自古以来都是这样。

晋灵公元年年末的时候,有五个人在一起喝闷酒。哪五个人?士縠、梁益耳、箕郑父、先都和蒯得。这五个人的共同点是,他们都是先克的受害者。前面四个人因为先克而失去了升官的机会,蒯得则被先克夺走了封邑。

哥五个喝了一阵闷酒,然后说起国际国内形势来,说到最后,话题落到了先克的身上。

"这个小杂碎的,狗仗人势,夺走了我的土地,我今后吃什么啊?呜呜呜呜。"蒯得哭了。

"兄弟,别说你被欺负了,我们这些国家元勋,还不是被这兔崽子轻视,唉。"梁益耳说起来,也是一肚子气。

"先都兄弟,怎么说先克也是你的本家,找机会管管他。"箕郑父说。

"管他？我哪里管得了他？我要是管得了他，直接把他赶出晋国了。这个小王八蛋是六亲不认的，说起这些来，我就想起我哥哥先蔑来了，要不是先克和赵盾干那没屁眼的事情，我哥哥怎么会流亡到秦国去？"说起先克，先都火就大。

说了一通，大家看士毂。这些人中，士毂年龄最大，资历最老，是他们的主心骨。

"说起来，如果不是先克捣鬼，现在的中军帅本来就是我的了，哪里轮得到赵盾指手画脚。各位啊，赵盾这人心黑手狠，不择手段，我看啊，我们迟早被他害了。与其等死，不如我们先下手。"士毂说出话来，咬牙切齿。对于这个问题，他已经想得太久了。

士毂的主意一出来，全体赞成。

方向是有了，具体怎样实施呢？

"这样，咱们先把先克这小兔崽子给办了，赵盾就失去了羽翼。然后，咱们再找机会干掉赵盾，怎样？"士毂开始部署工作，杀先克的任务就派给了先都和梁益耳。

"哼，等老子当了中军元帅，咱哥五个都是卿，还有一个卿，咱想给谁就给谁，谁也不想给就空着，哈哈哈哈。"士毂一高兴，难免喝多了点。

"哈哈哈哈，干杯。"哥五个都喝多了。

第五次谋杀

晋灵公三年（前 618 年）一月二日，赵盾得到了一个坏消息：先克被强盗给杀了。

又是强盗。

赵盾当时就火了："哼，跟老子玩强盗？老子就是最大的强盗。"

赵盾真的很恼火，这不是摆明了要挑衅自己吗？这不是要在太岁头上动土吗？

"给我彻查，不捉到凶手，就不过这个年了。"赵盾下了死命令。

古人办案其实也很有效率，案件很快水落石出。先克被害是在自家祖庙附近，当天先克去之前先都先去了一趟，有人发现案发时梁益耳也在附近。

"抓了。"一月十八日，赵盾下令把这哥两个给抓了，严刑拷打之下，两人都招了。

"砍了。"赵盾下令，把这哥两个都给杀了。

赵盾很聪明,他并没有动另外三个人,尽管他知道他们都是一伙。想想看,士縠是司空,箕郑父和先都都是卿,如果一口气杀掉两个卿和一个司空,很可能会招致动乱。

先都被杀,士縠、箕郑父和蒯得被吓得够呛,他们实在没有想到赵盾的反应这么迅速这么强烈。现在两个兄弟被砍了,自己是该动手还是该忍一忍?结果过了一阵,似乎没什么动静了。

"咱们怎么办?不行就动手,拼个鱼死网破。"箕郑父沉不住气,问士縠。

"忍忍吧,过了这一阵再想办法。"士縠说,他怀有侥幸心理。

政治斗争,沉不住气是不对的。可是,侥幸心理也是不对的。究竟哪一项更不对,只能看结果了。

到三月二十八日,士縠接到了赵盾的通知,说是准备讨伐北狄,请他过去商量一下。士縠一听,好啊,大事还找我商量,说明很信任我啊。

就这样,士縠高高兴兴去了元帅府。到了府里一看,立马发现不妙。为什么?因为箕郑父和蒯得两兄弟也在。

"三位,既然都到齐了,咱们明人不说暗话。你们的计划,先都和梁益耳都招了,你们自己看着办吧。我的政策是,坦白从宽,抗拒从严。说吧,从谁开始?"赵盾开门见山,直截了当。

三个人当时就傻眼了,士縠还在那儿装:"元帅,您说的是什么意思?我没弄明白啊。"

赵盾瞪他一眼,说道:"没弄明白就别说,弄明白了的先说。"

蒯得抖抖索索,看看士縠,再看看箕郑父,他决定招了,他认为自己职位最低,作用最小,而且是后加入的,如果再有立功表现,赵盾还是有可能放过自己的。

"元帅,这,这不干我的事情,都是士縠大夫主谋的。"蒯得第一个招了。

赵盾笑了,他对士縠说:"你看,他都招了,你怎么说?"

"他胡说的,这事情,就是先都和梁益耳他们两个人干的,不干我们的事情。不信,你问箕郑父。"士縠有些慌,但是还没有乱。

"这么说,该你了。"赵盾对箕郑父说。

箕郑父这么半天没有说话,是因为他已经看明白了。他知道,既然已经落到了赵盾的手里,说什么都是多余的。他现在只后悔没有及早下手,至于死,他并不怕。

"赵盾,说这些干什么?不就是个死吗?来吧。"箕郑父眼皮子都没有抬。

"爽快,既然这么说,那也就别废话了。来人,拉下去,杀了。"赵盾脸色一黑,要杀人了。

卫士们一拥而上,将三人推了出去。蒯得还喊呢:"哎,不是说坦白从宽,抗拒从严吗?我都招了,怎么还杀我?"

"宽你妈个头,招了的更要杀,多砍他两刀。"赵盾说。

权力斗争金科玉律第七条:侥幸心理要不得。

副一条:宁可冒险一搏,不能心存侥幸。

四年时间,赵盾肃清了所有的主要政敌,这不能不说是一个奇迹。唯一的损失是先克被杀了,不过赵盾发现了另一个人,这个人比先克更稳重也更会见机行事,这个人就是郤缺。赵盾决定,重点培养郤缺。

在一连死掉三个卿之后,赵盾重新进行了权力布局。

中军帅依然是自己,中军佐由上军佐荀林父递补;上军帅破格给了郤缺,上军佐是臾骈,从送狐射姑老小这件事上,赵盾看出这人是个人才,值得拉拢。这样,上军都是赵盾的人马。下军帅给了栾枝的儿子栾盾,下军佐为胥臣的儿子胥甲。基本上,这两个人的任用是为了拉拢留齐派势力。

从这个人事布局来看,赵盾相当老辣。荀林父递补中军佐是对本土势力的安抚,同时也把上军的位置腾出来了。上军破格提拔郤缺和臾骈,是赵盾强势风格的体现,只要他看好的人,就大胆超拔。而下军的人事安排,是拉拢留齐派势力。

第九十三章 赵盾带兵

秦康公恨死了晋国人,秦国人恨死了晋国人。

每天早上太阳升起的时候,秦康公都会向着东面恨恨地说:狗日的晋国人,狗日的晋国人。

先蔑和士会受到重用,特别是士会极有学问,秦康公把他当作自己的老师一样尊重。

秦康公下了决心要报仇,不过由于秦国元气大伤,也只好忍着,几年间小打小闹了几次,始终不敢出动大军讨伐晋国。到晋灵公六年(前615年),秦康公感觉国力恢复得差不多了。于是,向南联络楚国,向东联络鲁国,要夹击晋国。令他失望的是,楚国和鲁国双双拒绝了秦国的要求。

"哼,他们怕晋国,老子不怕。"秦康公大怒,决定出兵报仇。

韩　厥

晋灵公六年冬天,秦国人来了。秦康公亲自领军,五百乘战车杀奔晋国。

秦国大军浩浩荡荡过了黄河,直逼晋国腹地。

赵盾的意思,是装聋作哑算了,这几年秦国人也来过几次,每次都是小打小闹,不用管他们,自己就回去了。可是出乎赵盾意料的是,这一次秦国人一战拿下了羁马(今山西永济县),锋芒直逼绛。这下,装聋作哑是混不过去了。

"哼,欺人太甚。老虎不发威,以为老子是加菲猫。"赵盾没办法了,再不

打，只怕国人就要起义了。

晋国人大起三军，三军帅佐不变。不过，除了帅佐，有两个人要重点提出。

赵穿，赵盾的从弟，一直嚷嚷着要当卿。为什么他敢跑官要官？因为他有后台，他是晋襄公的女婿，也就是驸马。此次出征，他非要跟着去，赵盾没办法，把他放到上军了。

韩厥，韩简的孙子，不过不是嫡孙。韩厥从小父母双亡，孤苦伶仃，却在一个偶然的机遇被赵衰碰上了。赵衰将韩厥收养在自己家里，当儿子来养，"你们都不如他"，赵衰常常这样对自己的儿子们说。赵盾也很喜欢韩厥，他觉得韩厥的性格很像自己的父亲，感觉上，好像韩厥是自己父亲的儿子，自己兄弟几个倒像是抱来的。这一次，赵盾向晋灵公推荐了韩厥，录用为大夫，赵盾任命他为中军司马。

晋国三军一出，秦国人真有点傻眼。要真干，秦国人还真有点心里没底。

"老士，怎么办？"秦康公问士会，此次出征，专门请他随军出谋划策。

"撤吧。现在我们在晋国腹地，弄不好腹背受敌，不如撤到河曲，再与晋国人决战。"士会建议。

于是，秦军主动后撤，一直到河曲，等待晋国军队前来决战。

看见秦军主动后撤，赵盾放下一点心来。

"追。"赵盾下令，晋国三军浩浩荡荡，杀奔河曲。

搞权力斗争，赵盾是一等一的高手。可是，说到打仗，赵盾还真不是那块料。看看晋国大军，人数虽多，但是训练明显不足，就连队列都走得歪歪扭扭。这个时候，赵盾突然想起狐射姑来。

"老狐要在，打仗一定比我内行啊。唉。"赵盾叹了一口气，他想起狐射姑阅军时的样子，三军整整齐齐，十分威武。阅军之后，狐射姑曾经对赵盾传授秘诀：要想号令统一，三军卖命，最简单也是最有效的办法就是找人来立威，这叫杀鸡儆猴。

想到这里，赵盾向上军的方向看了看，他看见臾骈，想起那一次狐射姑就是拿臾骈来立威的。

赵盾再扫视四周，想看看有没有合适的倒霉蛋。结果他很失望，没有人倒霉到该被杀的地步。最后，他收回目光，眼睛自然地落在自己的御者身上。突然，他眼前一亮。

"没办法，算你倒霉吧。"赵盾暗想。

韩厥是个聪明人，某种程度上，他比赵盾要聪明。想想看，在别人家里混，而且混得还很讨大家欢心，容易吗？没有超人的智慧行吗？他必须八面

100

玲珑,但是又要不卑不亢,这就要求他考虑问题很全面,很前瞻,很会为别人着想。

韩厥知道赵盾现在需要什么,而且,他是司马,他完全可以为赵盾完成这个任务。他也在找,可是也找不到合适的倒霉蛋。

就在韩厥眉头紧锁的时候,一阵马蹄声和惊叫声传了过来。韩厥急忙去看,只见一乘战车从后面疾驶上来,冲乱了队形。

"该死的,正在找你呢。"韩厥很愤怒,之后暗自高兴,终于有倒霉蛋自己出来了。

"什么人? 敢于在行伍之中横冲直撞,拿下。"中军司马韩厥下令,不多久,那辆肇事车被捉了过来,只有御者,没有乘客。

看清御者的时候,韩厥吃了一惊。为什么吃惊? 因为是熟人。熟人就要吃惊吗? 因为不是一般的熟人,是赵家府上的熟人。明白说,就是赵盾的御者。第一次行使权力就碰上这样的难题,怎么办? 杀,还是不杀?

"为何横冲直撞?"韩厥喝问,管他娘,问清楚再说。

"奉赵元帅之命,去问向导官到了哪里。"御者说,似乎满不在乎。事实上他有充分的理由满不在乎,一来是奉了元帅的命令,二来韩厥也不是外人。

韩厥远远地望了望赵盾的方向,他迅速地做了判断,然后迅速地做出了决策。他为什么能够如此迅速地做出决定? 因为,他太了解赵盾了。

"按军法,冲乱行伍,当斩。来人,斩首示众。"韩厥下令。

御者愣了。

旁边所有的人都愣了:"刚爬上来,就把老大的御者给办了,这小子还想不想混?"

人们不知道,韩厥才知道,不仅还要混,而且还要混得更好。

赵盾御者的人头被号令出来,三军震恐。

大声喧哗的没有了,乱蹦乱窜的没有了,说怪话的没有了。

晋军,在一瞬间成了一支庄严之旅。

赵盾笑了,现在他彻底相信,老爹的眼光没错,韩厥这小子,行。

权力斗争金科玉律第八条:对自己的亲信,有条件要提拔,没有条件创造条件也要提拔。

副一条:提拔自己的亲信,也要讲究策略。

士 会

晋军来到河曲,就地扎营。

前敌会议。

赵盾不会打仗,苟林父不愿意发言,郤缺刻意保持低调,栾盾和胥甲大眼瞪小眼,于是,三军帅佐只有臾骈一个人还算是有想法的人。

"根据兵法,秦军远来作战,利于速战。我们不妨坚守不出,他们一定坚持不了多久。等他们撤退,我们再从后追击,必能大胜。"臾骈发言,主意够正的。

大家一听,好主意啊,能不打仗就不打仗,多好?

"就这样了,三军坚守营垒,擅自出战者,斩。"赵盾下令。

秦康公等着晋国军队来决战,根据士会提供的内部情报,当今晋国没什么会打仗的人,晋军战斗力严重衰退,只要两军正面交锋,秦军胜面至少六成以上。

可是,晋国军队似乎根本就不想打仗,整天躲在营里不出来。

"老师,这是怎么回事? 他们到底想不想打仗?"秦康公问士会。

"主公,据我所知,晋国三军帅佐中,真正会打仗的只有一个人,就是臾骈,一定是他出的主意,要在这里拖着我们,等我们没有粮草撤退的时候,他们来追击我们。"士会猜得很准,说起打仗,现在的晋军没有一个人比他高明的。

其实,说到这里,士会挺佩服赵盾一点,臾骈这样没什么背景的人能够做到卿,说明赵盾确实很爱才。

"那,那怎么办?"

"晋军中还有一个人,名叫赵穿,这人是赵盾的从弟,晋襄公的女婿,狗屁不懂但是心高气傲,自以为很勇猛而且很瞧不起臾骈。如果我们派一点老弱病残去挑战,赵穿一定会不顾号令,杀出来应战的。"士会分析,都被他说对了,有这样一个叛徒在秦国,赵盾怎么能过得踏实?

说到这里,士会又有些瞧不起赵盾,他太纵容自己子弟了。

"好。"秦康公决定接受士会的建议。

秦军来挑战了,因为他们知道赵穿在上军,特地单挑晋国上军。

"坚守营垒,不许出战。"上军帅郤缺和上军佐臾骈守住营门,禁止任何人出战。

"我们穿着盔甲,带着粮食,不就是来跟敌人打仗的吗? 啊,你们怎么要做缩头乌龟?"赵穿果然按捺不住,要出营迎战。

"不是不跟他们打，是我们在等待机会。"臾骈耐心解释。他知道自己得罪不起这个人，否则，早就军法处置了。

"啊呸，胆小鬼。"赵穿骂起来。

没办法，臾骈假装没听见，管他骂什么，就是不让出去。

秦军闹哄了半天，看见晋军始终不肯出战，没办法，撤了。

秦军撤了，郤缺和臾骈也就没有必要再守着营门了。可是他们万万没有想到，赵穿来劲了。

赵穿率领本部人马开了营门，追击秦军去了。

郤缺和臾骈傻眼了，怎么办？还是郤缺反应快：赶紧报告赵盾。

赵盾一听就急了，也不管自己颁布的军令了，也不管制定的既定方针了，也不知道是因为赵穿是自己的从弟还是因为赵穿是晋襄公的女婿，总之，赵盾一点也没犹豫："号令三军，立即出击，一定要保住赵穿。"

晋军全军出动了，追出去不远，就看见秦军正围攻赵穿的人马，眼看就要活捉赵穿。

晋军的来到救了赵穿，而救了赵穿之后，赵盾想到的就是赶紧回去。

晋军收队了。

按理说，两军对决是秦国希望见到的，如今晋军来了，秦军应该咬住不放，毕其功于一役。可是，秦国并没有不依不饶，他们也收兵了。为什么？

因为士会发现了问题，他发现晋军的战斗力似乎有了成倍的提升，战斗中的纪律性也更好了。依照这样的战斗力，再加上人数优势，秦军是很难击败晋军的。

"主公，不要打了，晋国人的战斗力出乎我的意料。"士会建议，秦康公也看出不对劲了，因此也收兵回营。

"晋军吃兴奋剂了？"士会百思不得其解，他哪里知道，这是赵盾牺牲了自己御者的成果。

胥　甲

到了晚上，晋军再次举行前敌会议，讨论目前的形势。

"我们依然以坚守为上策，不过，赵穿我们管不了。"臾骈发言。

"这样，赵穿不要在上军了，到中军来，我亲自看着他。"赵盾发言。韩厥就在旁边，他生怕韩厥发言要军法处置赵穿，那就不好办了，所以要抢先把这话说了。

韩厥根本没有准备发言，他知道什么时候该发言，什么时候要假装什么

都不知道。

正在这时,秦军使者来到。

"赵元帅,我家主公派我前来,说今天打得不尽兴,约你们明日上午决战。"使者是来下战书的。

"对不起,我们要休息两天。"赵盾回答。

"那,那,随便吧,啊。"使者一边东张西望,一边心不在焉地说。

秦国使者走了。

"哼,我们才不跟他们打呢,拖死他们。"赵盾得意地说。

"哈哈哈哈。"大家都笑了,只有一个人没有笑,那就是臾骈。

"不,元帅,我们必须跟他们决战,而且要尽快决战。"臾骈说。说得大家都愣住了,拖垮秦国人是他的主意,速战速决怎么也是他的主意?"我注意到秦国使者了,他眼神不定,声音失常,显然他们已经害怕我们。约我们明日作战是为了稳住我们,他们一定在今晚逃走。机不可失,时不再来,我建议,今晚出击,打他们个个措手不及。打得好,甚至可以全歼他们。"

臾骈的一番话,让大家恍然大悟。

会打仗的和不会打仗的真的不一样。

"好主意,通知三军,准备出击。"赵盾下令。

历史证明,任何时候,都一定会有蠢货。

历史同样证明,蠢货一般都会成对出现。

两个蠢货挡在了晋军大营的门口,一个叫赵穿,另一个叫胥甲。

"受伤的战士还等待救治,你们就要抛下他们不管,还是人吗?还没有到约定的时间,你们就要偷袭别人,太不仁义了,还是人吗?"赵穿和胥甲不知道是哪根神经搭错了线,要不就是宋襄公灵魂附体。总之,他们带着一帮人堵着大门,不许晋军偷袭秦军。

你说赵穿仗着有赵盾撑腰,胡闹就胡闹吧,你胥甲凑什么热闹啊?

事情很快惊动了赵盾,赵盾会怎么处置?

"唉,算了,等明天看看再说吧。"赵盾竟然妥协了,当然他才不会管什么仁义不仁义,他还是怀疑臾骈的判断是不是准确。

"唉。"臾骈叹了一口气,他有点想念狐射姑了。

第二天,探马回报,秦军昨晚连夜逃跑了。

赵盾的脸色很难看,非常难看。他有些后悔,但更多的是恼火和没面子。按照昨晚两个蠢货的表现,如果问韩厥怎么处理,那肯定是杀无赦斩立决的。

所以,赵盾并没有问韩厥。

在晋军撤军的路上,赵盾一句话也没有说,他必须尽快想出妥善的解决办法来。

回到绛,总结大会是要开的,或者叫总结小会。

大会上,赵盾重点表扬了两个人,一个是提出合理化建议的上军佐臾骈,另一个是严格执法不徇私情的韩厥。

宣子曰:"我言韩厥于君,言之而不当,必受其刑。今吾车失次而戮之仆,可谓不党矣。是吾言当也。"这段话见于《说苑》,意思就是赵盾当众表扬韩厥:我把韩厥推荐给国君,担心他做得不好,我要受连累。可是这次他表现出色,不畏强权,不看面子,依法杀了我的御者,真是好啊,证明我的推荐是正确的。

多么赤裸裸的高帽子? 通常,高帽子戴上去,也就等于告诉你:后面不要说话了。

果然,表扬完韩厥之后,高潮才真正来到。

"这次我们没有全歼秦国人,责任人就是赵穿和胥甲。他们的职业精神我们是可以理解的,但是,他们不应该以个人行为破坏组织行动,因此,必须处罚。胥甲身为下军佐,带头违犯军令,姑念其父亲胥臣于国家有大功劳,死罪饶过,活罪不免。即时赶出晋国,前往卫国安置,永世不许回国,其职位由其子胥克接任。赵穿,年轻气盛,误听别人蹿唆,跟从闹事,本应处罚,念在是襄公女婿,不予处罚,回家反省三天。"

如此处罚,大致赵盾可以算得上是徇私枉法的祖师爷了。

经过与秦国的交战,赵盾反省了。反省什么?

六卿会议召开,除了胥克替补被赶走的老爹之外,其余五人不变。

"各位,大家知道,流氓不可怕,就怕流氓有文化。秦国和北狄原本都是土包子,不足为虑,可是如今他们有了士会和狐射姑,那就是流氓有文化了,很可怕的。各位,怎么办?"赵盾提出问题,这就是他反省的结果。

荀林父第一个发言,他属于脑子不太好使的那种人。

"我觉得应该把狐太师给请回来。他在国际上声望高,又懂得打仗,再加上他父亲还是国家的功臣,应该请他回来。"荀林父建议。

赵盾瞪他一眼,没说话,心里说:"你缺心眼啊? 他回来,我怎么办?"

郤缺没等赵盾说话,腾地站了起来。

"老荀,你说话没道理。狐射姑那是畏罪潜逃啊,还喜欢闹事,怎么能让他回来? 我看,士会这个人性格温顺,能屈能伸、又没有野心,还足智多谋,把他弄回来还差不多。"郤缺说话没客气,他知道,越是反应激烈,赵盾就会越高兴。

果然,赵盾用赏识的目光看了郤缺两眼,心说:"人才啊。"

荀林父不说话了,就算缺心眼,现在也明白怎么回事了。

于是,会议一致通过把士会弄回来的决议。

可是,怎么弄,是个问题,照赵盾自己的话说:秦康公那么欣赏他,怎么才能让他回来?

头脑风暴吧。

别说,头脑风暴还真有成果。

"据我所知,士会其实很想回来,毕竟秦国穷乡僻壤,待着没劲。我认识一个人,叫魏寿余,是魏犫的侄子,现在魏这块地就归他。魏寿余跟士会是朋友,我想了一个办法,通过魏寿余,把士会给弄回来。"

出主意的是谁?臾骈。

第九十四章 国际大忽悠

晋灵公七年。

秦国来了一个不速之客,谁?魏寿余。

在那个时期,一个晋国人来到秦国,立即会被认为是间谍。魏寿余也不例外,当即被秦国军民捉拿。

"我是士会的朋友,来投诚的,我要见秦伯。"魏寿余没有反抗,只是说明来意。

于是,魏寿余被送到雍城。

"又来一个投诚的?看看我们秦国的感召力。"秦康公很高兴,晋国人这是在用脚投票啊。

忽悠秦国

秦康公亲自接见了魏寿余,为了给客人以安全感和亲近感,他还特地叫上士会,共同接见。

"哇,呜呜呜呜。"见到秦康公,魏寿余先哭了一通,然后自我介绍:"我叫魏寿余,河对岸晋国的魏地就是我们家,士会知道。因为赵盾这小子太不是东西,我决定带领全族把魏地归附秦国。可是走漏了消息,我全家被赵盾都给抓了,我这是好不容易越狱出来,前来投奔主公。现在,我们整个家族等着我的消息呢,希望主公派兵去收取魏地。唉,我可怜的老婆孩子啊,呜呜呜呜。"

魏寿余这一边哭,士会那一边还证明呢:"没错,老魏是我朋友,人很实

107

在。"

秦康公挺感动，人家为了归顺我国，老婆孩子都搭进去了。

"老师，咱们该不该出兵啊?"秦康公问，他有些顾虑。

士会其实也有些犹豫，因为秦在黄河以西，魏地在黄河以东，就算拿下来，今后也守不住。就在他犹豫的时候，魏寿余轻轻地踩了踩士会的脚。

士会多聪明啊? 不夸张说，那一辈人，士会是最聪明的。

"啊，我看，应该出兵，否则，今后谁还投奔我们呢?"士会支持出兵，至于为什么要支持，他没时间去想，他只是知道这一定有道理。

秦国大军出动，来到了黄河西岸。对面，魏地的人们已经在等候。不过，不是花环和标语，而是战车和长戟。

"怎么回事?"秦康公问，他有些怀疑是不是被魏寿余给忽悠了。

"啊，这么回事，我的族人不知道我已经到了秦国，所以，看见秦军来，他们自然要防备。主公，你看能不能派一个职位够高的而且又能用晋国话跟魏地人交流的那么一个人跟我先过去，跟他们解释清楚，然后大军再过河?"魏寿余解释，合情合理。

"噢，原来如此。既然这样，麻烦老师跟魏寿余去一趟吧，你是最合适的人选了。"秦康公觉得魏寿余说得有道理，决定派士会过去。

"主公啊，不是我不敢过去，这晋国人没什么信用的，又很凶残，万一我过去被他们给杀了或者扣留了，也就算了，可是我老婆孩子都在秦国，人生地不熟的，又没个亲戚朋友，我要回不来了，他们怎么活下去呢?"士会婉拒，他说的都是大实话。

当全世界流行说谎言的时候，大实话才是最有效的谎言。换言之，忽悠人的最高境界是什么? 就是说大实话。

"老师，你放心去。如果晋国人不讲信用，把你杀害了或者扣留了，我向河神保证，一定把你的老婆孩子送回晋国去。"秦康公承诺，实在人啊。

士会这才百般不情愿地跟着魏寿余出来，坐船前往对岸。

上船之前，大夫绕朝赠送了士会一条马鞭。

"一路走好啊，别以为秦国人都是傻帽，没人能看出你们的阴谋来。我没有揭穿你们，是因为主公不会相信我的话而已。士大夫，人是要讲点境界的，希望你回去之后不要祸害秦国。"绕朝直截了当地说，他早就看出来了。

"多谢多谢，士会牢记了。"士会谢过了绕朝，登船过河而去。

士会为什么愿意回晋国? 一来是真的想念家乡了，二来是看出来赵盾是个爱才的人，只要自己不对他构成威胁，安全应该是有保障的。

秦国人又一次被晋国人忽悠了，已经记不起这是第多少次被忽悠了。

回到东岸的士会立即被接去了绛，晋国人留下上下两军的兵力在黄河边上等待秦军渡河。

"唉,又被忽悠了。"秦康公叹了一口气,他很恼火,但是紧接着他想起士会的那句话,什么话? 人如果不起贪念,谁也忽悠不了他。

于是,秦康公开始反省,为什么秦国一而再再而三地被忽悠? 因为秦国人总是被晋国人利诱,总是贪小便宜吃大亏。

"老师,我不怪您,怪,就怪我自己,我再也不贪小便宜了。"秦康公是一个善于反思的人,这一点很像他的父亲。

所以,秦康公实现了自己的承诺,很快派人把士会的家眷送回了秦国。可是,士会的三儿子坚决要求留在秦国,于是留了下来,改姓刘。后来,陕西刘姓多半是士会的后代。

为什么士会的三儿子要留在秦国? 这是士会临走前的交代,这样,即便自己全家都被赵盾杀了,总还能留下一个香火。

士会归来,最大的威胁解除了。

赵盾非常高兴,不久后臾骈去世,于是将士会直接递补为上军佐,算是重用。

忽悠鲁国

通常,内部权力斗争激烈的国家,对外部的威胁就会表现得很软弱。

赵盾的对外政策是:忍。

我们来看看赵盾怎么个忍法。

晋灵公元年,北狄侵略了鲁国的北部,而鲁国现在是晋国最死硬的跟班。于是,鲁国前来告急。

"打北狄。"多数人支持讨伐北狄。

"慢着,我们还是先礼后兵吧。"对内强硬无比的赵盾要先礼后兵了。怎么个先礼后兵?

赵盾派出使者前往北狄,却不去找北狄的执政官丰舒,找狐射姑去了,请狐射姑代为转达对北狄的谴责。

发个谴责还要找熟人转达,搞笑了点,只因为赵盾不想得罪北狄。

所谓的谴责,无非就是"希望双方保持克制,以和平方式解决争端",最多再强硬一点,就是"由此所引起的一切后果由你们负责"。

闲着也是闲着,狐射姑还真给转达了,丰舒一听就乐了,这明摆着就是自欺欺人啊。丰舒还觉得挺奇怪,说:"老狐啊,这赵盾没什么胆量啊,怎么把你给弄出来了? 他爹我熟啊,跟他爹比,他怎么样?"

狐射姑回答:"赵衰,冬日之日也;赵盾,夏日之日也。"(《左传》)啥意思?赵衰就像冬天的太阳,让别人感到温暖;赵盾就像夏天的日头,让大家感到恐怖。

狐射姑的形容,可以说是入木三分。

北狄入侵鲁国,目的就是抢点东西回去,根本没有要占着不走的意思。所以,没多久就撤军了。不管怎样,赵盾的"谴责"也就糊弄过去了。

晋灵公二年冬天,楚国人攻打郑国,郑国急忙向晋国求救。这下赵盾跟当年楚国一样,搞了一套"我们始终坚持以和平方式处理国际争端……"竟然不肯出兵,郑国哪里是楚国的对手?最后只好投降。

等到赵盾杀了其郑父等人之后,这才假模假样组织了晋、宋、卫、许四国联军去救郑国,自然是晚了三秋,抵达郑国的时候,楚国人早就回家去了。于是,四国联军一哄而散,各自回家了。

随后的几年,赵盾继续在国际事务中充当缩头乌龟。郑国、陈国、蔡国和宋国先后投靠了楚国,而另一边,秦国积极联络楚国和鲁国,要夹击晋国。

可以说,晋国的威望已经到了一个历史最低点。

国内政治斗争的英雄,到了国际上就是一头狗熊,这是规律吗?

权力斗争金科玉律第九条:对内要强横,对外要忍让。
副一条:权力斗争的主要敌人是内部的,而不是外部的。

忽悠邾国

晋灵公八年,从邾国逃过来一个人,此人是公子捷淄。捷淄是邾文公的二儿子,他哥哥叫做公子貜且。邾文公是历史上以爱民著称的国君,国家不大,治理得还不错。

五月份的时候,邾文公一命呜呼了,大概死前忘了立遗嘱,两个儿子开始争夺继承权,结果是邾国军民拥立了老大貜且。捷淄一看,跑吧。于是,跑到了晋国,通过一个门路找到了赵盾,哭诉自己的悲凉遭遇,请求伟大的晋国帮助他夺取君位。

"好啊。"赵盾很高兴,他认为这是一个树立国际威望的良机,于是召集六卿会议,要出兵为捷淄讨个公道。提议一出,自然是举手通过,一致叫好。

赵盾的执行力没得说,六月份就在宋国新城召集联合国大会,鲁、宋、陈、卫、郑、许、曹都是国君参加,晋国就是赵盾出席,摆明了晋国就是老大。照例,先是再次结盟,各国尊晋国为老大。之后,赵盾提出了要为捷淄出头,同样是一致举手通过,谁敢得罪晋国啊?就算敢得罪晋国,也不敢得罪赵盾啊。

七月,八国联军八百乘战车出发讨伐邾国。一个小小邾国,出一百乘战车都嫌多,赵盾愣弄了八百乘去,摆明了要摆摆谱,过一过号令天下军队的瘾。

联合国大军就这样浩浩荡荡向邾国进发,来到邾国边境的时候,邾国的使者也到了。赵盾高兴啊,兵威所到,对方不战而降了,太过瘾了。

可是,事情并非赵盾所想的那么简单。

"赵元帅,您和联合国这么关心我们这个小国家,我们感到非常荣幸,也很安慰。但是,我国军民已经有了自己的选择,而且是个正确的选择。蘁且是哥哥,捷淄是弟弟,当然应该是立哥哥,这一点晋国也是这样的吧?而且,捷淄是自己跑到晋国去的,他哥哥并没有逼他,只要他回去,一切待遇不变,还是亲兄弟。如果您答应我们的请求,我们万分感激。如果一定要灭了我国,没办法,我们也只能拿起武器捍卫我们的国家,即使所有人都战死也在所不惜。"使者先拍了马屁,然后讲了一通很有道理的道理,最后还表达了宁死不屈的意思。

赵盾一听,人家说得有道理啊,打人家不对啊。再想想,就算真的打,自己的军事才能说不定真打不下来,过两天大军没粮草了,那时候再走,多没面子?

"唉,你说得有道理。兄弟们哪,咱们撤吧,人家说得有理啊。"赵盾变主意了。

其实没人愿意打仗,一听说撤,谁不愿意?

八国联军就这么撤了,赵盾把可怜的捷淄扔给了邾国自己去处理。是死是活,后来谁也不知道。

晋灵公九年六月,赵盾派郤缺攻打蔡国,因为蔡国没有参加新城盟会,也没有参加八国联军。当时有人建议说小小蔡国,派个下军去就搞定了,赵盾不同意:"小屁国家,更要用大军吓唬他们。"

郤缺率领上下两军就来到了蔡国,蔡国一看,没得罪谁阿,也没跟楚国眉来眼去啊,怎么老大发怒了?一问,是因为没参加盟会和八国联军。蔡国人连忙解释,说是国君蔡庄公身患绝症,已经卧床一年,所以才没有去,敬请谅解,等等。

"谅解?好嘛,我要谅解你们,回晋国之后就有人不谅解我了。"郤缺也没给面子,直接率军杀进去了。

没办法,投降吧。蔡国人抬着蔡庄公就出来投降了。郤缺一看,蔡国人真没说谎,老蔡已经瘦成排骨了,病得不浅。

就这样,郤缺接受了蔡国人的投降,与蔡国订立盟约,凯旋而归了。

这不是没忽悠吗?

因为蔡国是软柿子,而且不识做而已。

该忽悠的,自然会忽悠的。

又忽悠鲁国

到了八月份,齐国人攻打鲁国,鲁国是晋国最死硬的跟班,始终认为巴结上这个老大就可以安享世界和平了。如今齐国人来打,鲁国人自然要向晋国求援。

赵盾一听,什么? 打齐国? 心里没底啊。

这一次,赵盾的执行力就出了问题,一直磨蹭到十一月份,才在扈地召开联合国紧急会议,这一次,赵盾把晋灵公给忽悠去了,鲁国和陈国没有参加,蔡庄公则豁出老命去了一趟。大会再次重申晋国的领导地位,之后商讨出兵讨伐齐国事情。

商量的过程中,齐国人来了,找谁来了? 找晋灵公。找晋灵公干什么? 贿赂。

晋灵公长这么大,不知道贿赂是怎么回事啊,于是问赵盾:"元帅啊,你看齐国人送来这么多金银财宝,要我们不要管鲁国的事情,你看怎么办?"

赵盾笑了:"这齐国人,醒目。"

第二天开会的时候,赵盾宣布不打齐国了,大家回家做爱做的事情去吧。

就这样,联合国大会结束了。蔡庄公哼哧哼哧回去,没到家呢,给颠死在路上了。

赵盾给鲁国写了一封信,基本意思是:"晋国始终坚持以和平方式解决国际争端,希望鲁国和齐国坐下来,以互惠互利和平共处的原则进行商讨。我们坚信,世界上没有任何事情是不能以和平方式解决的。同时我们已经向齐国发出外交照会,希望他们立即停止军事行动,退回到军事行动之前的位置,否则,晋国保留采取进一步行动的权利,而由此引发的一切后果由齐国承担。"

得,见死不救。

"唉,这是个什么老大啊,就是个流氓啊。年年进贡,关键时刻不管我们了,玩外交辞令了。"鲁文公看见赵盾的来函,眼泪"唰"就下来了。

这年头,靠别人是靠不住的,只能靠自己了。

没办法,鲁文公派人去向齐国求和,齐懿公知道晋国不会来救鲁国了,一开始还不肯。后来鲁国送上大量的贿赂,齐懿公算了算,鲁国的贿赂减去自己给晋国送去的贿赂,基本上还能多出一半来,这趟赚得不少。就这样,转年五月,齐国答应了鲁国的求和,大赚一笔。在谈判期间,齐国军队还顺便去了一趟曹国,抢了不少东西回来,齐国人知道,既然晋国不管鲁国,自然也不会管曹国的。

忽悠自己

晋灵公十年的时候,宋国人杀了他们的国君宋昭公。

"老荀,走一趟,讨伐宋国。"小弟国家发生动乱,老大是应该出面摆平的。赵盾没办法,派荀林父走一趟。此外,还召集了卫国、陈国和郑国的军队,组成四国联军。

晋灵公十一年一月,四国联军来到了宋国,提出要求:第一,严惩弑君凶手;第二,由联合国确定继承人。

基本上,宋国人根本就没有尿他们这一壶。宋国人早就已经扶立宋文公,至于弑君凶手,找不到。

四国联军在宋国待了一个星期的样子,没人理他们,觉得很无聊。没办法,荀林父在快马请示之后,和另外三国远征军将领一起,宣布联合国任命宋文公为宋国国君,然后灰溜溜各自回家了。

晋灵公十一年六月,齐懿公心情不好,决定再次进攻鲁国,发泄一下郁闷。这一次,鲁国干脆就没有去晋国求援,因为他们知道这个老大是靠不住的。鲁国直接送了金银财宝给齐国,请求和平谈判,结果他们获得了和平。

听说齐国进攻鲁国的时候,赵盾心里挺紧张,万一鲁国再来求援呢? 赵盾准备好了跟上次一模一样的一封信,准备继续忽悠鲁国。

原本,鲁国不来麻烦你了,你是不是该心情轻松了呢? 如果这么想,那就错了。

在得知鲁国直接跟齐国求和之后,赵盾的心情非常郁闷,用个形容词:空落落的。赵盾就觉得很没面子,好像自己这个老大当得很没有威信,很让人瞧不起的样子。

"不行,我一定要打齐国,要让兄弟们看看,别把土地爷不当神仙。"赵盾下定了决心,准备讨伐齐国。

要说赵盾的执行力,那是真的没得说,七月份就把联合国军召集到了扈地,就是一个议题:打齐国。

大家一听,什么?打齐国?地里的麦子不收了?秋收季节去打齐国这么一个大国,打完齐国,地里的麦子都被老鼠收掉了,太搞笑了吧?

大家不愿意打,可巧齐国人又来了。这次,齐国人耍了个小花招,不仅贿赂晋国,连联合国各国也都有礼到。

本来就不愿意打,还有礼物收,大家一商量,去你奶奶的,你上次收了贿赂跑了,把我们撂旱地里了。这次啊,我们都跑,看你怎么办?

一个晚上过去,联合国军都跑了。

赵盾早起一看,既然大家都走了,咱也算了吧,反正咱也是半认真半忽悠的。

到现在,其实大家都看清楚了,晋国根本靠不住。别的国家还好点,郑国可受不了了,毕竟自己夹在两个超级大国中间,如今晋国靠不住,等楚国来打我,我岂不是死得很难看?与其等死,不如干脆主动叛变算了。

结果就是,郑国主动投靠了楚国。

第九十五章　鸟终于飞了

俗话说，一个人，忽悠一次容易，忽悠一辈子不容易。

晋灵公十三年(前608年)秋天，赵盾终于遇上了一件没有办法继续忽悠的事情——楚国人入侵陈国和宋国，两国紧急求援。

该来的终究还是来了，躲避、退让、推托，其结果只能有一个，那就是众叛亲离，威信扫地，从此失去盟主宝座。

这一次，硬着头皮也要上了。

"召集联合国军，围郑救宋。"赵盾发出号令。

那么，在晋国人忙于内部政治斗争的这段时期，楚国人在干什么？陈国不是归顺了楚国了吗？楚国为什么还要打陈国呢？

楚国人在行动

楚国人没有闲着，楚国人当然不会闲着。

东西南北，北方不好玩，还有三个方向可以玩啊。

楚穆王先灭了江国(今河南正阳县)。江国后代因此姓江，就是江姓的由来。之后，楚穆王又灭了六国(今安徽省六安市)和蓼国(今河南省固始县)。很奇怪六国的后代可能没有姓六，为什么呢？

楚穆王八年，也就是晋国赵盾杀其郑父等人的那一年，趁着晋国内部政治斗争白热化，楚国伐郑，郑国人被迫归顺。之后，楚穆王派公子朱讨伐陈国，结果公子朱竟然战败，被陈国人活捉。楚穆王原本准备亲征，还好陈国看清了国际形势，主动把公子朱给送回来了，并且请求归顺楚国，楚穆王答

115

应了他们。

楚穆王九年，楚穆王决定搞一次小型南联盟会议，再次享受一下号令中原诸侯的美好感觉。于是，楚穆王召集陈共公和郑穆公在楚国的息会面，然后率领三国军队进入蔡国的厥貉(今河南项城)，会同蔡国军队，准备进攻宋国。

宋国人也不傻，早早就发现了楚国人的意图，大夫华御事就对宋昭公说了："楚国人肯定要来打我们了，现在晋国人靠不住。我看，也别等他们打了，主动请求友好吧。"

宋昭公正有同样的想法，于是就派华御事前往，表示归顺，同时邀请楚穆王前来宋国的孟诸狩猎。

楚穆王挺高兴，看来自己的人格魅力就已经感动了宋国人。于是，高高兴兴的楚穆王率领着楚军精锐就来了孟诸，亲切会见宋昭公，然后确定第二天打猎。

这么多国君在这里，打猎就要有个讲究了。楚穆王高兴啊，说咱们干脆就当军事演习算了。于是，楚穆王从中路进发，宋昭公在右路圆阵，郑穆公在左路圆阵，圆阵的意思就是把动物都向中间赶，赶过来给楚穆王打。陈共公连圆阵的资格也没有，只能在后队，负责收拾被射中的猎物。既然当成了军事演习，楚穆王又任命了复遂为左司马，申无畏为右司马，两人都是楚国大夫，负责执行军法。

第二天一大早，各路人马取齐，正要出发，出事故了。

原来，申无畏在检查装备的时候发现，宋昭公没有带取火的工具，而这是昨晚上楚穆王一再强调要带的。

怎么办？其实这样的联谊活动，虽说是形式上弄得跟打仗一样，归结起来也就是联谊而已，睁只眼闭只眼也就算了，可是申无畏这人死心眼，直接让人把宋昭公的一个仆人给抓下来，一顿鞭打，打得皮开肉绽，然后游行一圈，算是处罚了宋昭公。

宋昭公的脸色一阵青一阵白，恨得牙痒痒，暗中发誓："狗仗人势的东西，要是有一天落到老子手中，让你死得难看。"

又是一只鸟

楚穆王在登基十二年之后鞠躬尽瘁了，儿子熊侣继位，就是楚庄王。

楚庄王继位的第二年，也就是楚庄王元年(前613年)，楚国发生了叛乱。简要介绍一下叛乱经过。

两个叛乱分子叫公子燮和斗克(子仪)。公子燮还是庄王的叔叔,早就想当令尹,可就是当不上,所以很气愤。斗克呢,当年跟秦国人打仗被活捉了,后来秦国想跟楚国建立外交关系,共同对付晋国,所以把斗克给放回来了,算是和平特使。两国建立邦交之后,斗克认为这都是自己的功劳,可是自己不受重用,所以也很气愤。

这哥俩很羡慕赵盾,所以决定在庄王继位时间不长、太师潘崇率军出征的时候发动叛乱,派几个强盗杀了令尹子孔,然后哥俩想当什么当什么。

可是这两人的政治智慧是没办法跟赵盾比的,叛乱是叛乱了,可是楚国强盗好像不如晋国强盗那么好使,子孔没杀成,那边潘崇率领军队又杀回来了。没办法,挟持着庄王逃命吧,结果逃到半路上被人给杀了。

所以说,不是人人都能当赵盾的。

楚庄王登基转眼三年,三年来,除了被挟持着出了一次郢都之外,其余时间就都在宫里混了。《史记》记载:"庄王继位三年,不出号令,日夜为乐,令国中曰:'有敢谏者死无赦。'"

三年来,楚庄王整天淫乐,不分昼夜,太史公说他从来不发号令,其实错了,他发了一条号令,这条号令是:谁敢来进谏,杀。

《说苑》上的记载更带劲,楚庄王的号令是:"寡人恶为人臣而遽谏其君者,今寡人有国家,立社稷,有谏则死无赦。"什么意思? 大致意思是:身体是老子的,国家是老子的,社稷也是老子的,老子爱怎么祸祸就怎么祸祸,谁也别来放屁,否则老子就杀。

大家一听,觉得楚庄王说得对,这个国家是你的,身体也是你的,你自己都不在乎,我们吃多了去管你? 所以,三年来,楚国人民该干什么干什么,你楚庄王在后宫折腾你的女人们去吧。

到楚庄王三年,楚国大旱,眼看着粮食长不出来,可是国家最高领导人根本就不管,只管在后宫"日理万姬"。再这样下去,国家可就真危险了。

关键时刻,一个人挺身而出,一个听起来似乎不大可能挺身而出的人。

嬖(音必)人伍参,所谓嬖人,就是宠臣的意思,听上去似乎很不好听。其实,嬖人并不等于太监,也不等于出身低贱,嬖人主要就是陪着君主吃喝玩乐,讲讲段子,搞搞模仿秀,等等,说白了,就是逗君主开心的那么一类人。当初齐国的易牙、晋国的优施都是嬖人。

如今很多人的主要工作就是陪领导开心,这种人实际上就是嬖人。

通常的嬖人都没有什么正义感,只管把马屁拍好,把君主弄爽就行了。可是,伍参那不是一般的嬖人,他是一个看上去很低级趣味,实际上很高尚的嬖人。

伍参,伍姓始祖,是不是楚国公族已经无从考证,请姓伍的读者认真阅

读后面的部分。

白天，楚庄王行乐不分白天黑夜。《史记》记载："庄王左抱郑姬，右抱越女，坐于钟鼓之间。"想象一下，左边抱着一个河南大妞，右边搂着一个杭州美眉，前后左右还有三五十个来自世界各地的美女，而自己坐在钟鼓之间，楚庄王的形象整个就是天下第一淫民。

这时候，伍参来了。

"你来了，正好，说个黄段子给大家乐乐。"看见伍参，楚庄王挺高兴。

"大王，今天我给大王说个黄谜好不好？"伍参说。

"好。"

"说是山上有个洞，洞里有个鸟，三年过去了，这鸟既不飞也不叫，这是个什么鸟？"

宠姬们听了，一个个嘻嘻地淫笑，这真是个够黄的谜语。

"三年不飞，飞将冲天；三年不鸣，鸣将惊人。参退矣，吾知之矣。"楚庄王是个聪明人，他知道这个黄色谜语其实并不黄，伍参说的这个鸟不是别人，就是说的他楚庄王自己。

"一鸣惊人"和"一飞冲天"这两个成语，就是被楚庄王这个天下第一淫民一次性发明出来的。

伍参退下了，因为楚庄王已经承诺自己要一鸣惊人了。

可是，事情的进展出乎伍参的意料，几个月过去，楚国灾情越来越重，粮食危机已经发生，西面的蛮人纷纷乘机来攻打楚国，而楚庄王呢？淫乐得比从前变本加厉了。

"唉，什么一飞冲天？什么一鸣惊人？大王真是个鸟，这个鸟人。"伍参暗地里骂，却不敢再去出谜语了。

还有人挺身而出吗？

鸟终于起飞了

苏从，楚国大夫。

顺便说说苏姓由来，苏姓出于颛顼，与楚国同源。最早周武王封苏姓先祖在苏国，地点在今天的陕西省。后来苏国被狄人所灭，其后裔就姓苏，迁移各国。最早的苏姓见于晋献公时的史苏，苏从是第二个。因此，苏从几乎可以被认为是苏姓始祖。

国家危急，苏从急了。备好了遗嘱，他来到了王宫。

"老苏，来干什么？喝一杯？"楚庄王正在微醉，左边搂着越南妹，右边抱着高丽妞,越玩越国际化了。

"我来进谏。"苏从直截了当。

"没看我正乐着呢吗?"楚庄王有点不高兴了。

"我来进谏。"苏从还是这句话。

"你不知道我的号令吗?"楚庄王彻底不高兴了。

"国家都要灭亡了,我死算得了什么?"大义凛然。

楚庄王推开两个美女,腾地站了起来,左手抓住苏从,右手抽出一把刀来。

"啊。"尖叫声在整个王宫里回荡,美女们睁大了恐惧的眼睛。

楚庄王手起刀落,一刀两刀三刀。

"咣当,噼啪,嘭。"响声再次回荡。

发生了什么? 用《说苑》的说法是"左执苏从手,右抽阴刀,刌钟鼓之悬"。

楚庄王把挂着乐器的绳子都给砍了,什么乐器? 编钟。

还好,楚庄王砍的是乐器,不是美女。

"上朝。"楚庄王下令。

三年了,除了登基仪式之外,楚庄王就没有上过朝。

百官被紧急通知上朝,一通忙乱,几年没见最高领导了,连穿什么衣服去都快忘了。没办法,一通忙乱,上午通知,两个时辰之后人才凑得个七七八八。

"开始吧,你先说,你负责什么的? 你负责的事情是个什么情况?"楚庄王开始点名,考核政绩。

三年时间啊,最高领导玩蒸发,大家基本上也算把自己蒸发掉了,如今上来就考核工作,可以想象,大多数高级公务员是两眼一抹黑,要么一问三不知,要么胡编乱造,能说个所以然的是寥寥无几。

一直到天黑,大夫们坐也坐累了,楚庄王精神头一点也不减。

"日夜鏖战,三年不死,大王的身体是真好啊。"下面,大夫们都在暗中赞叹。

楚庄王的身体当然好。

从那天开始,半个月内,天天上朝听汇报。

之后,庄王动刀了,这一次,真的动刀了。

一问三不知的,留职察看,戴罪立功。庄王自己说得好:"我也一问三不知啊,这不能怪他们。"

胡编乱造的,砍头。庄王说了:"诚信啊,没有能力没关系,没有努力也没关系,你骗人就有问题了。我泡了三年妞,我也没说我在执政为民啊。"

但凡能对自己的工作了然于胸的,提拔重用。

《史记》载:"于是罢淫乐,听政,所诛者数百人,所进者数百人。"

苏从受到重用,伍参则更加亲近。

鸟,终于起飞了。

而对于后宫的美女们来说,鸟飞了,好日子过去了。

鸟越飞越高

危机已经来到,粮食危机,外带外族入侵。

外族主要是庸国人和麇(音群)国人,分布在今天的湖北省枝江县和石首县一带。他们见楚国闹旱灾,趁机前来进攻,一直打到了阜山,也就是今天的湖北省房县。

紧急会议。

"蛮人入侵,声势浩大,建议迁都。"有人提出这样的建议。

"大家怎么看?"庄王问。

"不可!我们能迁到哪里,蛮人也就能打到哪里。与其逃走,不如讨伐他们。他们是乌合之众,不耐久战。"司马芳贾站出来反对。

"堂堂楚国,华夏大国,岂能被蛮子逼得迁都?"楚庄王发言了。这是楚国人第一次以华夏大国自称,事实上,楚国确实已经是一个华夏国家了,从前他们自称蛮子,现在,这个称号送给了别人。"潘尫(音汪,跛足或胸背弯曲)领军攻打庸人,庸人战败,麇人自然溃逃。芳贾,你派人分头去秦国和巴国,请他们出兵增援。"

分派已定,各自行动。

大王很镇定,所以大家安心了。

潘尫是潘崇的儿子,生下来是个瘸子,因此就叫潘尫。好在那时候是用战车打仗,瘸一点无所谓。

潘尫领军西进,来到庐(今湖北省南漳县)的时候,粮食没了。没办法,闹饥荒呢。于是,潘尫下令,所到之处打开官仓,军民同吃,算是解决军粮的同时还赈济百姓。

从庐向西,一路上都是这样,所以沿途百姓都激动地说:"楚王就是我们的大救星啊。"殊不知,害得他们没粮食吃的也是楚王。

楚军到达今天的湖北均县,扎下大营。潘尫派庐戢棃率领部分兵力攻打庸军,结果大败而归,手下军官子扬窗被俘,三天之后逃回。

"潘将军,蛮子人数众多,而且很野蛮。我们要打败他们,恐怕不仅要全军出动,还要请大王出动东宫部队。"子扬窗汇报,基本上算做了三天卧底。

"跟蛮子打仗,不能犯蛮,要动脑。这样,还是你们哥两个再去挑战,许败不许胜,去吧。"潘尫下令,不愧是潘崇的儿子,就是有脑子。

这一边诱敌,那一边,潘尫派快马赶回都城,请求增兵。

庐戢犁和子扬窗七战七败,也别说故意被打败,不是故意也打不过。

庸人瞧不起楚国人,太不经打了。所以,庸人甚至没有全军追杀,只派了几个部落的兄弟,其余的喝酒庆祝去了。他们不知道,追杀楚军的兄弟是回不来了,因为楚庄王连夜率军从郢出发,已经抵达前线,楚军精锐布好了包围圈,等待打歼灭战。

这真的是一场歼灭战,蛮子军全军覆没。

此战标志着楚军战略战术水平已经有了飞速提高,在这个层面上已经足以与晋国人抗衡。

歼灭了追击的蛮子军之后,楚国大军马不停蹄,闪电袭击庸国军队,庸军溃败。此时,前来增援的巴国军队和秦国军队抵达,三国联军扫荡庸国,各路蛮子纷纷投降。

庸国被楚庄王从地图上抹去了,后人说到庸国时就说:好好日子不过,自己找死,简直是庸人自扰。

"庸人自扰"这个成语,可能就出自这里。

庸国被灭之后,麇人主动求和。

至此,西线无战事。

楚庄王六年(前608年),也就是晋灵公十三年,经过两年的休养生息,楚庄王决定要重新向北,与晋国争夺霸权。

高层会议。

与会人员是:楚庄王、令尹斗越椒(伯棼)、司马芳贾、大夫潘尫、屈荡、苏从。其中,斗越椒是子文的侄子,芳贾是芳吕臣的儿子。

"各位,自从城濮之战后,晋国人在中原争夺中就占据上风。如今,晋国第一代领导人都没了,第二代领导人不足为惧。我想,我们可以重新开始北上争霸了。"楚庄王开了头,然后看看大家。

"大王,我早就憋着要出城濮之战的那口恶气呢,什么时候攻打晋国?"斗越椒第一个响应,城濮之战他参加了,虽然自己在中军没有与晋军交战,但是看着左右两军的兄弟们被残杀,现在想起来还满肚子火。

"司马,你看呢?"楚庄王问芳贾。

"我看,还是谨慎一些,不如先找个小国试探一下。"芳贾说,他和他父亲一样谨慎。

"哪个小国比较合适?"

"陈国。陈国前段时间国君去世,嫌我们派去吊丧的官员在礼节上不够,因此一气之下又投靠了晋国,就打他们。"

"好主意,屈荡,你走一趟。率领西广部队攻击陈国的同时,可以佯攻宋国。注意,能不能攻下来不重要,我们要的是看晋国的反应。"楚庄王布置了任务。

"大王,让我去吧。"斗越椒主动请战。

"不必,杀鸡焉用牛刀。"楚庄王拒绝了。

就这样,楚国将军屈荡率军讨伐陈国,骚扰宋国。陈宋两国哪里敢对抗楚国,急忙派人前往晋国求援。

第九十六章　战争喜剧

面对陈国和宋国的求援信,赵盾知道,如果给他们也发两封类似"坚持以和平方式解决国际争端"类似的公文,晋国今后就再也没有资格跟楚国平起平坐了,而国内的各种势力就会联合一起对付自己,国人也会推翻自己。

所以,出兵是唯一的选择。

"楚国人攻击我们的盟国陈国和宋国,我们一定要出兵了,可是,具体采用什么策略,各位说一说看法。"六卿会议,赵盾首先表明出兵的决心。

这个时候,愿意说话的人不多。荀林父知道赵盾不喜欢自己,士会知道赵盾不信任自己,栾盾和胥克知道赵盾不亲近自己,这个时候,说话的就只剩下郤缺一个人。

"楚军强大,我看最好不要正面冲突。这样,他们攻打陈宋,我们就攻打郑国。他们来救郑国,不就等于解了陈宋之围吗?"郤缺给了一个传统套路。

"就这样,号令三军,讨伐郑国。"赵盾下令,他喜欢这个主意。

倒霉的解扬

那一边,赵盾磨磨蹭蹭,准备出兵。这一边,楚国已经得到了楚国驻晋国地下办事处的线报,说是晋国将尽起三军,由赵盾亲自领军,攻打郑国,解救陈国和宋国。

"又是这个套路,太没创意了。大王,让我率领大军,与晋国人决一死战。"斗越椒再次请战。

"令尹,这次我们不过是试探他们的虚实,不劳你了。芳司马,你走一

趞,率领东广部队到郑国阻挡晋国人,随后屈荡会从陈国前来会合你。记住,不要轻易交战。"楚庄王布置任务,条理清晰。

"大王,赵盾根本不会打仗,我看不如一战击败晋国人。"斗越椒还要争取。

"还是小心一些好,赵盾虽然不会打仗,晋国人会打仗的还有很多啊。"

斗越椒不便再争,不过在心里,他觉得庄王有些胆怯。

庄王真的胆怯吗?

这一边,芳贾率领楚军东广部队火速北上郑国,准备迎击晋国人。那一边,赵盾率领着晋国、卫国、宋国、曹国和陈国联军南下。这样,晋楚两军在郑国的北林(今河南新郑境内)相遇。

两军对垒,却根本就没有人想打仗。北方,赵盾率领晋国三军以及联军,在兵力上占据绝对优势,可是,他无意作战。尽管击败楚国人可以巩固他的地位,但是万一被击败了呢? 他不愿意冒这个险。

芳贾更不愿意出战,自己的兵力远远少于对方,再加上有庄王的严令,自然不会轻易开战。与此同时,屈荡正率领西广部队从陈国赶来,以备万一开战。

尽管秋高气爽是个杀人的好季节,可是气氛意外的祥和。唉,浪费了好天气。

赵盾有些着急,毕竟这样熬下去不是个办法。芳贾也很着急,这样熬下去也很危险。

这个时候,发生了一件很可笑的事情。而历史常常因为可笑的事情而改变,这一次就是这样。

解扬,晋国大夫。

顺便说说解姓的来历。

唐叔虞的儿子姬良被封在解这个地方,今天的山西解良就是源于他的名字,他的后代就姓解。

按照规矩,晋军每天都要安排人做哨探,接近敌营探看情况。这一天就轮到了解扬,于是他驾着战车,离了大营,去探看楚军的情况。那时候,哨探这样的事情是很安全的,双方都派出哨探,有时候双方遇上,还会打个招呼,互相问候一下,然后各自看完各自回家。

所以,解扬轻轻松松哼着小调就去了。眼看情况看得差不多,跟往常也没有什么变化,正要掉转车头回去,意外发生了。

一条野狗不知从哪里钻了出来,"嗖"的一声从解扬的车前蹿了过去。紧接着,又蹿过去一条。解扬吃了一惊,他吃惊也就算了,糟糕的是,战马受惊了。

四匹马,有受惊的有没受惊的,但是受惊的开始狂奔,没受惊的也就跟着受惊了。受惊的马疯了一般向前跑,御者吓傻了,拽缰绳抽鞭子都不管用,车上的解扬吓得脸色发白,死死抱住马车,一动不敢动。等到马跑累了,停下来的时候,车已经进了楚军大营。

就这样,解扬成了楚军俘虏。

芳贾挺高兴,一仗没打,就抓了一个晋军大夫。

那边赵盾窝火极了,平白无故被对方抓了一个人,这不是冤死了?赵盾很发愁,人被捉了,是救还是不救?就这么回去,怎么交代?

正在发愁的时候,救星来了。

两个坏消息从不同的方向传来。

第一个坏消息,楚国大夫屈荡已经率领攻打陈国的楚军前来增援芳贾,很快就会达到。

第二个坏消息,晋国驻秦国地下办事处传来的,说是秦国正在谋划乘虚偷袭晋国。

赵盾笑了,为什么听到坏消息反而高兴?

如果想跟楚军对决,这当然是两个坏消息。可是,如果想撤军,这还是坏消息吗?

"看见没有,我们的策略已经成功,楚国人解除了对陈国的包围和对宋国的威胁。这证明,我们的决策是正确的。与此同时,秦国人亡我之心不死,蠢蠢欲动,正准备趁机偷袭我国。因此我决定,立即回师,准备迎击秦国人。"赵盾宣布撤军,理由充分,而且很有面子。

就这样,赵盾撤了。

既然晋国人走了,芳贾也没有理由留下去,于是带着解扬,南下回国了。

昂贵的羊肉

第一次试探,成功。

楚庄王决定,再作第二次试探。怎么试探?

"芳司马,还是你走一趟,让郑国出兵讨伐宋国,我要看看晋国人怎么反应。"楚庄王下令,这一次楚国不出兵,郑国出兵,看你晋国怎么办。

下面,让我们来看看历史上最搞笑的一场战争。

郑国接到了楚国的命令,打不打?当然要打。对于郑国来说,打宋国历来是一种娱乐。

郑国派出公子归生,率领四百乘战车讨伐宋国。

宋国得知郑国前来讨伐,十分气愤,宋文公当时就火了:"奶奶的,楚国人欺负我们也就算了,你屁大的郑国也敢自己来?就不怕回不去?"

"就是,楚国人也没能把我们怎么样,郑国人来了,怕他们个球。"右师华元也很气愤,现在他是宋国执政。

于是,宋国人决定主动出击,让郑国人有来无回。

可是,宋国人忘了,他们守城有一套,正面作战,他们的战绩凄惨得很。

宋国军队由右师华元和司寇乐吕统领,五百乘战车浩浩荡荡挺进到宋国的大棘(今河南省睢县南),恰好遇上郑国军队,于是下寨扎营,准备决战。

说到乐吕,顺便说一说乐姓的由来。宋戴公的儿子名叫公子衎,字乐父,他的孙子夷父须就以先祖字中的"乐"为姓,称为乐氏。乐吕,就是乐姓正宗传人。

战前,华元决定做一个战前动员,他召集了全军,在精神和物质两方面进行激励。他首先回顾了宋国历年来与郑国之间的深仇大恨,之后,每人发了一块羊肉。

吃到羊肉,大家都很高兴。不管打仗是不是能打赢,至少羊肉是很真实地吃到了嘴里。吃到羊肉的固然高兴,没吃到的呢?有没吃到的吗?还真有,有一个人没分到。华元本应该第一个分给他,可是他忘了。

一块羊肉很重要吗?

宋郑两军对垒,士气上,宋军还要高一些,毕竟吃了羊肉。再加上宋军几年来几乎年年打仗,比郑军的实战能力强一些。即便算上郑军的心理优势,双方也应该是势均力敌的。

然而,一个意外发生了。

宋军主帅华元下令:"擂鼓!"

宋军开始擂鼓,鼓声之中,只见元帅的战车开始冲锋了。大家有点发愣,元帅难道学先轸了?学战术就行了,怎么连自杀也学?

"哎哎哎,怎么回事?快停下来!"华元急了,大喊起来。

华元的御者名叫羊斟,他头也没回,只是在嘴里轻声骂道:"奶奶的,分羊肉的时候你做主。现在,老子做主。"

原来,唯一没有分到羊肉的就是羊斟。他很生气,觉得很没有面子。

华元的战车一直就冲进了郑军大阵,公子归生当时就笑了,去年解扬自投罗网的事就让他笑了一个晚上,如今华元竟然也自投罗网来了,真是笑掉大牙。

华元就这么栽了,仗还没开始打,主帅就给活捉了。

所以,御者是很重要的。

只要有一块羊肉,也是该给御者的。

这也就可以解释，为什么这个时代领导的司机都很吃香。

主帅眼睁睁被活捉了，宋军立马乱了营。对面的郑军自然不会客气，一通战鼓，全军冲锋。宋军哪里还敢迎敌，要掉转车头是来不及了，于是纷纷跳下战车，扔掉兵器，没命一般奔逃而去。

有人奋起抵抗吗？真有。乐吕是一个，不过很快被杀掉了。

狂狡是另一个，他是个勇士，并不惧怕郑国人，他跟一个郑国士兵交手，结果郑国士兵被他打到了一个土井里。

"兄弟，怕了吧？"狂狡很得意地在井口问。

"不怕，我要能上去，接着打。"

"那你上来吧。"

"井这么高，我上不去。"

"来，我拉你上来。"狂狡把自己的大戟放到井里拉郑国士兵。

"别来这套了，你说是拉我，实际上想杀我。"

"你不信我？这样，换一头吧。"狂狡把大戟换了一个头，自己握住戟尖，把柄放了下去。

就这样，狂狡把郑国士兵给拉了上来。

"怎么样？再打？"狂狡笑着问。

"不许动，动一动，刺死你。"郑国士兵手持大戟喝道。

狂狡傻眼了，他万万没有想到对方竟然会趁机夺走自己的戟，并且戟尖就正对着自己的胸口。

宋国勇士就这么被活捉了。

宋国人太可爱了。

这一仗，宋国损失惨重。五百乘战车出征，只逃回去二十几乘，除了损坏的，还有四百六十多乘被郑军缴获，不过好在宋军跑得快，阵亡一百多人，被俘两百五十人，其余都平安到家。

华元被活捉了，不知道怎么回事，羊斟反而跑回家了。

华元被捉了，宋文公没办法，派人去郑国探讨赎人事宜，结果达成协议：一百乘战车和四百匹马换一个华元。

怎么一个华元值这么多钱？因为华家在宋国的势力太大了。

不过，华元还是为宋国省下来了五十乘战车和两百匹战马，因为送到一半的时候，华元自己逃回来了。

从郑国逃回来之后，华元一路回到了都城，叫开城门，一进门，正碰上羊斟。

"喂，那天是不是马惊了？"华元问。他是真不知道。

"跟马没关系，跟羊有关系。"

"跟羊有什么关系?"

"你为什么不给我分羊肉? 为什么别人都有,只有我没有? 为什么? 伤自尊了。"羊斟还在气愤呢。说完,他跑了,再也没有回来。

直到现在,华元才知道原来一切都是因为一块羊肉。

羊肉啊,大概这是世界历史上代价最昂贵的一块羊肉了。

赵穿的妙计

楚庄王哈哈大笑,郑国和宋国之间的这场战争实在是太搞笑了。说实话,楚庄王都有些喜欢起华元来了。

"苏大夫,过去这段时间,晋国人有什么动态?"庄王问苏从。

"大王,说起来,晋国人也够搞笑,他们做了一件跟宋国人可以一比的蠢事。"苏从说,说着笑起来了。

"说来听听。"

原来,赵盾撤军回到晋国,觉得很没有面子,而传说秦国要来入侵的事情并没有发生,这让晋国三军都怀疑这是赵盾当初散布的假新闻。

怎么办? 就算是假的,也要弄成真的。

六卿扩大会议召开了,扩大进来的基本上都是赵盾的亲信。

"秦国人总是跟我们作对,弄得我们不能专心对付楚国人,各位,怎么办?"赵盾提出会议议题。

大家都没有什么话说,士会心里想:"这怪谁? 怪你自己太缺德了。"

"士会,你在秦国待过,你说说有什么办法?"赵盾点将了。

"这个,我觉得,秦国是个大国,要对抗楚国,就要与秦国修好。"既然点到自己头上,士会也只好发言。

"可是,秦国人对我们恨之入骨,怎么肯跟我们修好呢?"赵盾觉得这很难,那样的深仇大恨,秦国人怎么会善罢甘休?

士会不说话了,他也觉得不可能。

这个时候,"扩大"进来的赵穿发言了。

"这有什么难的? 崇国是秦国的保护国,咱们攻打崇国,秦国一定会去救援,那时候咱们卖他们个面子,提出来跟他们恢复睦邻友好关系,那不就行了?"这是赵穿的主意。

"好主意,就派你攻打崇国了。"赵盾高兴啊,他认为这个主意真的很高明。

第二天,赵穿率领晋军讨伐崇国。可是没有想到的是,秦国人竟然根本不来救援。赵穿一怒之下开始攻城,可是这兄弟确实不是这块材料,攻了半天攻不下来,只好灰溜溜回来了。

这下,想跟秦国人修好的目的没有达到,反而进一步得罪了秦国人。

"哈哈哈哈。"楚庄王听了,笑得眼泪都要出来了。

赵盾的算盘

转年到了晋灵公十四年(前 607 年),秦国人出兵攻打晋国的焦(今河南省陕县境内),以报复晋国人入侵崇。赵盾这次真的火了,立马出兵迎战秦国人。而秦国人在晋军来到之前已经撤军,于是赵盾灵机一动,大军东进,讨伐郑国,要为宋国讨个说法。

郑国听说晋国要来讨伐,立马派人前往楚国求救。

楚国救不救? 当然要救。

"要当霸主,当然就要保护自己的盟友。"楚庄王态度鲜明,那么,派谁去救? 派的人不同,策略是不一样的。派芳贾,基本上是不准备真打;派屈荡,那是不准备大打;派斗越椒,那是要真打实干。

斗越椒懒得发言,前几次请战都被拒绝了,这一次估计也没戏。

"老斗,这次你去。"大家越以为不会发生的,偏偏就发生了。

为什么派斗越椒去? 楚庄王真的认为斗越椒有把握战胜了晋国人了吗? 当然不是,楚庄王对斗越椒没有把握,但是,他对赵盾有把握。

斗越椒率领楚军出发了,他憋着劲要跟赵盾决一死战。

可是,赵盾没有给他机会。

晋军刚刚进入郑国境内,线报就来了:"报元帅,斗越椒率领楚军来救郑国,已经出发了。"

赵盾心里咯噔一下,楚国来救郑国他是想到了的,可是他没有想到会是斗越椒。原本赵盾也不过是来做做样子,但如今斗越椒来了,那可就不是做样子那么简单了。

"这个,斗越椒呢,斗越椒家族在楚国太张扬了,我们就让他张扬下去吧,他会死得很惨的,啊,我们撤。"赵盾找了这么一个理由给自己下台,之后,晋军在半路上就撤了。

斗越椒也在进入郑国境内的时候得到了晋军撤退的消息。

"奶奶的,赵盾,你是个孬种,废物,不要脸的。"斗越椒气得暴跳如雷,没办法,只得气哼哼地回国了。

楚庄王笑了,一切都在他的意料之中,一切也都在他的掌控之中。

"赵盾为什么总是避战?"伍参问楚庄王。

"因为对他来说,斗争比战争更重要。"楚庄王说,他理解赵盾的做法,因为楚国也有斗争。

几十年前我们曾经有一句标语:有人的地方,就有阶级斗争。

我们说,有人的地方,就有斗争。

楚庄王看得很准,说得也很准。

赵盾真的很怕楚国人吗? 未必。他怕什么? 他怕身后有人。

根据最新的线报,晋灵公最近似乎在拉拢胥克,利用胥家对赵盾的不满来培植自己的势力。

赵盾收兵回国,他知道,现在首先要解决的是斗争问题。

赵盾找来了士会,他有事情要告诉他。

"老士啊,主公是越来越不像话了,他整天淫乐,不理朝政,最近还在宫墙里面用弹弓向外面打行人,以此取乐。更过分的是,就因为宫里的厨师炖熊掌没炖烂,竟然被他杀了,太过分了,我想跟你一同去劝谏他。"赵盾把晋灵公的罪行说了一遍,要拉着士会同去。

"是啊,太过分了。不过,我看我们不要一起去。如果我们一起去,而他并不肯悔改的话,那就没人敢再去了。不如我先去,如果不奏效,你再去,你看怎么样?"士会聪明绝顶,给人当枪使的事情绝对不会做的,何况已经上过赵盾一次当了。他明白,如果两人一块去,就等于向全世界宣布自己跟赵盾是一伙的。所以,他巧妙地拒绝了,他知道,卷入权力斗争是非常危险的。

见士会没有上套,赵盾也只好假意赞同。

士会做人和生存的原则是:不加入任何帮派。

权力斗争金科玉律第十条:如果要独善己身,一定要随时小心,不要稀里糊涂被人拉上贼船。

第九十七章　权力斗争的最高境界

　　晋灵公六岁登基,转眼间也已经是个成年人了。十四年来,晋灵公只是一个摆设而已,内政外政,都是赵盾一手遮天。青春期一过,晋灵公有想法了,理想远不远大不知道,但是肯定还是有一点的。可是,他发现所有的一切都已经掌握在赵盾的手中,自己不过是个木偶。甚至,自己连一个固定的师傅也没有。

　　想想看,谁没有师傅? 从齐桓公到晋襄公,师傅的作用都是很大的。可是,晋灵公的师傅是谁?

　　不仅没有师傅,自己连个亲戚朋友都没有,叔叔们都在国外,兄弟们也都被赵盾赶到了国外,姥姥家秦国跟晋国又是不共戴天的仇人。说起来,国内唯一算得上亲戚的是自己的姐姐,可是姐夫偏偏是赵穿。

　　亲戚稀缺,但是"强盗"很多。晋灵公知道,赵盾的手下有很多"强盗",这些"强盗"是随时都可以杀人的。

　　晋灵公足够聪明,他知道自己必须要忍。于是,他选择了楚庄王同样的方式:沉溺淫乐,不问朝政。但是,晋国在国际事务中的节节失利还是让他忍不住了,暗地里,他按捺不住地抱怨赵盾。他太嫩了,他显然没有想到,他所说的每一句话,都会不走样地传到赵盾的耳朵里去。

逼宫开始了

　　士会独自来见晋灵公了,通报之后走了进去。

　　晋灵公看见他,却假装没看见。士会明白是怎么回事,很恭敬地行礼,

131

一遍,两遍,三遍。三遍之后,晋灵公终于看见他了。

"啊,士大夫,你来了。不好意思,刚才没看见。"晋灵公说。他之所以这样做,是要看看士会的态度,以此判断他是不是跟赵盾一伙,当他看到士会很恭敬的时候,他放心了,"你什么也不要说了,我知道你来干什么,我改,我一定改。"

晋灵公确实很聪明,他知道士会要说什么。

"人谁无过? 过而能改,善莫大焉。"(《左传》)士会还是说话了,一串名言出来,这几句话大家应该很熟了,那就是士会说的。

士会说了一大堆话,中心意思也就是这些。其实,士会知道这些话不用自己说,可是,他不能不说。说了,算是完成任务;不说,则可能成为赵盾手中的把柄。

说完,士会走了,他直接找到赵盾汇报了情况,算是交了差。

赵盾笑了,士会的小算盘在他的眼里,晋灵公的小算盘也在他的眼里。

"跟我斗,你们还嫩点。"送走了士会,赵盾自言自语。

晋灵公真的改了吗?《左传》的说法是:"犹不改。"

怎样个犹不改?《左传》没说。

从那之后,赵盾三天一小谏,五天一大谏。有时候自己去谏,有时候拉上人一同去谏。

没多久,全晋国人民都知道了:赵盾忠心耿耿,而晋灵公死不悔改。

晋灵公很恐慌,他真的很恐慌,赵盾明显是在造势,明显是要让全世界都认为自己是个昏君。哪天赵盾不高兴了,找几个强盗来"为民除害",自己就会像老鼠一样死得灰头土脸,连哭丧的人都没有。

怎么办?

晋灵公找来了大夫屠岸贾,屠岸贾是屠岸夷的儿子。整个晋国,晋灵公也就只有屠岸贾算是个朋友。

"忍,主公,还要忍。"屠岸贾也没有什么好办法。

"忍到什么时候? 刀都架到脖子上了。"

"那也要忍,主公,现在满朝上下都是赵盾的人,忍一忍,说不定还能过去。要是沉不住气,恐怕更危险。"

"不行,我不能忍了,我要先下手。"

"主公,不可。"

"不,我决心已下。"晋灵公无法再忍了,他要拼死一搏了。

"强盗"自杀了

晋灵公有什么办法对付赵盾？以其人之道还治其人之身。

"锄麑（音己），今晚上你扮成强盗潜入赵盾家中，把他杀了，我让你做大夫。如果你死了，就让你儿子做大夫。如果你不能杀死赵盾而逃了，不好意思，我杀你全家。"晋灵公找来大内高手锄麑，要暗杀赵盾。

算起来，这也是跟赵盾学的，也算是被赵盾逼的。除了这个办法，还真是没有别的办法。

锄麑领命去了，他确实是一个高手。

可是，晋灵公怎么也想不到的是，锄麑根本上就是赵盾的人，他是赵盾的卧底。

锄麑很矛盾。

算起来，他算是赵盾的人，是赵盾帮他找到了这份工作，同时他还承担通风报信的任务。可是，晋灵公对自己也确实不错，一直在拉拢自己。而且，晋灵公是国君，从道义上说，自己应该更忠诚于晋灵公。

杀赵盾并不容易，即便自己要杀，也未必杀得了他，何况自己本来就是赵盾的人。可是，如果不杀赵盾，自己又违背了君命，而且自己的家人要遭连累。

怎么办？

锄麑用了整个晚上来考虑这个问题，天快亮了，锄麑一拍大腿："奶奶的，没办法，总要顾一头，我杀。"

就这样，锄麑来到了赵盾家。

锄麑对赵盾家还是很熟悉的，他跳墙进去，拐弯抹角来到赵盾的卧房。天微微有些亮，赵盾已经起床了，他穿上朝服，坐在书房里在最后打个盹，准备上朝。

"真是人民的好公仆啊。"锄麑竟然不由自主地这样想，这么早就准备上朝了，可见他是多么的敬业，多么的为国操劳啊。这个时候，锄麑犹豫了，这么好的人民公仆，要是就被自己杀了，岂不是遗臭万年？

可是，不杀赵盾，就违背了君命，自己全家就要死。

怎么办？锄麑心潮澎湃，久久不能平静。那一刻，他想了很多，从爷爷想到了儿子。没等他想得太明白，他看见赵盾站了起来，挥挥手，两个卫士过来。锄麑知道，赵盾准备出发了。

锄麑从赵盾家里跳了出来，现在的形势，杀赵盾已经没有可能了。杀不了赵盾，自己就要死。自己跑了，全家就要死。

"唉,活着这么累,死了算了。"赵家院子前有一棵大槐树,锄麑助跑、加速,然后以每秒十二米的速度撞了上去。

头破血流,槐树剧烈地晃动,相撞的地方留下一个深深的印子。

当天,大内卫士锄麑撞死在赵盾家门口的消息四处流传:无道昏君派锄麑暗杀赵盾,锄麑被赵盾的高尚情操感动,自杀而亡。

最后的决斗

偷鸡不成蚀把米。

晋灵公绝对没有想到会是这样的结果,他也绝对不会相信锄麑会是自杀,他宁愿相信锄麑是被赵盾手下所杀,然后布置了这样一个现场。

"客场作战不行,主场行不?"晋灵公决定,这一次不玩派人去暗杀的游戏,这一次把赵盾请来,就在这里动手,不信杀不了赵盾。

"主公,这不成了孤注一掷了? 万一杀不了赵盾,连退路都没有了。"屠岸贾反对。

"嘿嘿,你以为,现在我还有退路?"晋灵公说。

屠岸贾想想,似乎真是这样。

晋灵公派人来请客了,说是要请赵盾吃饭,消除彼此之间的误会。

"大哥,不能去,这是个陷阱。"赵穿阻止,实际上,他是负责朝廷安全的,大内高手们都在他的直接领导下。

"嘿嘿,赵穿,你知道大哥在北翟的时候干什么吗? 打狼。再狡猾的狼,也逃不过猎人的眼睛。我去,我一定要去。"赵盾要去,而且他对自己的安全很有信心。

"既然要去,不如我们趁机杀了这个昏君。"赵穿比较狠,他有这个实力,而且,他比较没有头脑。

"胡说,那我不是弑君了吗? 名声啊,名声很重要啊。"赵盾瞪了赵穿一眼,接着说:"除非我流亡海外了,否则,决不许你弑君。"

赵穿气哼哼地,没有说话。

"混账,听明白没有?"赵盾有些生气了,这个赵穿真是个蠢货。

"我,我听明白了。"赵穿懵懵懂懂地回答,显然他还没有听明白。

"重复一遍。"

"除非,除非你流亡海外了,否则,不许弑君。"赵穿说,有些似懂非懂。

"哼,把我逼急了,我就流亡海外。"

说完,赵盾出门了。

赵穿眼前一亮,他终于明白了。

宴无好宴,杀气弥漫。

"元帅,辛苦了,干一杯。"灵公敬了赵盾一杯,赵盾毫不畏惧,干了。

"再来一杯。"灵公再敬,赵盾又干了。

"再来一杯。"灵公还敬,赵盾还是干了。

灵公把杯子又端了起来,他在考虑是该继续灌赵盾,还是摔杯为号,大内高手杀出直接宰了赵盾。他觉得事情似乎有些蹊跷,因为赵盾爽快得令人吃惊。

就在灵公犹豫的时候,赵盾的车右,也就是贴身保镖提弥明上来了。

"大人,君主敬臣下酒,超过三杯就算非礼了,咱们走吧。"提弥明说完,搀起赵盾就走。

在国君面前,赵盾的一个保镖就敢如此轻慢。

灵公有些发呆,他没有想到赵盾竟然敢这样说走就走。酒杯握在手中,灵公竟然忘了摔下去。

眼看赵盾走到了门口,灵公没有摔杯,埋伏的大内高手们自然不会出来。

灵公养了一条獒,一条凶狠的大狗。关键时刻,这条大狗蹿了出来,灵公一看,急忙招呼大狗,指了指了赵盾,那条狗蹿了上去。

要说,有的时候,狗比人善解人意。

赵盾一看,笑了,估计灵公能找到的忠臣也就只有狗了。

"舍人用犬,虽猛何为?"(《左传》)赵盾笑话灵公。

提弥明提刀斗狗,狗当然不是高手的对手,三下两下,狗就被杀了。直到这个时候,灵公才想起摔杯子来,杯子一摔,窜出十多个大内高手来。

赵盾脸色一变,知道这下麻烦了,晋灵公不仅有狗,而且有人。怎么办?跑吧。

赵盾在前面跑,提弥明在后面抵挡大内高手。一个人当然打不过一群人,也是三下两下,提弥明就跟随狗而去了。

赵盾能跑过大内高手吗?当然跑不过。

刚刚跑出内宫,大内高手们就追上来了。

当先一个大内高手上来,一把搭住了赵盾的肩膀,赵盾心一凉:"完了,这回死定了。"

"元帅,你快跑,我是您的卧底。"高手在赵盾的耳边低声说了一句,然后一把推开赵盾,手持长戈,转过身来,竟然开始与其他大内高手厮杀起来。

赵盾大喜过望,原来这是自己的卧底。仔细一看,想起来了,原来,这个高手名叫灵辄,是个光棍士,当年穷得一屁潦倒,多亏赵盾救济他,后来让赵

穿把他介绍到了大内做武士,成了赵盾的卧底。

赵盾撒腿就跑,后面,灵辄一个人对抗一群人。

车已经停在路边,赵盾上了车,司机一挥鞭子,马车跑起来,赵盾算是脱离危险地带。那么,灵辄呢?

"兄弟们,多多保重,再见了。"灵辄很从容地走了,因为这一帮大内高手中,还有两三个赵盾的卧底,其余的都是见风使舵的,早已经看出了苗头,所以,谁也不会卖命去杀灵辄。为什么他们杀了提弥明呢?刚才是在内宫里面,在灵公面前还是要争争表现的,如今在外面,灵公也看不见,那当然就要在赵盾面前做做人情了。

"无道昏君要暗杀赵盾元帅了,无道昏君要暗杀赵盾元帅了。"赵盾的御者一边赶车一边狂呼乱叫,几条主要街道都遛了一圈,整个都城很快就知道灵公要暗杀赵盾的事情了。

赵盾回到家里,赵穿很快也到了。

"大哥,没事吧?全城都知道那个昏君要杀你了,杀了他吧?"赵穿建议,现在舆论在他们这边。

"我要流亡海外了,你自己看着办吧。"赵盾回答。

就这样,赵盾上车,一直向西奔去,一路上让御者散布自己要出国流亡的消息。另一边,赵穿准备人马,要进宫去杀灵公。

斗争就要进入大结局。

赵盾的计划可以说完美无缺,一切都在他的掌控之中。

可是,百密一疏。

当赵盾一路向西来到晋国边境的时候,他发现自己实际上是不可能出国的,因为出了晋国就是秦国。没错,别人都可以去政治避难什么的,可是赵盾借个胆子也不敢去。只要他敢踏进秦国的领土,秦国人非剁了他不可,说什么好听的都没用。

就这样,赵盾停留在了晋国的西部边境之内。

不要以为这是个小到可以被忽略的错误,这个错误并不小。

董狐直笔

赵穿估摸着时辰,在确信赵盾已经出了晋国之后,开始行动了。

赵穿带着家族的人马杀到桃园,因为灵公正在那里休息。大内卫队本来就是赵穿的部下,更不要说还有很多赵家的卧底。因此,赵穿杀灵公远比灵公杀赵盾要简单直接得多,不需要一百字就可以说完。《左传》记载只有八个字:"赵穿攻灵公于桃园。"

一个"攻"字用得十分传神,明目张胆而且实力悬殊。

这原本就是一场实力悬殊的斗争。

赵穿杀死了晋灵公,晋国人民拍手称快。不仅晋国人民拍手称快,连后来的史书都认为晋灵公是罪有应得。

权力斗争金科玉律第十一条:权力斗争中,利用舆论造势是很重要的。

副一条:权力斗争的最高境界是不仅消灭对手,还要让人们觉得自己是正义的。

杀了小舅子,赵穿派人去请赵盾回来。于是,赵盾回来了。

灵公死了,难道就没有人出来抱打不平?谁敢?而且,多数人都认为晋灵公死有余辜。

赵盾在朝廷召集卿大夫大会,讨论善后事宜。

人刚到齐,还没人发言呢,来了一个人,谁?太史董狐。董狐来干什么?

董狐手中拿着一片竹简,来到众人面前,高声念道:"赵盾弑其君。"意思是:赵盾杀害了晋灵公。

赵盾笑了,他早就料到了这一点,他已经做了预备,所以他很镇定地说:"老董,搞错了吧?我可不在场啊,我有不在场的证据。"

"你是中军元帅,国君被杀了,你能说你没有责任?"董狐反问。

"不好意思了,我当时不在国内,我流亡去了。出了国,我就不是中军主帅了。"

"流亡?你根本没有出晋国,怎么能说是流亡?还有,杀人凶手你惩治了吗?没有吧。作为中军元帅,没有保护自己的国君;国君被杀,又不惩治凶手,说你杀害了国君,冤枉你吗?"董狐质问,义正词严。

赵盾无话可说,他还能说什么?除非他杀掉赵穿。可是,他是绝对不会杀掉赵穿的。那么,杀掉董狐?他不敢,因为他还很在乎名声。

所以,赵盾很尴尬,然后自嘲道:"呜呼,'我之怀矣,自诒伊戚',其我之谓矣。"(《左传》),啥意思?上帝啊,《诗经》说:"因为我眷恋祖国,反而给自己带来灾祸。"这话大概就是说我吧。

赵盾说完,大家都笑了。

谁也不是傻傻鸟。

春秋有很多不畏强权的史官,董狐排名第一。

从当初立晋灵公到现在杀晋灵公,赵盾应用了同样的手法:先造势,后动手,造成自己是顺应民意、顺势而为的形象。这种手法在后世被屡屡应用,这是后话。

不管怎样,一片竹简要不了赵盾的命。于是,会议照常进行。

会议很快有了结果,实际上不用讨论大家也没有更多的选择,最适合继承君位的就是一个人:在周王室担任大夫的晋文公的小儿子公子黑臀。没办法,他的两个哥哥和一个侄子都被赵盾给杀了,只能他来了。

公子黑臀,因为生下来屁股都是青的,因此叫做黑臀。春秋时期黑臀这个名字很流行,但是没有人叫白臀,倒有些奇怪。

决议作出,赵盾派遣赵穿前去周王室的伟大首都迎接公子黑臀回来。按理说,迎接国君,应该是派卿前往,为什么派赵穿?因为赵穿是自己人,如果看公子黑臀还行,接回来继位;如果看上去不行,就在路上布置几个强盗,嘿嘿。

公子黑臀当然不是傻瓜,所以他把自己扮成傻瓜。就这样,他安全回到了祖国。

现在,公子黑臀是晋成公。

赤裸裸以权谋私

晋国的斗争以赵盾完胜而告终结。

但是,赵盾还有更深远的打算。他在想:"不错,我混得不错,权倾朝野。可是,我死之后,我的后代们呢?他们不是要一代代衰弱下去?不行,我要想个办法。"

赵盾很快想出了办法,他知道,晋成公是不敢拒绝他的办法的。

"主公,你看,从献公开始,晋国就废除了公族。可是,这导致我们晋国的凝聚力不足,我看,恢复公族吧。"赵盾来找晋成公商量。

晋成公一听,非常高兴,从晋灵公的遭遇他就看出来了,没有公族,就没有力量,就会被大臣欺负,所以,一定要有自己的公族,一致对外,才能保证公室的权威。如今赵盾提出这样的建议,看来他并不像传说中那样喜欢专权啊,是个一心为国的好同志啊。

"元帅啊,你的建议太好了,那就恢复公族。"晋成公慨然允诺,真心的慨然允诺。

"多谢主公啊。不过,我觉得呢,要让大家都有积极性,而且,大家也确实很辛苦,所以,我建议,就以六卿为公族,享受公族待遇怎样?主公,您不会不同意吧?"赵盾笑着问。

晋成公愣住了,六卿做公族,这可是从来没有过的事情啊。要知道,公族的待遇与卿大夫的待遇是不同的,公族的嫡长子是具有领地继承权的。也就是说,如果六卿做了公族,那么,领地就可以永久性拥有,而且,嫡长子将无条件成为公族大夫,嫡子担任余子大夫,庶子则担任公行大夫。六卿做公族,从制度上让他们至少子孙两代全家上下吃喝不愁。

"主公,有问题?"赵盾追问。

"啊,没,没问题。"晋成公敢说有问题吗?

就这样,晋国的六卿做了公族。

自己做了公族,赵盾还不满足。过两天,他又来找晋成公了。

"主公啊,你说我弟弟赵括啊,他娘是主公的姐姐,他就是主公的亲外甥。当初要不是他娘主动让贤,我娘也不能是第一夫人,我也根本就不可能从狄回来,现在还是个狄呢。你说说,这么伟大的无私的娘的儿子,不让他做公族合适吗?"赵盾说了一通,总之一个要求:让赵括也当公族。

"那,那行吧。"晋成公还能说什么?

就这样,赵括也成了公族。为了掩人耳目,赵盾做个姿态,把自己这支公族的公族大夫让给了赵括,也就是说,赵括现在是赵家的族长了。而赵盾本人做了余子大夫。可是问题是,赵盾本人是卿,实际上还是享受公族大夫待遇。

所以弄来弄去,赵盾把自己家弄了两个公族,一支是赵括,一支是自己。

要说赵盾,对自己兄弟还真是非常关照。不仅赵括成了公族,另外两个兄弟赵同和赵婴齐也都做了大夫。

此前,赵盾还为自己的儿子赵朔娶了成公的姐姐庄姬。

家族势力极大壮大,再加上与国君的裙带关系,赵盾现在算是放心了。

第九十八章 问 鼎

晋国,赵盾一统江湖。楚国呢?

楚国的斗争也已经渐入佳境,摊牌的日子越来越近了。

楚国也有权力斗争?

有人的地方,就有斗争。

楚庄王的计谋

楚国有赵盾吗? 有。

楚国的赵盾就是斗越椒。

楚国有晋灵公吗? 没有,楚国有楚庄王。

如果以为楚庄王三年淫乐仅仅是因为肾上腺太过发达,那就太天真了。那么,三年淫乐的背后是什么? 我们来看看背景材料。

楚庄王的爷爷的爷爷的爷爷,也就是他的八辈祖宗的儿子叫做若敖,若敖薨了之后,传位给霄敖,于是一直传下来,就到了庄王。若敖还有一个儿子,至于叫什么,已经不可考证。不过这个儿子大致是封在了斗这个地方,于是子孙就姓斗,这个家族就称为若敖氏也就是若敖家族。

若敖家族人才辈出,世世代代掌管楚国的大权,特别是兵权。前面说到的斗伯比、子文斗谷于菟、子玉成得臣、斗勃和现在的令尹斗越椒就都是这个家族的。

庄王刚登基的时候遭遇公子燮和斗克叛乱,当时斗克就曾经对他说:"你牛什么? 我们若敖家族动一根手指头就能捏死你。"

140

对那句话，楚庄王印象深刻。他知道，自从成得臣开始，若敖家族对于王室已经是不满加不服了，表面上两家还能维持，但是撕破脸皮将是迟早的事情。不幸的是，现在王室的力量确实远远不如若敖家族。

而且，斗越椒这个人是个有野心的人。

斗越椒有什么样的野心呢？他的野心非常著名，我们来看看他的故事。

斗越椒的父亲是子文的弟弟子良。

当初，斗越椒出生的时候，子文就劝子良说："兄弟，这孩子摔死算了，有野心啊，今后会连累整个家族的。"原话在《左传》中是这样的："必杀之。是子也，熊虎之状，而豺狼之声，弗杀，必灭若敖氏矣。谚曰：'狼子野心，是乃狼也，其可畜乎？'"

啥意思？一定要杀了他。这小子长得粗壮得像熊虎，发出的哭声跟狼嗥一样。不杀，我们整个家族都要完蛋。俗话说了"狼子野心"，这小子就是一匹狼，不能养啊。

"狼子野心"这个成语，就来自这里。

子良一听不高兴了，当时就翻了脸："哥哥，不是你的孩子，你当然不心疼了。长得壮说明身体好，声音不好听，那是嗓子有痰。要摔死他，除非先摔死我。"

就这样，为了斗越椒，子文和子良哥两个闹翻了。

临死的时候，子文召集了全家人来说遗嘱："大家听好了，如果有一天斗越椒当了令尹，你们就逃命去吧，不要等着受连累。"

斗越椒长大之后，对子文一家恨之入骨。子文死后，子文的儿子斗般做了令尹，斗越椒想尽办法在穆王面前说他坏话，最终把斗般害死，他当上了令尹。

对于这段历史，楚庄王是知道的。

在综合考虑之后，楚庄王决定，表面上荒淫无度，迷惑斗越椒，暗地里洞察形势，制定对付斗越椒和整个若敖家族的策略。

登基三年之后，庄王终于开始动手，他拉拢潘家、屈家等家族，培植自己的势力，削弱斗越椒在军队中的影响力。等到斗越椒明白过来的时候，他已经错过了铲除庄王的最佳时机。

楚庄王问鼎

楚庄王时刻在关注着北面的事态发展，赵盾的一举一动都有楚国地下办事处工作人员及时汇报给楚庄王。

"赵盾,厉害。"楚庄王情不自禁发出感慨,之后他想起自己的国家,"还好,斗越椒不是赵盾。还好,老子也不是晋灵公。"

楚庄王八年(前606年),也就是晋灵公被杀的第二年,庄王决定进行一次综合行动——亲自率军讨伐陆浑戎。为什么是综合行动?因为这一次行动可以达到几个目的。

首先,陆浑戎在今天河南嵩县和伊川境内,与楚国并不接壤,但是长期以来骚扰周王室的地盘。楚国如果扫除陆浑戎,就等于替中原华族出头,也就等于宣示中原老大是楚国,而不是晋国。其次,此次出兵将经过周王室的地盘,到时候可以耀武扬威。

当然,最重要的一点,是庄王借此机会牢牢掌握军权。其实,前几次出兵之所以不用斗越椒,就是要趁机培植自己的势力。

楚军浩浩荡荡北上了,楚庄王特地派人先去周王室借路,说是帮助你去讨伐陆浑戎。周王室敢不借路?路当然要借,周王还挺高兴,毕竟人家楚国给了面子。

楚军经过洛水之滨,离洛邑不远的地方,楚庄王下令:"扎寨,阅兵。"

于是,楚国大军就在周王室的地盘上阅兵了,摆明了让你们看看我们的实力。

楚军演习,周朝老百姓都来看热闹,周定王一看,怎么办?派个人去慰问一下吧,顺便也算监视他们。于是,洛邑城里一面秘密准备守城,防备楚国人突然袭击,一面派人前往演习地点慰问楚王。派谁?王孙满。王孙满是谁?就是当初断言秦军偷袭郑国不会成功的那个小孩。

小孩厉害啊。

问题是,长大了怎么样?

王孙满前去慰问楚王了,楚庄王很高兴,他早就听说过王孙满,两人相见,可以说是相谈甚欢。王孙满首先代表周王对楚庄王和楚国人民诚挚问候,表示希望楚国作为一个大国,能够在国际事务中发挥更大的作用,为世界和平作出贡献,为中华华族作出表率。

楚庄王听了,笑了,看来周王室终于接受楚国也是华族大家庭一员的现实了。

"哈哈,终于找到组织了。"楚庄王不是这样说的,大致意思是这样的,就是说我们不是蛮夷了,大家原本还是一家人。随后,楚庄王请王孙满转达自己对周王的敬意,同时表示,楚国人民愿意为整个华族的安全服务,并且希望今后能够加强双边联系,共同发展,等等。

"兄弟,有件事情我想问问。"客气完了之后,庄王话题一转。

142   "请问。"

"我听说当年大禹铸九鼎,代表天下九州,现在都在洛邑城中呢。其中荆州鼎好像就是代表楚国那一片的,请问鼎有多大,重量多少?"楚庄王竟然问鼎的大小,要知道,九鼎是天下的象征,问鼎就代表了野心。

王孙满吃了一惊,不过他随后镇定下来,义正词严地回答了楚庄王的问题,怎样回答的? 且看《左传》的记载:

楚子问鼎之大小轻重焉。对曰:"在德不在鼎。昔夏之方有德也,远方图物,贡金九牧,铸鼎象物,百物而为之备,使民知神奸。故民入川泽山林,不逢不若。螭魅魍魉,莫能逢之。用能协于上下,以承天休。桀有昏德,鼎迁于商,载祀六百。商纣暴虐,鼎迁于周。德之休明,虽小,重也。其奸回昏乱,虽大,轻也。天祚明德,有所厎止。成王定鼎于郏鄏,卜世三十,卜年七百,天所命也。周德虽衰,天命未改。鼎之轻重,未可问也。"

啥意思? 简单来说,王孙满一点没客气,这样回答:老兄啊,鼎什么样不重要。有德,鼎再轻也重;无德,鼎再重也轻。我们当初算过命的,周朝该有三十个王,时间七百年。现在都还没到呢,您就算有想法也没用,省省吧,鼎的轻重,不是您该问的。

楚庄王想了想,再看看王孙满,然后说:"兄弟,今晚我做东,尝尝楚国的美食。"

庄王不想问鼎了,想跟王孙满交朋友。

"问鼎"这个词,就来自这里,意思是想要当老大。

"螭魅魍魉"这个成语,也来自这里。原意是传说中的山怪水神,后泛指妖魔鬼怪。后人有对联:螭魅魍魉四小鬼,琵琶琴瑟八大王。

九鼎和九州

到这里,顺便说说九鼎和九州的来历。

《说文解字》:"鼎,三足两耳,和五味之宝器也。"翻译成白话是,鼎是三条腿的做菜的器皿。实际上,鼎有三条腿的,有四条腿的。

最早的鼎是用黏土烧制而成的陶鼎,后来有了铜鼎。传说大禹曾收九牧之金铸九鼎于荆山之下,以象征九州,并在上面镌刻螭魅魍魉的图形,让人们警惕,防止被其伤害。自从有了禹铸九鼎的传说,鼎就从一般的炊器而发展为传国重器。历商至周,都把定都或建立王朝称为"定鼎"。商朝灭亡夏朝,九鼎迁于商都朝歌;周朝灭亡商朝,九鼎又迁于周都镐京;周朝迁都,

鼎也就搬到了洛邑。

那么,九州是哪九州?因为就是盈数,最一开始,九州可能只是泛指天下,并没有明确指向。后来,《禹贡》中明确九州为冀州、兖州、青州、徐州、扬州、荆州、豫州、梁州、雍州。

《周礼·夏官·职方氏》记载:"东南曰扬州,正南曰荆州,河南曰豫州,正东曰青州,河东曰兖州,正西曰雍州,东北曰幽州,河内曰冀州,正北曰并州。"

《吕氏春秋·有始览·有始》记载:"何谓九州?河、汉之间为豫州,周也。两河之间为冀州,晋也。河、济之间为兖州,卫也。东方为青州,齐也。泗上为徐州,鲁也。东南为扬州,越也。南方为荆州,楚也。西方为雍州,秦也。北方为幽州,燕也。"

如今中国各省市的简称,主要就是来自九州的名称和春秋的国家了。譬如,河北简称冀,又称燕赵;河南简称豫,山东简称鲁,又叫齐鲁;山西简称晋,陕西简称秦,湖北曾简称荆,又简称楚。

遗憾的是,九鼎如今已经无迹可寻。关于九鼎的下落,众说纷纭。一种说法是,秦灭周之后,将九鼎搬去咸阳,结果路上掉了一个到河里,秦始皇死后,其余的八鼎被陪葬。另一种说法是,九鼎在东周时被融化掉,做成了铜钱,花掉了。还有一种说法是,在周显王四十二年(前327年),九鼎沉没在彭城(今江苏徐州)泗水之下,后来秦始皇南巡之时,派了几千人在泗水中进行打捞,但无功而返。

楚国大军讨伐陆浑戎实在是杀鸡用牛刀了,楚军大军一到,三下五除二打得陆浑戎满地找牙。

楚国带着战利品和俘虏回国了,路过洛邑的时候,分了一些给周王室,说是感谢借路。于是,周定王很高兴,又派王孙满去表示感谢。

王孙满带着周王的礼物去感谢楚庄王,楚庄王看见王孙满又来了,也很高兴,留下王孙满喝酒,到晚上才放他回去。

"楚王怎么样?他还有没有问鼎的野心?"周定王问,他关心的是这个。想想看,自己的人马连陆浑戎都打不过,人家楚军一去就打得对方稀里哗啦,那实力相差太远了。

"我看没有。"王孙满说,他是个聪明人,去这一趟不是光吃饭喝酒了,他察言观色,已经洞悉了一切:"楚王请我吃饭,吃饭的过程中,竟然有三个来自楚国的使者进来报告,可见得他的心思在楚国国内。我听说,此次讨伐陆浑戎,楚王与将领们同吃同住,亲密无间,深得军心。依我看,讨伐陆浑戎不过是个幌子,楚王要借机控制军队,抗衡若敖家族才是真正的目的。"

王孙满的分析十分有道理,周定王点点头,总算放了心。

楚庄王回到楚国,现在掌控了军队,底气更足。于是内政事务多半交给芳贾,外部事务亲自做主,倒把令尹斗越椒给晾起来了。

直到这个时候,斗越椒才想起来楚庄王荒淫三年原来暗藏着韬光养晦的目的。"早知道如此,那时候就废了他了。"斗越椒很郁闷很后悔,可是后悔是没意义的。

没办法,现在轮到斗越椒装孙子了。

俗话说,问天下英雄,谁不装孙子?

问题是,主动装孙子和被动装孙子,其境界是远远不同的,其结果自然也不可同日而语。

趁着楚国君臣钩心斗角,还有撕破面皮的这段时间,来看看郑国发生的一件很无聊的事情。事情虽然无聊,但是后果还是很严重,因为出人命了。

吃肉门

就在楚国攻打陆浑戎之后不久,郑穆公鞠躬尽瘁了,于是儿子郑灵公继位。

转眼过了年,一个楚国人不知道从哪里捉了一只大鳖,送来给郑灵公。为什么不送去给楚王呢?因为楚王见得多了,送给楚王给不出好价钱来。

郑灵公很高兴,打赏了楚国人,命令厨师把大鳖洗干净了,炖来吃掉。要说郑灵公这个人,是个好人,这么大的鳖,那是大补啊,他不舍得一个人吃,于是派人去通知卿大夫们都来,大家分着吃。为了给大家一个惊喜,郑灵公吩咐"别告诉他们来干什么"。

多好的君主啊。

公子宋和公子归生结伴前来,两人还猜呢:"叫我们去干什么?晋国人打来了?"

快进宫的时候,公子宋的右手食指自己跳起来了,公子宋高兴了。

"子家,快看我的手,我的手每次一跳,就是有好吃的了。这次啊,肯定是请我们来吃饭。"公子宋对公子归生说,子家是公子归生的字。

两人进了宫,一看,果然连盘子都准备好了,一只大鳖摆在一个大盘子里,厨师正在那儿切肉呢。

公子宋和公子归生都笑了,而且笑得很得意。郑灵公觉得奇怪,就问他们为什么笑,子家就把刚才的事情说了一遍。

郑灵公也笑了,不过他有个主意,好玩的主意。

等到人到齐了,郑灵公命令分肉,每个人都有,唯独公子宋没有。其实呢,郑灵公给他留了一块,只是要逗他玩。

所有人都笑了,因为公子宋把刚才的事情告诉了大家,现在大家一看,所有人都有吃,唯独你没有,当然要笑他。

公子宋受不了了,这太没面子了。

"主公,为什么大家都有,我没有?"公子宋大声喝问,从小到大,没这么没面子过。

"我不知道啊,你的指头那么灵,问你的指头啊,哈哈哈哈。"郑灵公大笑起来,看着公子宋涨得茄子一般紫的脸,他觉得很有趣。

哄堂大笑,有的人把嘴里的肉都笑了出来。

公子宋气得浑身发抖,他腾地站了起来,快步来到煮鳖的鼎前,把右手食指伸了进去,蘸了一点汤,放到嘴里尝了尝,然后迈开大步,扬长而去。

现在,大家都有点发愣了,公子宋竟然敢在国君面前这样放肆,是大家没有料到的。

郑灵公过了好一阵才回过神来,当时一拍桌子:"好啊,公子宋目无寡人,反了他了,给我捉回来砍了。"

原本是一件与民同乐的好事,如今反而要出人命。大家连忙劝解,做和事佬,说是大好的日子,杀自家人不吉利等等。

"娘的,一点幽默细胞都没有,不就拿他找个乐吗?我还给他留了一块大肉呢。"

就这样,郑灵公总算消了火,大家也都早早回去了。

这个事件,简称"吃肉门"。

郑灵公这边就算没事了,可是公子宋那边还没完。

"主公很生气,后果很严重啊。"公子归生跟公子宋是好朋友,所以特地来看公子宋,顺便把之后发生的事情告诉他。

"什么?为了一块肉,他就要杀我?"公子宋听完,前面的火还没消,后面的火又上来了。

"这不劝住了吗?其实,主公还给你留了一块肉,跟你开玩笑的。"归生连忙劝解。

"留了一块肉?留着他自己吃的吧?明知道我这人不喜欢开这样的玩笑,非要跟我开这样的玩笑,这不是故意羞辱我吗?好歹说,咱们也是他叔叔啊。"公子宋不听劝解,他这人对面子看得很重,当时是怎么想都想不开,最后一拍桌子,"娘的,他要杀我,老子先杀了他。子家,咱们联手把他干掉怎么样?"

146　　公子归生一听,傻眼了,心说犯得着吗,不就一块王八肉吗?

"我看，算了吧。你想想，就算家里养一头畜生，养时间长了，都不好意思杀啊，何况是国君呢?"公子归生劝，劝人的水平确实不高，怎么把国君跟畜生相比呢?《左传》原文是这样的："畜老，犹惮杀之，而况君乎?"

不劝也还好些，公子归生这一劝，公子宋更上劲了："你说得对啊，老畜生还舍不得杀呢，他怎么把千年的老王八给煮吃了? 他下得了手，我为什么下不了手?"

所以，如果不会劝人，千万不要去劝，否则只能火上浇油。

公子归生一看劝不了，赶紧告辞要走。

"我问你，跟不跟我干?"公子宋问公子归生。

"我，我不敢。"公子归生拒绝，不过他一向有些怕公子宋，也不敢大声说不干。原来，公子宋是嫡生，公子归生是庶生，哥俩的地位有差距，实力也不一样。

"好，算你有种，你等着瞧。"公子宋发出威胁。

第九十九章　楚庄王动手了

公子宋的威胁很快见效了。

说起来,公子宋跟郑灵公的关系远比公子归生跟郑灵公的关系要近。"吃肉门事件"之后,郑灵公基本上就忘了这件事情,公子宋主动去承认了错误,两人于是重归于好。

"主公啊,你要当心子家这个人。"公子宋说。

"怎么? 他不是挺老实吗?"郑灵公问,他对公子归生的印象一直不错。

"老实? 装的,你知道那天他从这里走之后,到我那里说什么了吗?"

"说什么了?"

"唉,你自己问他吧,我要揭发出来,就不够兄弟意气了,请主公体谅。"

公子宋卖了个关子,走了。

冤死了

郑灵公左思右想,还是想不通公子归生会对公子宋说了什么。可是越想不通,就越想知道。

"来人,把公子归生给我叫来。"郑灵公下令。他一定要知道公子归生到底对公子宋讲了些什么。

公子归生急急忙忙来了,路上还想"是不是又要吃鳖了"之类,到了才发现,就自己一个人。想想看,自己在所有公子中地位基本最低,人缘也就一般,郑灵公急急忙忙把自己叫来,肯定不是什么好事。

果然,他猜对了。

"子家,据说,吃鳖的那天,你离开这里,去了公子宋的家里,是吗?"郑灵公问。

公子归生开始头大了,他不知道郑灵公究竟问这个干什么。

"是,我、我去开导他。"

"怎么开导的?"

公子归生在那一刻有些发呆,什么话能说,什么话不能说,他心里完全没有谱。

支支吾吾,有一句没一句的,公子归生回忆那天晚上的对话。当然,他是绝对不敢说公子宋要杀郑灵公的那些话的。

郑灵公原本心里就有点想不通,看公子归生这个样子,就觉得这小子心里一定有鬼。

郑灵公再三盘问,公子归生翻来覆去也就那么几句话。

"算了算了,别说了,你走吧。"郑灵公听得有气,又不好发作,干脆让公子归生走了。

公子归生现在想不通啊,越想不通还就越想,就更想不通。最后,他决定去找公子宋请教。

"主公今天找我去了,问我那天找你干什么,我猜想,主公是怀疑我们要造反了。"公子归生把事情经过大概说了一遍。

"别介,不是怀疑我们造反,是怀疑你造反。"公子宋挺直率,把自己怎么说公子归生的坏话也说了一遍,最后说,"看见没有,我不是吓唬你吧?要不,你跟我联手杀了主公;要不,我再去主公面前说你的坏话,让主公杀了你。现在两条道路你自己选择,不是你死,就是他死。"

公子归生目瞪口呆啊,就像路上被强盗抢了,去警察局报案,却发现警察局就是个土匪窝。怎么办?公子归生盘算了一下。

如果不答应公子宋,再被他说几次坏话,自己基本上离被砍也就不远了。能不能去郑灵公那里揭发公子宋呢?俗话说:疏不间亲,到时候弄不好被公子宋倒打一耙,给自己扣个挑拨离间的大帽子,那是贼咬一口,入木三分,只怕死得更难看。

"不是我死,就是主公死,那合着是我跟主公有仇了,你反而成局外人了?"公子归生算来算去,觉得自己够冤的。

"别说废话,赶快决定。"公子宋不耐烦了。

"唉。"公子归生叹了一口气,谁会选择自己死呢?

到夏天的时候,公子宋和公子归生找了个机会,真的把郑灵公给杀了。于是,郑国人立郑灵公的弟弟公子坚为国君,就是郑襄公。

当初好心好意请大家吃鳖,结果弄到自己被杀,郑襄公基本上算是死得

最冤的人之一了。两个教训,第一,有好吃的不要随便请人来吃,难保会有吃多的吃少的,最后还得罪人;第二,别在众人面前开别人的玩笑,被人记恨比欠人家钱更可怕。

权力斗争金科玉律第十二条:为了一时恩怨而报复别人,即便很成功,那也算不上权力斗争。

逼反斗越椒

晋灵公被杀、郑灵公被杀,两个灵公的死让楚庄王坐不住了,他有理由怀疑,如果自己再不采取果断行动,自己就会成为楚灵公。

楚庄王开始调动军队,准备铲除斗越椒。

斗越椒也不是省油的灯,在政治斗争这个方面,他虽然不如赵盾那么果断,但是警惕性是有的,几年来楚庄王处处提防自己、限制自己,这些他都看在眼里。而现在他感到形势已经很严峻,宫内的卧底也透露出一些不利的信息来。

当斗越椒确信楚庄王就要动手的时候,他决定逃跑。于是,斗越椒在一个星月满天的夜晚离开了首都,奔往自己的封邑,只留下一张病假条,让手下第二天交到庄王的手中。

"跑了。"楚庄王倒并没有吃惊,这在他的意料之中,而且在某种程度来说,这也是他所希望的。

楚庄王知道,杀斗越椒未必很难,但是,要找一个适合的罪名并不容易。这一点很像当初狐偃杀郤芮、吕省,最好的办法就是让他们自己忍不住跳出来。

可是跑了并不能说明太多问题,这不是一个够分量的罪名,甚至算不上罪名。

"芳贾,斗越椒身体不好,回家休养了。现在我任命你为令尹,麻烦你走一趟,去斗越椒那里替我慰问他,顺便也看看他的身体怎么样了。"楚庄王直接任命芳贾为令尹,还让芳贾去慰问斗越椒,实际上就是要羞辱他,因为芳贾一直以来都是斗越椒的下级。

芳贾一百个不愿意去,他早就看出形势来了。可是他不能不去,去有死的可能,不去则是必死无疑。

写了遗嘱,艻贾上路了。

斗越椒回到自己的地盘,心里踏实了许多,他甚至相信,尽管自己家族的兵力比楚王的兵力要少,战斗力却绝对不比楚王的兵力差。

几天之后,艻贾来了。

"你来干什么?"斗越椒问,他始终瞧不起艻贾。

"奉大王的命令来看望你,顺便告诉你,大王让你安心养病,我担任令尹。"艻贾说。

"你?哈哈哈哈。"斗越椒笑了。

在斗越椒看来,艻贾就是楚庄王的宣战使者。而且,艻贾夺取了自己的职位,就是自己的敌人。

"来人,砍了。"斗越椒根本没有犹豫。

艻贾就这样被杀了。

难道楚庄王想不到斗越椒会杀艻贾?他当然想到了。那么,难道楚庄王就是让艻贾去送死?不错,楚庄王就是要让艻贾去送死。

原来,当年斗越椒害死斗般,艻贾就是帮凶。所以,楚庄王心里也瞧不起他,这次正好让他死在斗越椒的手中,也算是罪有应得。

秋天的造反

秋收的时候,斗越椒造反了。

斗家是楚国第一世家,以家族实力而言,斗家不仅是楚国第一,甚至是世界第一。所以,斗越椒有这个底气跟楚庄王决一死战。而且在斗越椒的头脑里,斗家是为楚国做出了巨大的贡献的,如今完全是被逼造反。

斗越椒杀害令尹,公然造反,消息传到郢都,整个朝廷都炸了窝。

楚庄王急忙召开卿大夫会议,讨论当前的形势。虽然所有的人都谴责斗越椒的公然背叛,但是,说起讨伐斗越椒,并没有多少人响应。为什么?一来,斗家实力强大,真要交锋起来,胜负难料;二来,斗越椒造反确实有被逼的意思,尽管斗家一向有些跋扈。

"这样吧,再怎么说,斗家也是楚国的世家,为国家做出了巨大的贡献,我们还是给他一个悔改的机会吧。"楚庄王看出来了,现在讨伐斗越椒不是最佳时机。

第二天,楚王特使前往斗越椒的领地,传达楚王的建议:既往不咎,请斗越椒回来继续担任令尹。

特使被痛打一顿,赶了回来。

"看来,斗越椒是担心我秋后算账,自己的安全没有保障。"楚庄王没有生气,反而自我反省。

第二天,又一个特使前往斗越椒的领地,这一次带去了楚庄王的全新提议:请斗越椒回来担任令尹,同时,庄王派自己的一个叔爷、一个叔叔和一个兄弟去斗越椒的地盘,充当人质。

特使又被打了一顿,赶了回来。

"这个斗越椒太过分了。"这一回,没等庄王说话,卿大夫们愤怒了。是啊,大王都这样仁至义尽了,你斗越椒还不肯妥协。如果说从前你还占点理的话,如今你就一点道理都没有了。

"唉,算了算了。要不,我就流亡到晋国去,或者去吴国吧。我走之后,大家去请斗越椒回来。"庄王不动声色,提出自己的新建议。

"大王,这怎么行?哪有国君避让反臣的?"大臣们不同意,坚决不同意。

"那,怎么办?"

"讨伐斗越椒!讨伐斗越椒!"群情激奋。

庄王笑了,他知道,时机已经到了。

权力斗争金科玉律第十三条:对付强敌,要适时示弱,争取同情票。

楚国大军向斗越椒的封地进军,渡过漳水。

与此同时,斗越椒的军队也开始出发。于是,两军在皋浒(今湖北省襄阳县西)相遇了。相比较,楚王的部队人数占据优势,而斗家的族兵是楚国的锐卒,战斗力超强。

不过从士气上看,楚军明显更高一些。

两军列阵,楚庄王远远地看着斗越椒,只见斗越椒在战车上耀武扬威,十分威风。说实话,楚庄王心里还真是有些打鼓。

"我们人多,利于混战。"楚庄王想到这里,挽好了袖子,抄起鼓槌来,就准备擂鼓冲锋。

对面的斗越椒远远看过来,发现楚军的士气出乎意料地高,心里也有些打鼓。他猛然看见楚庄王,暗自打定主意:我只要一箭射死楚王,他们不就崩溃了?

是个好主意。斗越椒打定主意之后,毫不迟疑,抽出一支箭来,力贯双臂,远远瞄着楚庄王,"嗖"一箭射出。

152　　斗越椒是楚国著名的神射手,他射出的箭既远又准。只见那支箭在空中划出一条漂亮的直线,穿过庄王的车辕,又穿过鼓架,正射在了铜钲上,"仓啷"一声巨响,所有人都能听到。

射程够远,力量够大,可惜,偏了一点。

楚庄王吃了一惊,两手一哆嗦,鼓槌差一点掉地上。

等到楚庄王抬头去看的时候,又吃了一惊,因为又来了一支箭,力道比刚才的还要大。楚庄王要躲,来不及了。只见那支箭又穿过了车辕,"噗"一声,射穿了车盖。

射程更远,力量更大。可惜,又偏了一点。

整个楚军都发出惊叫声,大家都很害怕,有人开始后退。

楚庄王一看,要有麻烦,怎么办? 眉头一皱,计上心头。

"兄、兄弟们,不要怕,当年文王讨伐息国的时候,缴获了三支神箭,后来被斗越椒偷走了两支,就是这两支。射完这两支,他没戏了。"现编现演啊,也亏了庄王急中生智。

楚军不像刚才那样慌乱了,可还是心怀畏惧。

总的来说,形势还是不太好,因为斗越椒的第三支箭随时会射过来。

关键时刻,有人说话了,谁? 潘党,潘尪的儿子,楚国第一射手。

"大王,另外的一支神箭在我这里,看我的。"潘党十分聪明,知道这个时候庄王最需要的是什么。

只见潘党从箭囊里抽出一支箭来,张弓搭箭,看准了斗越椒,一箭出去。

斗越椒干什么呢? 热身呢。刚才两箭出去都没射中,斗越椒发现自己的状态不是太好,命中率太差,于是放下弓,活动活动膀子,使劲眨眨眼,准备再射。

俗话说:机会总在一线之间。抓住了,机会属于你;抓不住,机会就收拾你。

斗越椒活动开了,抬头看庄王是不是躲了起来。可是,等他抬头的时候,他知道没有必要去关心庄王了,因为一支箭已经贴近了自己的脸。斗越椒只来得及惊叫,而他终于没有惊叫出来,因为箭就从他张着的嘴射了进去。

射程更远,力量更大,而且,准确度更高。

鼓声,楚庄王亲自擂响的战鼓声。

战斗才刚刚开始,但是已经结束。

"鼓而进之,遂灭若敖氏。"《左传》记载。

宽厚的楚庄王

斗家的命运应了子文的预言,整个家族在战斗中灭亡。

其实,斗家的命运是注定的,并非由于斗越椒而如此。因为斗家的地位注定了他们必将是楚王铲除的对象,只是不幸地被斗越椒遇上了。而这一点将会无数次地被证明,在春秋,在整个中国历史。

斗越椒的儿子斗贲皇跑了,他很自然地选择了晋国。在晋国,斗贲皇受到欢迎,谁不欢迎来自敌方的叛徒呢?

斗贲皇成为晋国的大夫,因为封邑在苗,改名为苗贲皇。到这里,苗姓的读者请起立,因为苗贲皇就是苗姓的始祖。

斗越椒做梦也想不到,自己的后代成了晋国人。

斗家,楚国最大的家族就这样灭亡了;斗姓,楚国第一大姓,不知道如今还有没有姓斗的。

那么,斗家在楚国消失了吗? 没有。

子文的一个孙子叫做斗克黄的,担任箴尹一职,大致相当于后来的谏臣,现在的体改委主任。斗越椒起义的时候,他正在齐国出访。回国途中在宋国听说了起义失败的消息,手下人就说:"别回去了,逃命吧,就去齐国吧。"

"不行,任务没完成就跑了,不厚道。回去吧,认命吧。"

就这样,斗克黄回到了楚国,向楚庄王汇报了出访的情况之后,让人把自己给绑起来,送到法院去了,那时候叫有司败,算是自首。

"不能让老实人吃亏啊,况且,子文对楚国的功劳那么大,怎么能让他断子绝孙? 斗克黄不能杀,官复原职。"楚庄王亲自过问,不仅让斗克黄官复原职,还给他改了个名字叫斗生。

"大王宽宏大量啊。"楚国的百姓们都在说。

其实,楚庄王还有一件宽宏大量的事情大家不知道呢。

讨伐斗越椒回来,楚庄王高兴,于是摆了一个庆功宴,就在宫里,大小将军有一百多号。

那天下午,楚庄王拿出珍藏八年的好酒,与大家开怀畅饮。说来也是,除掉了斗越椒这个眼中钉,楚庄王终于可以睡个安稳觉了。

酒一直喝到晚上,大家都喝了不少,吆三喝四的,也不管什么体统不体统了。庄王喝得高兴,一高兴之下,把自己最宠爱的美人许姬叫来助兴,也让大家看看美人有多美。

154

看见美人,大家来劲了,本来就喝多了,现在黄段子就上来了,说得大家哈哈大笑。有大胆的,就偷偷地盯着美人看。

说来也巧,就在大家喝得二五二五的时候,突然来了一阵阴风,把所有的灯都给吹灭了,恰好那天晚上没有月亮,宫里黑得伸手不见五指。说时迟那时快,许姬就发觉有人扯她的袖子,随后,一股酒气扑面而来,热腾腾的一张脸凑了上来。许姬知道,有人要趁黑吃自己的豆腐。

美人急中生智,一边躲闪,一边伸出手去推那人的脸,谁知没有推到脸,推到了那人的头盔,许姬顺势抓住头盔上的缨,一把拔了下来。那人显然吃了一惊,闪开了。

"大王,刚才有人要吃我豆腐,我把他头盔上的缨拔下来了,等下点灯之后,一定要把这人抓住。"许姬低声对庄王说。

就在这个时候,外面吵吵嚷嚷,内侍们拿着火种来了。

"各位,今天是朋友大会,没大没小,大家都把头盔上的缨拔下来,不醉不休,哈哈哈哈。"黑暗里,楚庄王高声下令。

一片哄笑声中,所有人都把头盔上的缨拔了下来。等到重新点灯,所有人的头盔上都没有缨了。

那一天喝得很晚,大家都是扶着回去的。

"大王,你为什么放过那个人?"许姬陪庄王上床之后,不解地问。

"我请大家来喝酒,我让大家喝多了,结果人家喝多了失礼了,我却要杀人家,是不是太不厚道? 再说,喝多了酒又看见美女,谁不想吃豆腐? 人之常情,何必太在意?"

楚庄王,大度啊。

第一〇〇章 清廉孙叔敖

灭了若敖家族,楚庄王除去心头大患。

消灭了敌人,不等于自己就强大了。

有史以来,但凡内部斗争,一定是两败俱伤。

过去的若干年里,楚庄王一门心思就是跟斗越椒斗了,什么民间疾苦,什么国民经济,那些统统都不关心,也没精力去关心。如今消灭了斗越椒,这才想起来国家还要管理。

等到真要管理国家的时候,庄王发现,国家已经成了个烂摊子了。

庄王决定重用贤能。谁比较贤能呢?庄王早就看好一个人,这个人叫做虞邱,是沈地的地方官,因此又叫沈尹虞邱。虞邱这人把沈地治理得井井有条,很多人都举荐他。

于是,虞邱连升三级,成了楚国的新任令尹。

虞邱不是楚国公族,以这样的出身能够成为令尹,这在过去是无法想象的。

虞邱让贤

虞邱人品好,学识广,还很敬业,庄王非常喜欢他。但是,一年时间过去了,楚国的起色并不大。

"国家大了,也许需要更长的时间。"庄王心想,他从来没有怀疑过虞邱的能力。

这一天,庄王和虞邱探讨治国方略,谈得兴起,一直到深夜才回到后宫。

"大王,怎么才回来?"回来晚了,美人不高兴了。哪个美人? 许姬? 早换人了,这个美人叫樊姬,正得宠呢。

"跟虞邱讨论国家大事,说得高兴了,回来晚点。"对于美人,庄王还是很呵护的。美人生气,庄王不会生气。

"虞邱行吗?"

"怎么不行? 楚国还有比他贤能的?"庄王有些不高兴了,就算你长得漂亮,也不等于你什么都懂啊。

"我觉得他不行。"樊姬瞥了庄王一眼,笑嘻嘻地说:"大王啊,我觉得吧,贤不贤呢不能只看他有没有学识或者长得漂不漂亮。就说我吧,我认为自己挺贤的,并不是说我自认为自己有多美,而是我不仅自己伺候大王,我还尽心尽力给大王介绍新的,数数看,我在外面给大王物色进来的,有两个比我还美呢,还有几个也不亚于我啊。你再看看虞邱,这令尹干了一年多了,有没有给大王您推荐过一个两个贤人啊? 如果没有的话,那就是失败。"

庄王笑了,樊姬这人,说到长相,在宫里也就是一流半,连一流也算不上。可是会来事,常常托人在外面打听谁家的女孩子长得漂亮,然后就来向庄王报告。一来二去,跟庄王混个脸熟,再加上能说会道善解人意,且又推荐了几个不错的让庄王满意,庄王竟然是越来越喜欢她,现在她成了后宫里最受宠爱的美人了。

"这么说,要是你是男人,就该让你当令尹了?"庄王笑道,随后将樊姬抱了起来,扔到床上。

灯影摇曳,呻吟声起,一夜无眠。

第二天,庄王见到虞邱的时候,顺便就把昨晚上樊姬的话学了一遍。"女人懂得什么,哈哈哈哈。"学完,庄王大笑起来。笑声中,虞邱站了起来,躬身施礼。庄王一愣,原本大家都坐着,如今虞邱站起来施礼,那就是有很严肃的话要说了,难道他要辞职不干了?

"大王,夫人说得对,我,我辞职行吗?"

别说,还真不干了。

楚庄王急了,心说你怎么这么小心眼啊? 不就是个女人说你两句吗?

"令尹啊,你看你,这有什么好当真的?"庄王劝道。

"大王啊,我不是生气,我是真的这么想的。夫人没说之前,我还犹豫;现在夫人都这么说,我觉得我不能再犹豫了。我的能力我知道,管个小地方没问题,可是,管理楚国这么大个国家,心有余而力不足啊。"虞邱说得很真诚,显然是经过深思熟虑的,见楚庄王有些发愣,接着说,"能力不够就不要占着高位,我的能力就不够。占着茅坑不拉屎,那就是贪婪;有贤人而不推荐,那就是诈骗;知道了贤能而不让位,那就是不廉洁。这三点都做不到,那

就是不忠。如果我还不辞职,我就是不忠。我如果不忠,大王还挽留干什么?"

高风亮节,典型的高风亮节。

庄王听了半天,心说"对啊",于是问:"你要是走了,谁来接替?"

"大王,我就是发现了贤人,这才坚决辞职的。在期思(今河南固始县)有一个人名叫孙叔敖,家里很穷,但是人很有骨气,又有学问,又不贪,这个人来当楚国令尹,那绝对是大王的福气。"原来,虞邱是已经选好了继承人。

"孙叔敖?能比你还强?"庄王有些不相信。

"这样,我给你讲个孙叔敖的故事,你就知道这个人了。"

孙叔敖斩蛇

孙叔敖小的时候,一次出去游玩,在路上遇上了一条蛇。

"死了死了。"看见蛇,孙叔敖怕得要死。怕蛇?孙叔敖并不怕蛇,他只是怕这种蛇。这是一种什么蛇?两头蛇。

根据当地的传说,看见两头蛇的人,一定会很快死掉。

想到自己就快死了,孙叔敖哭了。哭了一阵,他突然想起什么来了,拔出刀来,一刀把两头蛇砍成了两段。之后,孙叔敖挖了一个坑,把蛇埋了起来。

回到家里,孙叔敖愁眉不展。老娘看见了,觉得奇怪,仔细看,好像还哭过。老娘心里合计:"这孩子向来老实,从来不惹事的,这是怎么了?跟人打架了还是跟初恋女友分手了?"

"孩子,怎么哭了?"老娘问。

孙叔敖忍不住又哭了,一边哭,一边把自己看见两头蛇的事情告诉了老娘。

"蛇在哪里呢?"老娘听了,也很紧张。

"我怕这条蛇再被别人看见,所以我杀了它,埋起来了。"孙叔敖说。自己都要死了,还要为别人着想。

"孩子,你真是个善良的人啊。你知道么,这叫积阴德,上天是不会让积阴德的人死去的,别怕,你死不了。"老娘放心了,她坚信,天佑好人。

这段故事,是中国历史上最著名的故事之一,几千年来人们都用来教育儿童。

庄王被虞邱的故事吸引了,他立即喜欢上了孙叔敖。

当天,楚王的特使出发了。

三天之后，孙叔敖来到。庄王看见孙叔敖，只见小伙子眉清目秀，眉宇间一股傲气夹杂着正气，庄王大喜。一交谈，发现这确实是一个又正直又有才的人，庄王放心了。

　　第二天，楚庄王宣布任命孙叔敖为令尹，虞邱光荣退休，尊为"国老"，赏赐采邑三百户。

　　孙叔敖，子文之后楚国的又一位名相出世了。

　　孙叔敖怎样治理国家我们随后再说，先把后面的一件事情说完。

　　孙叔敖做令尹之后不久，虞邱的一个家人犯了法，孙叔敖将此人捉去，一审理，死罪，当时就给砍了。虞邱知道之后，跑到庄王那里去了。庄王一看，这是来告状来了，安慰一下吧。

　　"大王，恭喜啊。我说过孙叔敖治理国家公正无私吧，真是这样啊，我也放心了。"虞邱高兴地说。原来他不是来告状的。

　　"国老，这也是你的功劳啊，我好感动好感动啊。"庄王说，虞邱的话真的让他感动。

　　后世有人说孙叔敖是蒍贾的儿子，此说不大可靠。

　　按《史记·循吏列传》记载："孙叔敖者，楚之处士也。"处士，古时称有才德而隐居不仕的人，即所谓隐士。试想，蒍家是楚国大族，蒍贾又是司马，儿子怎么可能是处士？

　　《荀子·非相》记载："楚之孙叔敖，期思之鄙人。"什么是鄙人？郊区农民。就算蒍贾已经死了，儿子也不会这么快就成了郊区农民吧？

　　何况，所有正史中，没有任何证据证明孙叔敖是蒍贾的儿子。

　　不过，孙叔敖应当是蒍贾的族人，他的另外一个名字叫做蒍艾猎。所以，孙叔敖是楚国公族，也是孙姓的祖先之一。孙姓的读者不妨在此致敬，不论孙叔敖是不是你的祖先，他也是整个孙姓的骄傲。

老头的忠告

　　孙叔敖当了楚国令尹，一时也是志得意满，未免有些得意忘形了。

　　而看见孙叔敖一步登天，大姑小姨、左邻右舍、小学同学、路上打过招呼的、一块放过牛的，等等，凡是八竿子之内沾上点儿边的，一个个都来祝贺。一时间，宾客盈门，三教九流都有。

　　基本上，大家都是一个调子：拍马屁。

　　转眼过了一个多月，基本上拍马屁的已经轮了一遍，孙叔敖也快不知道自己姓什么了。

　　这一天,来了一个老头。老头穿着一身粗布衣服,戴着一顶白帽子。粗布衣服说明他很穷,白帽子说明他是来哭丧的。

　　"大爷,您这是什么意思?"孙叔敖压着火问,还好他的修养还不错,"你看,别人都是来祝贺的,你怎么来吊唁呢? 走错门了吧?"

　　"孙子,拍马屁的太多了,如果你今天不听我的话,用不了多久,大家都会来给你吊唁的。"老头也不客气,你叫我大爷,我就叫你孙子。

　　孙叔敖心里咯噔一下,他是个聪明人,他知道这老头肯定有两刷子。

　　"大爷,您坐。"孙叔敖连忙请老头坐下,倒上水送过去。

　　老头挺高兴。

　　"孩子,我听说,显贵了就到处炫耀,大家就会离开他;当官了就独揽大权,君王就会讨厌他;工资待遇高还不满足,灭顶之灾就会来到。想想看,斗越椒是怎么死的?"老头直来直去,可以说是直指要害。

　　孙叔敖一愣,老头说得对啊。多亏了这个老头提醒,否则,自己云里雾里的,不知道什么时候死呢。想到这里,禁不住冒出一头冷汗来。

　　"大爷,您的指教太及时了。那个什么,再给我一点教诲吧。"

　　老头一看,这小子挺机灵,一点就通。

　　"好吧,那就告诉你。地位高,更要低调谦恭;权力大,更要小心谨慎;工资待遇好,更不能贪污受贿。有这三点,你就能把国家治理好,自己也能得到善终,子孙后代也不会受穷。"老头针对前面三点,给出了答案。

　　孙叔敖激动啊,初次当官,而且是这么大的官,自己真有些忐忑不安,有了老头这三条,自己的心里就有底了。

　　"大爷,那什么,我,我太崇拜您了,我、我就是您的粉丝啊。那什么,我把您的话当成格言挂起来。那,那什么,我感谢您祖宗八辈。"孙叔敖激动坏了,金玉良言啊,不是每个人都有这样的金玉良言的。

　　从那以后,孙叔敖把老头的三条忠告刻好了挂在自己的家里了。一生一世,孙叔敖就是这么要求自己的。

　　哪三条? 请牢记。

　　位益高而意益下,官益大而心益小,禄厚而慎不敢取。

清廉孙叔敖　

　　孙叔敖治理楚国的成就实际上超过了子文,得到的历史评价也在子文之上。《史记·循吏列传》第一位就是孙叔敖,太史公给的评价极高。

　　孙叔敖的治国理念就是"执政为民,富民强国",也就是让老百姓先富起来,增加老百姓的财产性收入;执政策略是"施教导民"(《史记》),也就是采取引导和示范的方法和推行新政,而不是强制性的方法;具体的做法很多,但是,最著名的应该是孙叔敖兴修水利。

在水利建设上,孙叔敖是一个里程碑式的人物。"决期思之水,而灌雩娄之野",即孙叔敖在期思兴建水利工程,灌溉农作物,这项水利工程,就是我国古代历史上著名的"期思陂",这大概是我国最早的渠系工程之一。

"或曰孙叔敖激沮水作云梦大泽之池也。"古代沮、漳水入江通云梦泽,此项工程当在沮、漳水下游,建成后给以郢都为中心的农业水利灌溉带来极大方便。另,"孙叔敖为楚相,截汝坟之水,作塘以溉田,民获其利"。这样,楚国南部的沮、漳水流域,北部的汝水流域,都兴建了水利工程,形成了南、北灌溉网络。

安徽寿县境内的芍陂,也是孙叔敖所创建。这是我国历史上著名的大型灌溉工程,唐代改名为安丰塘,至今仍发挥着灌溉效益。

孙叔敖指挥兴建的水利工程自然不止这些,这不过是其中典型的几个。

可以说,孙叔敖注重兴修水利、发展农业的方针与实践,不仅为楚庄王争霸中原奠定了物质基础,而且为我国水利建设树立了光辉的榜样,有着深远的影响。

除了注重农业,兴修水利,孙叔敖对于工程建设也极有造诣。

据《左传》记载,为了加强北境建设,孙叔敖又筑沂城(今河南正阳境内)。他派人筹度工程,上报司徒。计量工程、时间、人员、材料、干粮,结果三十天完成建城,保质保量提前实现了预定计划。这项工程不仅建立了北进的基地,加强了与晋争战的实力,也说明孙叔敖重科学技术,多才多艺。

《史记》记载,楚庄王有一次不知道哪根筋动了,大概是玩了一次微服私访之类的东东,到市场上买了点东西,结果他发现一个问题:钱太轻了,拿着不舒服。老大下令:钱太轻,换重的。于是,旧版楚国钱币换成了新版的。

商人们就觉得奇怪啊,旧版用得好好的,怎么换新版了?神经病犯了?要不就是有什么阴谋,准备私有资产国有化了?大家害怕,于是干脆不做生意了。

市场萧条了,金融危机眼看就要爆发。

这个时候,孙叔敖看到了危机。经过调查,发现一切都是新版楚国钱币引发的问题。于是,孙叔敖紧急命令停止使用新版钱币,恢复旧币。命令下达,孙叔敖才向楚庄王作了报告。庄王听了,也赞同孙叔敖的做法。三天之后,市场恢复人气,一场一触即发的金融危机终于被化解于无形。

另据《史记》记载,楚国的车底盘低,尽管坐起来稳当,但是马不好用力,因此车的速度提不上去,不仅容易塞车,而一旦打仗,士兵们的驾驶技术就

出问题。针对这个问题,楚庄王命令提高车的底盘。可是,命令下了好几次,没有任何效果,老百姓根本不买账。是啊,车好好的,你要提高底盘,改装车不要钱的?

孙叔敖又提建议了:"大王,如果您一定想把车改高,那就让都城里各个小区把大门的门槛加高,这样,底盘低的车就必须空车才能过去,车上的人就要频繁下车了。为了不频繁下车,他们自然就会把车的底座造高了。都城人提高了底座,全国都会仿效的。"楚庄王于是采纳了孙叔敖的意见,果然,过了半年,老百姓都自动把车子底盘造高了。

"此不教而民从其化,近者视而效之,远者四面望而法之。"这就是司马迁对孙叔敖治国方法的评价。在某种程度上,孙叔敖在治理国家方面与管仲很相似,他们都很务实,也都很有办法。

在楚国历史上,孙叔敖治理国家这段时间应该是最富足的时期了。

模仿秀的祖师爷

尽管在治理国家方面很像管仲,在另一个方面,孙叔敖和管仲截然不同,那就是:管仲富,孙叔敖穷。

孙叔敖是很穷的,只娶得起一个老婆,生得起一个孩子,而且老婆孩子整年都没什么新衣服穿,自己也没有好马,他的车要么是最差的马,要么干脆就是牛车。贪污的机会很多,受贿的机会也很多,甚至请赏的或者自己奖赏自己的机会也很多,可是,孙叔敖时刻牢记老头的三条教诲,安于清贫。

到临死,孙叔敖穷得买不起好棺材。

鞠躬尽瘁之前,孙叔敖把儿子叫到身边,交代后事:"儿啊,我就要死了,没留下什么财产给你们母子,你呢,也没有什么才能,你一定会受穷。受穷也不要找门路当官,你不是那块料。况且,你也没什么门路可找。实在穷得受不了了,你就去找优孟,他会帮你的。"

优孟是谁?就是一个姓孟的演员。优孟跟孙叔敖关系不错,孙叔敖的儿子认识他。

孙叔敖没几天就鞠躬尽瘁了,老婆孩子基本上用光了家里的积蓄,总算把他老人家给埋了。从那之后,老婆孩子就靠着砍柴度日。几年之后,孙叔敖的老婆也一病不起,去找孙叔敖了。

孙叔敖的儿子现在走投无路了,怎么办?想起老爹的临终遗言,于是去找优孟了。

"啊,你怎么混成个叫花子了?"优孟看见孙叔敖的儿子,大吃一惊,要不是仔细看,根本认不出来了。

"我、我爹临终前说了,要是穷得活不下去了,就来找您。"

"那,好吧。"优孟略微沉吟了一下,答应了,然后给了孙叔敖的儿子一点钱,让他回去等消息。

孙叔敖的儿子谢过了,回到家里,一边等消息,一边继续卖柴为生。

优孟用了一年时间做准备,准备什么?

一年之后,楚庄王正在宫里喝酒呢,突然有一个人从容走了进来。抄起一个酒杯,向楚庄王敬酒。庄王大吃一惊,心说这大内侍卫们怎么回事,怎么随随便便把人放进来了?正要发火,一看眼前这个人,庄王吓了一大跳,当时就明白了。怎么回事?他看见一个活生生的孙叔敖了,神态、衣着、动作都跟孙叔敖一模一样。

"啊,老孙,你复活了?"庄王惊诧地问。

"我,不是老孙,大王认错人了。"来人否认。

不否认还好,这一否认,庄王更加惊讶了。为什么?因为这个人不仅神态像孙叔敖,就连说话的口音和声调都一模一样。

"你,你就是孙叔敖。"

"我真不是,我顶多也就是一山寨版的。你想想,孙叔敖死了这么多年了,骨头都烂了,就算诈尸也诈不出来了,我真不是。"来人继续否认。

楚庄王想想,这人说得有道理啊。可是有道理归有道理,这人跟孙叔敖真是没有什么两样。楚庄王把内宫里认识孙叔敖的人都叫来看,结果人人都说这就是孙叔敖。

"这样,甭管你是不是孙叔敖,你来当令尹吧。"庄王也不管那些了。管他山寨不山寨,山寨的未必就不如原版的。

"这个,我得回家跟老婆商量商量,我做不了主。"山寨孙叔敖还是个怕老婆的,这跟正版孙叔敖也一样。

"那行,给你三天时间,不见不散啊。"庄王跟他约好了时间。

三天之后,山寨孙叔敖来了。

"怎样?老婆批准了吗?"楚庄王急切地问。

"老婆不批准啊。"山寨孙叔敖回答。

"为什么?"

"为什么?老婆说了,当楚国的令尹很没劲,孙叔敖为国家作了多大的贡献?又廉洁奉公,不贪污腐败。结果呢?他死了之后,儿子连立锥之地都没有,如今靠卖柴为生,跟叫花子没什么区别。正版孙叔敖都这个下场,我山寨版的不是更惨?如果大王一定要让我当令尹,那我就自杀。"山寨孙叔敖眼睛都不眨,说了这么一番话。

"无立锥之地"这个成语，就出自这里。

楚庄王多么聪明的人啊，立即明白了，山寨孙叔敖是来为正版孙叔敖抱不平的。

"多谢你提醒啊，我改，我改还不行吗？"楚庄王这点好，知错就改而且绝不拖泥带水，他立即派人找来孙叔敖的儿子，在孙叔敖下葬的地方封了他四百户。

从此，孙叔敖的儿子成了小地主，过上了小康生活。

而山寨孙叔敖，就是优孟。

如果说模仿秀的祖师爷是优孟，有人反对吗？

在这里，让我们深情地补一句：孙叔敖，你如此清廉，我们永远怀念你。

第一〇一章　你是神经病

楚庄王十三年(前601年),楚国讨伐舒国和蓼国(都在今安徽省境内),一举灭了他们,再次扩张土地。

楚国的内部问题解决了,晋国呢?

同年,晋国发生了大事,头等大事。什么头等大事?赵盾死了。

再强的人,再精通权力斗争的人,也不可能斗得过时间。

这一次,晋国的大夫们都学了个乖,赵盾病重期间,个个都在首都蹲着。就算地震来了,就算禽流感来了,也坚决不走。

赵盾的死,毫无疑问预示着晋国的权力结构要发生变化。那么,会发生怎样的变化呢?

顺利交班

按照晋国原有的六卿排位,赵盾之后是荀林父,荀林父之后是郤缺,那么,赵盾一死,应该是荀林父递补中军帅。

可是,赵盾会让荀林父接自己的位置吗?绝对不会。

临死之前,赵盾在床上召集六卿开会,指定了郤缺接任中军帅。有人反对吗?就算有人反对,也没有人敢说。

等到别人都走之后,赵盾留下了郤缺,他还有话要说。

"缺,你知道为什么选择了你而没有选择荀林父吗?"赵盾问。

"啊,请指教。"郤缺其实都知道,他装不知道。

"荀林父这个人头脑太死了,不行。"赵盾语重心长地说,他看看郤缺,接

着说，"不过，他这人还算老实，不用提防他。有一个人必须除掉，那就是胥克，我看这人一直对我们怀恨在心，一定要除掉他。"

郤缺点点头，说了声"是"。

"还有，我儿子赵朔就托付给你了，替我照看好他。"赵盾又说，这是他最放心不下的事情。

"元帅，您放心，我知道该怎么做。"郤缺说。他知道，而且完全知道赵盾想要他做什么。

赵盾点点头，从郤缺的眼光里，他知道自己可以闭眼了。

赵盾走了。

但是，晋国的权力斗争并没有走。

权力斗争金科玉律第十四条：一定要把权力接力棒传给自己信得过的人。

晋国权力结构的重新布局并没有遇到什么阻力，郤缺唯一的竞争者荀林父选择接受组织安排，他原本就不是一个权力欲很强的人，对权力斗争也不感兴趣。

现在的六卿排名是：郤缺、荀林父、士会、栾盾、胥克和先縠。先縠是先轸的什么人？按《史记》的说法，他是先轸的儿子。应当是先轸的小儿子，先轸的孙子先克死的时候没有儿子，因此，先家的族长就由他叔叔先縠来递补了。

赵家被挤出了六卿，或者说，还需要重新排队。

但是，由赵盾一手提拔起来的郤缺是不会让赵朔等太久的。从另一个角度说，郤赵两家互为支援，尽快把赵朔扶持进六卿也是郤缺自己的利益所在。

俗话说：一个萝卜一个坑，拔掉萝卜才有坑。

拔掉哪个萝卜？

赵盾临终前已经嘱咐过了：拔掉胥克这个萝卜。

郤缺早就盘算过：荀林父资历老而且人很老实，难以找到他的过错，并且留着他也没有威胁；士会是抢回来的人，名声太好，也不能乱动；栾盾虽然关系比较远，但是栾家家族实力庞大，不好招惹；先縠算是递补先克的，是盟友，更不能动。算来算去，也就是胥克这边最合适。

按着赵盾的套路，搞掉胥克有两种方式，一种是制造一项罪名，杀掉他或者赶走他;另一种则是老办法——找个强盗干掉他。

可是,郤缺不能这么干,他有心理障碍。为什么?

因为郤缺能有今天,能从一个野人重新成为贵族,一切都要感谢当年胥臣的推荐。没有胥臣,他现在什么也不是。

他能够杀掉胥臣的孙子吗?而且是昧着良心。

郤缺很发愁,怎么办?

你是神经病

就在这个时候,发生了一段很古怪的事情。

晋国和白狄联合起来攻打秦国,规模不大,也就是边境战争。

秦国人派了间谍来刺探情报,结果被晋国军民给捉住了。秦国间谍被吊死在城墙上,尸体被扔在东门外示众。

怪事在六天之后发生了,被吊死的秦国间谍竟然醒过来了。秦国间谍从地上爬了起来,拍了拍身上的土,又摸了摸脖子,扬长而去。

"拜托,拜托让条路,我要回国了。"秦国间谍大摇大摆走了,围观的群众看得目瞪口呆,谁敢阻拦?

《左传》:"晋人获秦谍,杀诸绛市,六日而苏。"

算起来,这是晋成公六年的事情,也就是公元前601年,秦国间谍复活比耶稣复活整整早了六百年。

郤缺听说了,急忙赶往现场。

现场人山人海,复活的秦国间谍不见了,只看见两个看守尸体的士兵在那里手舞足蹈,狂呼乱叫。

"怎么回事?"郤缺问。

"看见死人活了,这两个吓成蛊疾了。"有人报告。什么是蛊疾?按古人的说法,蛊是一种人工培育的毒虫,很多毒虫在一个器皿里互相吞食,最后剩下那个不死的,就叫蛊。蛊可以用来毒害人,放到人的身体里,人就会神志不清,胡说八道,手舞足蹈,等等。说起来,有点生物战或者巫术的意思了。

说来说去,蛊疾基本上就是神经病,又叫精神错乱,俗话说就是疯了。

看到两个神经病发作的士兵,郤缺眼前一亮。

六卿扩大会议,基本上相当于内阁扩大会议。除了六卿,扩大进来的主要就是赵家的人,赵朔、赵括、赵婴齐、赵同、赵穿,还有韩厥。这里面,赵家的人就不用说了,韩厥是赵家死党,先縠和赵家关系密切,栾盾跟赵家关系

也不错,士会是个老好人,谁也不得罪,苟林父也是个随大流的人。

"各位,今天,我们讨论一下胥克的问题。"郤缺开门见山,很严肃地说。

"我的问题?我什么问题?"胥克感到奇怪。其实,大多数人都觉得奇怪。

"你得了神经病,要回家休养了。"郤缺依然很严肃。

"神经病?开玩笑吧。"

"开什么玩笑?大家都知道你得神经病了。"

"我得神经病了?我怎么不知道?"

"得了神经病的,自己都不知道。"

"我得神经病了吗?"胥克问大家。

士会闭上眼睛,苟林父则低下头,栾盾假装没听见,而其余的人都很严肃地点点头,然后用看神经病的眼神看着胥克。

胥克有点慌了,任何人遇到这样的场景都会慌的。

"我,我没得神经病,我没得神经病。"胥克辩白着。

"你就是神经病。"赵穿站了起来,指着胥克的鼻子说。

"我,我不是神经病。"

"你就是神经病,来人,把神经病送回家去,免去下军帅职务。"郤缺下令。

卫士们上来,不由分说,把胥克架了起来,就往外拖。

"我不是神经病,我不是神经病。"胥克大声喊起来,可是,没有人理他。

胥克被拖了出去,塞进了车里,然后被强行送回家了。

"我不是神经病,我不是神经病。"凄厉的喊声远远地传来,远远地消失了。

会议室里,一片寂静。每个人都知道发生了什么,士会的脸色铁青。

"继续开会。我提议,先縠为下军帅,赵朔递补为下军佐,各位有什么意见?"郤缺继续主持会议。

谁会有意见?谁敢有意见?

赵朔,以最快的速度到了卿的位置。

权力斗争金科玉律第十五条:权力词典中,没有报恩二字。

胥克被强行送回了家,经过一路上的嘶吼,他现在已经开始怀疑自己真的有神经病了。

"儿子，我没有神经病啊，我真的没有神经病啊。"胥克一把抓住儿子胥童的手，一个劲地说。

"爹，你当然没有神经病，谁说你有神经病？"胥童急忙安慰父亲，等父亲情绪稳定一点之后，才问他发生了什么事情。

胥克断断续续地把事情说了一遍，突如其来的"神经病"和失去卿位对他打击太大，他有些神神道道了。

胥童虽然岁数不大，却比自己的父亲更沉着。

"爹，事情明摆着的，这是郤缺和赵家勾结，用这个借口把你踢出来，好给赵朔腾位置。这个死郤缺，不是我老爷爷，他现在连狗都不如。如今不报答我们家，反而这样陷害我们，老天有眼的话，一定让他得到报应。"胥童看得清楚，他恨透了郤缺。

由于受到的刺激太大，胥克从那之后就真有些神经病了。

没过几年，胥克在郁闷中死去。

"孩子，你爷爷被赵盾赶走，客死国外；你爹又被郤缺害死，你，你要为你爷爷和你爹报仇啊。"临死之前，胥克这样叮嘱胥童。

"爹，这个深仇大恨，我一定要报。"胥童在父亲面前发了誓。

仇恨，已经深深地植入胥童的脑海中。

夏 姬

晋国和楚国在这些年间的直接冲突非常少，几乎没有。但是，两个国家也没有闲着，他们喜欢做同样的一件事情。什么事情？

夹在大国之间是痛苦的，而对这种痛苦体会最深的无过于郑国和陈国了。基本上，过一段时间楚国就会来讨伐他们，然后他们与楚国签署友好条约；随后晋国就会来讨伐他们，于是再跟晋国签署友好条约；然后楚国人再来……

这两个国家就像两个孤立无援的弱女子，没有尊严，没有主权。

不过，即便是同样的被不停轮奸，郑国和陈国的感受是不同的。

郑国非常痛苦，因为他们也不算是个太小的国家，早年也曾经风光过，总是这样两面讨好又两面讨不到好让他们觉得很没有面子。而陈国不太一样，国家太小，就没什么面子问题。所以，陈国军民基本上习惯了不停被强奸的生活，甚至，他们还挺享受这样的日子。

当强奸不能抗拒的时候，不妨试图去享受这个过程。这，就是陈国军民的现状了。

自暴自弃,这是陈国这个国家和这个国家的人民的共同写照。荒淫无度,则是这个国家的生活方式。想想也是,既然不可能有尊严地生存下去,既然随时可能被灭掉,那就存在一天乐活一天吧。既然每一天都可能是世界末日,那就干脆把每一天都当成世界末日来过。

淫乱,绝对的淫乱。

于是,一段故事发生了。

这段故事的主人公,最先就是从这两个被不断轮奸的国家来的。

当年,郑穆公有一个女儿,叫什么名字没有记载,暂时就叫小卉吧。这个小卉长得天仙一般,不仅漂亮,而且天生对男人有一种吸引力。古时就叫骚,现在叫做性感。郑穆公很爱这个女儿,把她看成掌上明珠,直到有一天,郑穆公决定立即把她嫁出去。

为了什么,郑穆公决定把自己的宝贝女儿嫁出去呢?因为自己的宝贝儿子死了。

郑穆公的大儿子名叫公子蛮,年方十六岁,是个帅哥,郑穆公也很喜欢他。突然有一天,公子蛮死了。怎么死的?死在了哪里?

公子蛮死在了小卉的床上,赤身裸体。

这样的死法,只能是两个原因。第一种,脱阳而死,也就是周星驰常说的"精尽人亡";第二种,突发性心脏病,因为高潮太高,心脏承受不了。

不管哪一种死法,都是风流死法。

谁是那个女的?

小卉。

这不是乱伦吗?这不是乱伦是什么?

郑穆公当时就懵了,冷静下来之后,要想怎样料理后事了。

首先,家丑不能外扬。也就是说,既不能让外面知道公子蛮是怎么死的,也不能用家法处置小卉。

之后,要尽快把女儿嫁出去,否则,公子蛮的命运随时可能落在他们兄弟几个的头上。更重要的是,这个女儿不仅可能带来家庭的灾难,甚至会给国家带来灾难。

郑穆公知道,自己女儿的国色天香如果传扬出去,很快楚国人就会来求亲,晋国人也会来求亲,到时候怎么办?女儿只有一个,可是惹不起的邻居有两个,那时候国家不就要遭殃?

所以,郑穆公决定在女儿的坏名声和好名声都没有传扬出去之前,把她嫁掉,算是一了百了。

嫁给谁?郑穆公不敢把女儿嫁给晋国人,怕楚国人不高兴;也不敢嫁给楚国人,怕晋国人不高兴。正在这个时候,陈国的公子夏为儿子公孙御叔来求亲,郑穆公一看,合适,就嫁给他吧。

就这样,大美女小卉就嫁给了小国大夫公孙御叔了。由于公孙御叔用父亲的名字作姓,因此就姓夏,名叫夏御叔,而小卉就改名叫做夏姬了。

那一年,夏姬十五岁。

淫乱四人组

夏御叔把夏姬迎娶回家之后,一看这老婆漂亮得无与伦比,骚得闻所未闻,夏御叔高兴得合不拢嘴。"我何德何能,娶了这么个仙女一样的老婆,我,我赚大了。"夏御叔高兴,逢人就说。

夏御叔真的赚了吗? 从某个角度说,是赚了。

娶回夏姬不到九个月,夏姬生了个儿子,肥头大耳,十分壮实。这个儿子是不是赚的,谁也不知道。

夏御叔是陈国著名的花花公子,他还有三个好兄弟,一个是公子平国,一个是孔宁,又叫公孙宁,另一个是仪行父。这兄弟四个原本也都是堂兄弟,混在一起吃喝嫖赌,人称"四大公子"。

自从娶回了夏姬,夏御叔基本上每天有时间就待在屋子里,再也不出去鬼混了。为什么? 夏御叔说了:"跟老婆在一起,比鬼混还刺激。"

那哥三个当然不信,谁不知道家花不如野花香的道理啊? 三个还打赌呢:这小子也就是新鲜几天,过几天还要出来跟咱们混。

可是,这一次哥三个错了。

夏御叔竟然一连三个月不参加组织活动了,哥三个知道,这次,夏御叔是真的赚了。

"奶奶的,不理他了,咱们哥几个自己玩。"哥三个都这么说,但是,暗地里都在想去看看夏御叔到底娶了个什么妖精老婆。

公子平国还没来得及行动,国家就出大事了。什么事? 爹死了。他爹就是陈共公,爹死了之后,就轮到他当国君,也就是陈灵公。灵公当了国君,老爹给他留下的后宫里美女成群,消化也要消化一段时间,所以这里一忙,就忘了夏御叔老婆那个茬了。

孔宁和仪行父偶尔也去后宫凑凑热闹,灵公还挺够意思,直接说了:"兄弟,除了那个那个和那个,其余的,是我的也是你们的。"

哥三个就这样在宫里混,一转眼十多年过去。终于有一天,哥几个想起夏御叔来了。

"哎,很久不见老夏了,还活着吗?"陈灵公问。自己不上朝,所以大臣们也不上朝,如果不是在后宫遇上,还真是难见面。

"我们明天去看看他,要是还活着,一块来乐活乐活。"孔宁和仪行父商量。

"好啊好啊,咱们是四人组嘛。"陈灵公同意,独乐乐不如与人乐乐,三人乐乐不如四人乐乐。

夏家是一户大家,在城内有房,在城外有庄园。那年头,有钱的人肯定不住在城里,而是住在城外庄园里。夏御叔所住的地方,叫做株林。

孔宁和仪行父来到了夏御叔的庄园,一通报,知道老夏还活着。不过一见面,还是把两人吓了一跳。

夏御叔瘦得不成样子了,那时候还不兴抽大麻,否则一定是抽大麻抽的。用皮包骨头形容他比较合适,瘦得眼珠子都快出来了。

"老夏,你怎么瘦得像个鬼了?"孔宁问。他几乎认不出夏御叔了。

"瘦吗?我觉得我挺精神啊。"别看瘦,夏御叔还觉得挺好。

兄弟几个寒暄了,话归正题。

"兄弟,我们三人在宫里可爽了,老大挺想你,让你也去宫里,咱哥四个一块爽啊。"仪行父向夏御叔发出邀请。

"不去,我老婆就够了。"

"哎,家花不如野花香啊,那宫里成群结队的随你挑,你不想?"

"不想。"

孔宁和仪行父大眼瞪小眼,愣了半天,孔宁才说:"兄弟,别骗我们了,你是阳痿了吧?"

"阳痿?嘿嘿,阳痿不阳痿,你嫂子知道。"

"嫂子?对了,嫂子这么厉害,让我们也看看吧?"

"好啊,孩子,把你娘叫出来,见见我的两个好兄弟。"夏御叔让自己的儿子夏征舒去叫老婆。那一年,夏征舒已经十二岁了。

孔宁和仪行父的口水流了出来。什么叫惊为天人?什么叫惊艳?什么叫大脑一片空白?

夏姬款款而来,看见孔宁和仪行父,淡淡一笑。就是这淡淡一笑,那哥俩已经是魂飞天外了。只见夏姬天生一副媚相,一双媚眼根本不用抛,媚气直接往外冒。哥俩当时就几乎把持不住,软了半截,心说这些年来也算是阅人无数,可是如今见了夏姬,这前半辈子算是白活了。

"老公。"夏姬叫一声,娇滴滴嗲兮兮,无限娇美,动人心弦。

现在,孔宁和仪行父终于明白为什么老夏不再跟他们混了。

夏姬究竟有多美多骚多性感?没人知道。后人只知道,但凡见过她的男人,都愿意心甘情愿死在她的石榴裙下。

在这里，要引用一段《东周列国志》的描述了："那夏姬生得蛾眉凤眼，杏脸桃腮，有骊姬、息妫之容貌，兼妲己、文姜之妖淫，见者无不惊魂丧魄，颠之倒之。更有一桩奇事，十五岁时，梦见一伟丈夫，星冠羽服，自称上界天仙，与之交合，教以吸精导气之法。与人交接，曲尽其欢，就中采阳补阴，却老还少，名为'素女采战之术'。"

这段话什么意思呢？大致翻译一下。

说这个夏姬绝顶的风骚，比古代所有风骚的女人加起来还要风骚。男人要是见了她，立马倾倒晕菜。说她十五岁的时候曾经做了一个梦，梦见一个身材魁伟的大帅哥，自称是神仙。神仙哥哥和美女不由分说上了床，并教给她"吸精导气之法"。这个办法能够采阳补阴，就像女妖怪一样，把男人的阳气采过去，补女人的身体，有滋颜美容之奇效，返老还童之神通。整个这一套方法，叫做"素女采战之术"。

所谓"吸精导气之法"和"素女采战之术"究竟是古老的科学还是纯属迷信呢？这无从查证。但是有一点毋庸置疑，那就是夏姬确实能够童颜常驻，青春不老。这一点，有史为证。

如果说男人是夏姬的养颜药，夏御叔就很不幸地成了药渣。

第一〇二章　躲猫猫事件

孔宁和仪行父一夜未眠，第二天早上去找陈灵公汇报工作。

"真有你们说的那么骚？"陈灵公听完汇报，竟然不敢相信。

"老大啊，我们哥俩还会骗你？看见我们的眼睛没有，自从见到她之后，一个晚上没睡着，闭上眼睛就是她。"孔宁说。他的眼睛都熬红了。

"那，让老夏献出来啊。咱们兄弟四个，有福同享啊，是不？你们看，我这么多老婆，不都给你们用了？"陈灵公尽管有些半信半疑，还是想看看这个夏姬到底怎么样。

"我们都跟他说过了，他不干啊。"原来，哥俩昨天就已经提了这个合理化建议，可是夏御叔死活不肯。

"独吞？不够意思。"陈灵公不满，别的事情可以忍受，这样的事情不能忍受。"那我们就来硬的，命令他把老婆献出来。"

"老大，不要这样，国君抢大臣的老婆，这会在国际上成为笑话的。不如这样，我们哥俩再去几趟，想想办法，看能不能说服他。"仪行父说。他是为了国家着想？才不是，他是担心如果陈灵公真的把夏姬给抢来了，难保他不会独吞，到时候不是把自己给馋死了？

陈灵公没有想到仪行父的鬼点子，点头同意了。

躲猫猫

从那之后，孔宁和仪行父有事没事就去夏家转悠。

夏御叔也挺喜欢这两个来，因为大家在一起无非就是吃饭喝酒讲黄段子,每次这哥俩把最新流行的黄段子讲了,夏御叔都会转达给夏姬,都能把夏姬逗得前仰后合。

时间久了,夏御叔也不把哥俩当外人,常常让老婆出来一起喝酒讲黄段子。混熟了之后,那哥俩的手脚就不老实了,眼睛也总是在夏姬的身上转。

说起来,当初的四人组中,孔宁和仪行父都是陈国著名的美男子,在外面泡妞那是一泡一个准;陈灵公虽是长相最糟糕的,但是人家那时候是太子,多少人巴结啊;夏御叔比陈灵公强,但是比孔宁和仪行父差了很多,如今瘦得皮包骨头,从形象上说,比孔宁和仪行父的差距更大了。

夏姬是个风流女人,打从看见孔宁和仪行父,心里就有要勾搭的意思,如今机会来了,自然也不会放过。

具体过程在此省略十二万字。总之,三来二去,夏姬和孔宁勾搭上了;二来三去,夏姬又和仪行父勾搭上了。

夏御叔逐渐看出一点苗头来,但是没有证据,也不好给孔宁和仪行父下逐客令。

这一天,孔宁和仪行父早早又来了。

照例,夏御叔热情款待,而那哥俩也不是空手而来,都带着野味。

哥三个一边吃野味喝酒,一边交流泡妞心得以及讲黄段子,也算其乐融融了。讲到高兴的地方,孔宁突然提了一个建议。

"老夏,我们跟老大最近常玩一个游戏,十分有趣,想不想听听?"孔宁引出话题来。

"说说。"

"是这样的,陈国的美女呢,我们基本上都给弄到宫里去了,宫里的美女呢,这么多年我们也都玩腻了。怎么办? 玩女人玩腻了,人生不是太没有意义了? 生活不是太没有刺激了? 后来老仪出了个主意,什么主意呢? 玩女人玩腻了,让女人玩岂不是挺好? 我们的办法是,我们在宫里玩躲猫猫,我们三个人躲起来,然后让一个最丑的宫女来找我们,谁要是被她找到,就必须与她交欢,另外两个人则在一旁观战。怎样,这样的游戏怎样?"孔宁说得眉飞色舞,不过倒不是撒谎,他们确实玩过这个游戏。

"哈哈哈哈,好主意。"夏御叔想象陈灵公跟一个大胖猪似的宫女在那里哼哧,而孔宁和仪行父在一旁鼓掌的场景,就觉得十分有趣,"不过,这万一中了彩下了种在这丑女人身上,那不是要生个奇丑无比的孩子来?"

"老夏,怪不得人人都说你精明细心,真是考虑得周到。不过,我们只管自己快活,以后怎样,何必去管呢? 老夏你大概还不知道,老大就是这么生出来的,当年他爹就是玩这个游戏,结果把宫里最丑的宫女弄大了肚子,才生了老大。你想想,如果不是这样,老大怎么长得歪瓜裂枣一样?"

"哈哈哈哈。"夏御叔听得拍掌大笑,心说这两个小子竟然拿老大开涮,也算是胆子不小。

主意显然是个好主意,夏御叔当场表示同意。于是,夏御叔找来家里最丑的一个女仆人,名叫夜兰花的,把游戏规则说了一遍。

夜兰花一听,高兴得几乎叫出来。算起来,自己也三十好几了,还从来没有尝过男人的味道,如今机会来了,不仅能尝到男人的味道,而且是好男人的味道,这三个男人,一个是自己的主人,另外两个则是陈国著名的美男子。

"天哪,玩完这个游戏,把我杀了都心甘啊。"夜兰花心想。

"除了主人的卧房,其他的地方都可以去找,我们三个人躲在一个地方之后,就不许动了,谁要是动,那就输了,就交给你任意奸淫。"夏御叔交代完毕,让夜兰花在屋里数一百下,然后出去找人。

夏御叔找了一处地窖藏了起来,心中笑话那两个兄弟,心说在我家里玩躲猫猫,你们还能躲得过我?想象着那两个兄弟被夜兰花强奸的痛苦表情,不禁暗自笑了出来。

"奶奶的,说不定十个月之后,夜兰花生下个一男半女的,给他们送过去,哈哈哈哈。"夏御叔越想越高兴,忍不住笑出声来。

夏御叔躲着,按照他的计算,园子本来不大,夜兰花熟门熟路,应该很快就找到孔宁或者仪行父,可是左等右等,就是听不到上面有喊人的动静,不清楚是那哥俩躲得太好还是夜兰花太蠢太傻。

眼看半个时辰过去,夏御叔在地窖里闷得够呛,寻思一下,决定出来看看。

小心翼翼出了地窖,刚一露头,就听见一声喊:"哈哈,抓住了抓住了。"

是夜兰花的声音,夏御叔抬头看,夜兰花就站在自己的面前。

"倒霉,怎么抓住我了?再忍忍就好了。"夏御叔一路的后悔,没办法,爬了上来。

"嘻嘻嘻嘻。"夜兰花傻乎乎地又笑又跳。

"你怎么知道我在这里?"夏御叔问,有些好奇,也有些不高兴。

"我也不知道啊,我把所有地方都找遍了,只剩下这里了,我就来了。嘻嘻。"

"都找遍了?马厩去了?"

"别说马厩,猪圈都看过了。嘻嘻。"

"嗯,他们躲去哪里了?不会是跑到院子外面去了吧?那可玩赖了。"

"不会啦,我都问过了,没人看见他们出院子啊。嘻嘻。"

"那他们会躲在哪里?"夏御叔倒真有些困惑起来。

"嘿嘿,除非他们躲在主人房里,否则,我一定早就找到他们了。嘻嘻。"

"主人房?"夏御叔一愣,他突然有一种不祥的预感,他命令夜兰花:"在这里等着,我去找他们来。"

"主人,我等你啊,嘻嘻。"夜兰花说得淫声荡语,还用色迷迷的眼睛看着夏御叔。

夏御叔吐了一口口水,匆忙走开了。

事情永远没有最糟,只有更糟。

夏御叔匆匆回到自己房里,于是他看到了从前经常看到的一幕:三个人在那里裸体大战,孔宁和仪行父双战夏姬。

从前四人组的时候,这样的游戏夏御叔也时常玩的。

夏御叔终于知道,自己上当了。当自己在地窖里闷得半死的时候,这三个正在这里欢天喜地,欲仙欲死。

"孔宁、仪行父,你们太过分了,太不够朋友了。"夏御叔气得浑身发抖,大骂起来。

"老夏,别吵了,等我们这里完了,再去看你和夜兰花交欢。"孔宁正在兴头上,根本不理会夏御叔的愤怒。

"啊呸,你们给我滚,再也不要来了。"夏御叔更加气愤。

那三个人终于停了下来,急忙各自穿衣服。

等三人穿好了衣服,夏御叔责备夏姬:"老婆,你怎么能这样呢?"

"老公啊,他们说都是你安排的啊,关我什么事?"夏姬不高兴了。

"不说这些了,你们两个走吧。"夏御叔下了逐客令。

孔宁和仪行父对视一眼,仪行父说话了:"老夏,你真是不够意思,不就玩玩你的老婆吗?又不少了什么。你这身子骨,放着老婆不也是浪费吗?实话告诉你,你老婆说了,我们兄弟两个比你厉害得多。别以为我们占了你什么便宜,我们是在帮你。如今你倒好啊,狗咬姜太公,不识好心人。你的表现,我们回去会汇报给老大的。"

仪行父一番话,一来揭夏御叔的短,二来也是威胁他。

夏御叔一下子就软了,他的身子早已经被淘空了,根本无法满足夏姬的需求,这令他感到很惭愧;而如果这哥俩真的去陈灵公面前说自己的坏话,自己的好日子估计也就不多了。所以,夏御叔软了。

"两位好兄弟,以后不能这样玩了。好了,咱们出去吧。"夏御叔的声音小了很多,他认了。

你软了,他们就会更硬。

"不行,我们躲猫猫还没完呢,你被夜兰花捉住了,叫她过来,我们要在这里看你怎么被她强奸的。"孔宁不依不饶起来,其实,他也不知道夏御叔被

夜兰花捉住了,只是故意唬一唬。

"那,那不能算,你们都玩赖,躲到这里来了。"夏御叔当然不肯,从一开始他就是因为断定自己不会被捉住才玩这个游戏的。

"那我们不管,反正你被捉住了。"

三个人争吵起来,谁也不肯让步。

争了一阵,孔宁突然又想起一个办法来。

"老夏,你不跟夜兰花交欢也行,那就要让我们哥俩再跟你老婆爽一回,你还要在旁边看着,递毛巾擦汗。"孔宁的主意真的很缺德。

"不行。"夏御叔态度坚决。

三个人再次争吵起来,争吵的声音也越来越大。

最后,夏御叔实在忍不住了。

"你们都给我滚!"夏御叔翻了脸,他豁出去了,伸手去抓孔宁,要把他推出去。

夏御叔本来就不如孔宁那么壮,再加上掏空了身子,怎么是孔宁的对手?孔宁也很生气,他用力一把推开了夏御叔。夏御叔一个趔趄,倒退了好几步,正好来到仪行父的身旁,仪行父顺势一脚踢来,把夏御叔几乎踢飞,夏御叔站不稳脚步,向前摔去,正好一头撞在了门框上。

鲜血迸流,夏御叔的头被撞开了一个长长的口子,命丧当场。

夏御叔死了,孔宁和仪行父先是惊恐,然后是高兴。为什么惊恐?因为这是在人家的地盘,杀人怕是要偿命。为什么又高兴了?因为他们发现夏姬并不伤心,甚至有些高兴。所以他们知道,自己不会有危险,反而今后更方便了。

问题是,人死了,一定要有说法的。

"躲猫猫不慎撞死。"这是三人商量出来的解释,反正夏征舒还小,这个家里,夏姬说什么就是什么。

就这样,夏御叔死了,死于"躲猫猫"。

最伤心的人是谁?夜兰花。

据说,后来夜兰花在夏御叔的墓旁的大树上一头撞死。不知道这算不算凄美的爱情故事,不知道夏御叔在地下会更怀念谁。

君臣同乐

夏御叔一死,大家都方便了很多。孔宁和仪行父常常借口访孤问独前来关怀一下老夏的家属,当然是床上关怀。有的时候同来,也有的时候分头来。

自然，不需要多说，陈灵公终于在孔宁和仪行父的陪同下，来到了株林，国家领导人亲自关怀起大臣家属的生活了，当然，主要是性生活。

在孔宁和仪行父的全力引荐下，陈灵公和夏姬终于来到了一张床上。

且看《东周列国志》的描写："灵公更不攀话，拥夏姬入帷，解衣共寝。肌肤柔腻，著体欲融，欢会之时，宛如处女。灵公怪而问之。夏姬对曰：'妾有内视之法，虽产子之后，不过三日，充实如故。'灵公叹曰：'寡人虽遇天上神仙，亦只如此矣！'论起灵公淫具，本不及孔、仪二大夫，况带有暗疾，没讨好处。因他是一国之君，妇人家未免带三分势利，不敢嗔嫌，枕席上虚意奉承，灵公遂以为不世之奇遇矣。"

什么意思？说夏姬有一种保养方法叫做"内视之法"，使用了这个方法，能让自己的身体永远像处女一样。

加上前面的"吸精导气之法"和"素女采战之术"，与"内视之法"合称"夏姬养颜保养术"，后来不幸失传。

从那之后，陈灵公、孔宁和仪行父有事没事就往夏姬家里跑。后来，整个陈国都知道了这回事。于是，陈国人民编了一首流行歌曲来唱，这首流行歌曲后来被收到《诗经·陈风》中。

株　林

胡为乎株林？

从夏南！

匪适株林，

从夏南！

驾我乘马，

说于株野。

乘我乘驹，

朝食于株！

什么意思呢？大致讲解一下。

陈灵公哥几个去株林干什么？找夏南。所谓乘马，指陈灵公的车；所谓乘驹，指孔宁和仪行父的车。夏南是谁？夏姬的儿子夏征舒字子南，又叫夏南。大家不好意思直接说几个人是去找夏姬，就说成找夏南了。说三个人驾着车到株林去腐败，常常迫不及待，一大早就赶到株林吃早饭。

自从搭上了夏姬，陈灵公对自己的后宫就没有什么兴趣了。平常，动不动就往株林跑，常常玩得筋疲力尽之后才回宫。当然，陈灵公闲着的时候，夏姬不闲着，那两个兄弟会陪她玩。

夏姬的厉害在于,陈灵公哥三个在她身上竟然没有审美疲劳。一连四年,乐此不疲。四年时间里,陈灵公把株林当成了自己的家,把夏姬当成了自己的老婆,把夏姬的儿子当成了自己的儿子。至于国家的事情,陈灵公根本没有兴趣。

这样说来,这个国家岂不是根本没人管,烂到了极点?

陈国烂到什么程度,《国语》里有讲,这一段叫做"单子知陈必亡",也被《古文观止》收录。原文可参看《国语》或者《古文观止》,此处直接用白话解说。

说是那一年周定王派单襄公去宋国聘问,之后借道陈国,去楚国访问。单襄公在宋国受到热情接待,以为到了陈国也能受到热情接待,谁知道到了陈国才发现,这个国家已经腐烂到底了。

按照《周礼》的规矩,同等国家的宾客到达,管边防的关尹将这个消息报告国君,国君派出特使持着符节前往迎接,边防军为宾客引路,卿出郊外慰劳,管城门的门尹要打扫城门,太祝主持祭祀,外交部礼宾司安排宾馆,管外交的司徒调集徒役,管交通的司空视察道路,管安保的司寇纠察奸盗,虞人送进木材,甸人堆积柴薪,火师监督火烛,水师监督洗涤,管饮食的膳宰送上熟食,管仓库的廪人献上谷物,司马陈上草料,工师检查车辆,百官各自将供应宾客的物品送来。要是大国的宾客到达,就按照等次加一等,更加恭敬。至于天子的使臣到达,就均由各部门主管官员主持接待事宜,上卿加以监督。

单襄公是天子的使臣啊,来了就应该吃香的喝辣的。一路上还想呢,弄点什么陈国特产回去孝敬周王,再弄点什么回去讨好老婆。

单襄公途经陈国的时候,已经是立冬前后,只见道路长满野草,几乎不能通行;边防哨所根本没人,连屎都已经风干了,可见很久很久没有人了;建设部官员也没有人视察道路。湖泊不修堤岸,河上不架桥梁,田里乱七八糟堆积着割下来的谷物,农事竟然还没有结束;开垦过的田地里,庄稼像茅草一样稀疏。道路两旁没有排列成行的树木,而周朝的规矩叫做"列树以表道",就是在道路两旁种上树以表示这是道路。由此可见,最晚在周朝,我国就已经有了道路两旁种树的规定了。

穿行过荒郊野外,来到了陈国的首都,找到了陈国外交部。外交部里基本没人,有人也在泡妞。按照常规,外交部应该送上活的牲畜作礼品,"不好意思,活的牲畜都被吃掉了,实在要能跑的,我们这里只有老鼠。"外交部仅有的一个正在泡妞的官员说。

"那,安排一下住的地方啊。"单襄公一看,礼品就免了吧,赶紧找住的地方啊。

"不好意思,国宾馆长年失修,除了老鼠,什么也没有了。"

没有国宾馆怎么办呢?只好自己找民营客栈解决问题了。好在,单襄公的银子没少带。可是,有钱不是万能的,没有银子固然痛苦,有银子花不出去则更加郁闷。单襄公找来找去,竟然找不到客栈。

找不到客栈也难不倒单襄公,单襄公决定找个农家乐解决吃住问题。

"大爷,我家大人不在家,不能让你进来。"农民家里,只有小孩在家,死活不让进去。

"你家大人呢?"

"去株林给夏家盖高尚住宅去了。"小孩回答。

去了几家,都是同样的答案。看来,夏家的高尚住宅很高尚,全国人民都动员了。

单襄公这个窝火啊,自己好歹算个中央高级干部,到了这里竟然要吃没吃要喝没喝要住没住。

"奶奶个熊,我找你们领导去。"单襄公直接找到陈灵公的宫里去了。

单襄公来到后宫,有人通报进去,不一会儿,出来两个宫女。

"陈侯不在,去株林了。"一个宫女说。

单襄公有点傻眼,怎么来个宫女来对付自己?这也太没有规矩了。

"你们这里没有男人了?"单襄公的意思是,应该男人来接待自己才对。

"嘻嘻,男人都出去泡野妞了,正缺男人呢。大哥,您哪里来的?要不,进来跟我们乐呵乐呵?"一个宫女淫笑着发出邀请。原来,陈灵公整天不在后宫,后宫的女人们都在想办法打点野食。

单襄公当时一个激灵,心说不是来到了盘丝洞吧?一开始还有点心动,可是随后听见宫里叽叽喳喳,似乎有很多女人要过来,这下单襄公害怕了,这要是进去,怕不折腾死是出不来的。

单襄公扭头就跑,跳上车,让御者快走。身后,还听见宫女喊:"大哥,大哥,跑什么啊?"

就这样,单襄公不敢停留,连夜赶路,离开了陈国。

回到洛邑之后,单襄公向周王汇报工作,说到陈国,断定这个国家一定要灭亡了。

第一〇三章　美女的诱惑

转眼又过了两年,陈灵公哥三个明显衰老了许多,可是,夏姬的容颜一点也没有变,而床上的功夫却更加厉害了。

再这么下去,陈灵公哥三个也要成药渣了。可是,他们愿意,他们心甘情愿。

陈灵公不仅为夏家修建了陈国最豪华的高尚住宅,而且爱屋及乌,对夏姬的儿子夏征舒也很好,一步步提拔,到现在夏征舒才十八岁就已经是陈国的卿,主管军队了。

想想看,就算夏姬十六岁生夏征舒,如今也已经三十四岁。别的女人到这个年纪,也就是徐娘半老,风韵犹存而已,可是夏姬还在风华正茂。

美女的礼物

那一天,陈灵公从株林回来,不知道哪根筋动,竟然上朝了。陈灵公一个月也不一定上一次朝,所以,每次上朝,基本上没人来。

这天上朝,只有孔宁和仪行父来了,因为只有这哥俩知道陈灵公的行程安排。

既然没有外人,哥三个自然而然说起黄段子来了。说着说着黄段子,自然而然就说到夏姬身上了。

"你们猜猜,咱们三人当中,夏姬究竟最爱谁?"陈灵公抛出这么个问题来。

"还用说,最爱我。"仪行父很有自信。

"吹罢,凭什么说最爱你?"孔宁不服气。

"对啊,我还说最爱我呢,你说最爱你,你有什么证据啊?"陈灵公也不服气。

仪行父笑了,他没说什么,三下五除二脱了衣服,贴身看见一个肚兜。

"看见没有,夏姬赠送我一个肚兜,说只给我一个人,你们有吗?"仪行父说得十分得意。

陈灵公还没有说话,只见孔宁也开始脱衣服,三下两下之后,只剩下一条内裤,花里胡哨。

"你那算什么? 看见我这内裤没有? 这是夏姬送给我的。"孔宁更加得意,他这礼物更珍贵些。

仪行父傻眼了。

陈灵公也开始脱衣服,只剩下一身睡衣。

"哪,这是夏姬送给我的,不瞒两位,这件睡衣,夏姬用了许多年,如今上面都是夏姬的体香,闻起来那个醉人啊,啊!"陈灵公把自己都给说陶醉了。

哥三个就在朝廷上攀比起夏姬赠送的礼物来了,都说自己的好。

哥三个说得正欢的时候,有人来了。

来人名叫泄冶,是陈国的大夫,也不知道哪根筋动,想起来今天上朝,还真就撞上了。

"嗯,运气不错,运气不错。"泄冶心里还挺高兴。

可是,进到朝堂,泄冶傻眼了。只见眼前三个男人穿着女人的衣服在那里嘻嘻哈哈,定睛一看,一个是国君,另外两个是卿。泄冶忍不住了,他是有正义感的人。

"你们这是在干什么? 流氓啊? 我们难道是流氓国家吗? 太不要脸了。公卿公开淫乱,老百姓纷纷效仿,这个国家不是要完蛋了?"泄冶不知哪里来的勇气,竟然大骂起来。

孔宁和仪行父看见了,赶紧穿上衣服,溜了出去。尽管职位上他们更高,可是太没面子了。

陈灵公也穿好衣服,想要发怒,可是找不到发怒的理由,没办法,陈灵公认错了:"我改,我改还不行吗?"

陈灵公一认错,泄冶也不好再发火了,于是讲了一通色字头上一把刀之类的道理,走了。

泄冶一走,那哥俩回来了。

"老大,认错了? 以后不去了?"孔宁问。

"你们还去不去?"陈灵公反问。

"我们去,老大放心,以前你干的活,我们会帮你完成的。"仪行父说。

"嘿嘿,我还是自己去完成吧。"陈灵公怎么舍得夏姬呢?

三人哈哈大笑。

"老大,这个泄冶很讨厌,据说他到处说我们的坏话,还把我们的事编成歌,我看,这人要不得,咔嚓,怎样?"孔宁提个建议,要杀了泄冶。

"这事别问我,你们想怎样就怎样,我只管女人不管男人。"陈灵公基本同意。

两天之后,孔宁派人假扮强盗,把泄冶给暗杀了。

一场春梦

这一天,陈灵公哥三个忍不住又来到株林。这一次,哥三个搞了个连床大会,三英战夏姬。

折腾够了,哥三个搂着夏姬,一边吃喝,一边讲黄段子起来。

"夏姬,你说实话,征舒高大魁梧,一点也不像夏御叔,他究竟是谁的孩子?"孔宁坏坏地问。

"嗯,孔大夫,你真坏。"夏姬嗲嗲地说。

"我觉得,征舒像行父。"陈灵公说。

"像我?我觉得像老大。"仪行父说。

"哈哈哈哈。"大家都笑了。

"嗯,你们男人真坏。我要是给征舒生个弟弟出来,你们可要认账啊。"夏姬说。说来也奇怪了,跟这三人混了这么多年了,竟然没有生个孩子下来,可见古人的避孕措施还是做得不错的。

"我一定认,你们也要认啊,一个孩子三个爹,多好啊,哈哈哈哈。"陈灵公大笑,其余人也跟着笑。

俗话说,隔墙有耳。

夏征舒的父亲到底是谁?谁也不知道,他娘或许也不知道。夏征舒小的时候,就看见娘整天跟不同的男人混。有点懂事之后,看见别的男人来,夏征舒就会躲得远远的。再大一些之后,做了官,在城里有了官邸,基本上他就很少回来,眼不见为净了。

这一天,夏征舒恰好有事回来。到家之后,要先去给母亲请安,于是来到母亲的屋外。谁知到了门口,就听见里面几个男人在说话。

原本,夏征舒转头就要走,可是这时候听到里面说自己的名字,于是停下来偷听,结果就把刚才的一段对话都听到耳朵里了。

十八岁啊,正是血气方刚容易冲动的时候。夏征舒当时怒火中烧,压抑了许多年的屈辱和愤怒就要爆发出来。

"妈的,老子宰了你们。"夏征舒在瞬间下了决心,一转身,回自己的卧房去,跨上短刀,提着弓箭,就要来杀人。

一个人能杀三个人?没问题,那三个都已经快成药渣了。

屋里,四个人全然没有想到危险就在眼前,还在那里开着淫荡玩笑。

"嗯,我去撒个尿。"陈灵公说。说完,光着屁股就起来了,推门出去,就要在墙下撒尿。

尿还没出来,就看见那边夏征舒气势汹汹,满脸杀气大步走来。看见陈灵公,夏征舒拔出刀来。

陈灵公不是傻瓜,看这气势,就知道大事不妙。大事不妙怎么办?跑啊。

陈灵公怪叫一声,光着屁股,撒腿就跑。夏征舒一看,大喊一声"哪里走",抬腿就追。别说,逃命的人往往跑得快,别看陈灵公快成药渣了,也别看他光着屁股,生死关头,跑得贼快,夏征舒竟然追不上他。

可是,人跑得再快,也没有箭飞得快。陈灵公一路狂奔,逃到了马厩。身后,夏征舒懒得追了,张弓搭箭,瞄准陈灵公的白屁股,一箭出去,略高了一些,正中陈灵公后心。

"啊!"一声惨叫,陈灵公就这样死了,也算是死得其所。

杀了陈灵公,夏征舒提着刀,回头再来杀孔宁和仪行父。那哥俩当然不会傻到等你来杀,早就跑了。不仅跑了,而且跑得很远,一直跑到了楚国,因为他们知道,兵权在夏征舒的手里,既然他杀了陈灵公,就一定不会放过自己的,所以,干脆跑远一点。

夏征舒一不做二不休,索性自命为陈侯,做了陈国的国君。

而陈灵公的太子公子午出逃,跑到晋国避难去了。

晋国出兵流产

公子午逃到了晋国,请求晋国出兵,讨伐夏征舒。

"公子,这事你要等一等,为什么要等一等呢?我告诉你。去年,联合国在扈地召开大会,结果大家都去了,就你爹没去,只顾跟夏姬鬼混。那次,我本来率军讨伐陈国的,恰好我国晋成公薨了,这才放过了你爹。所以,你爹死有余辜,没什么值得我们为他报仇的,这是其一。其二,我们现在正跟北狄建立友好关系,精力都在这边,顾不上别的。所以,你要等等,北边的事情安顿了,自然会帮你夺回君位的。"郤缺把事情说得很清楚,你的事情要管,

但不是现在管。

没办法，公子午住下来了，等。

基本上，郤缺也并不是忽悠他。第二年上半年，晋国就忙着跟北面的狄国们沟通。最后，除了赤狄，所有的狄国都愿意顺从晋国。就这样，赤狄之外的狄都成了晋国的保护国，这为此后晋国吞并北狄打下了基础。

因此，郤缺在晋国向北扩张的进程中是有很大贡献的。

另一边，孔宁和仪行父逃到了楚国。哥俩一通忽悠，把陈灵公几个跟夏姬淫乱的事情都略过去了，只说夏征舒怎么狼子野心，残忍杀害国君，等等。

"大王啊，夏征舒就是陈国的斗越椒啊，请大王出兵灭了他。"哭哭啼啼，孔宁和仪行父请求楚庄王出兵。

"嗯，你们先歇着，我这里正要攻打郑国和宋国呢，打完他们，再商量你们的事情。"楚庄王也没有当时决定出兵。

没办法，孔宁和仪行父也住下来了，等。

基本上，楚庄王也没有忽悠他们，确实在第二年攻打郑国和宋国了。郑国当即投降，签署了友好条约，宋国怎么也不投降，楚国夺了几座城回来算是交代。

到了秋天，有一个国家准备出兵了。哪个国家？晋国。

郤缺搞定了北方，决定出兵陈国，把公子午送回去。公子午高兴啊，这下轮到自己当国君了。

可是，人算不如天算。出兵前三天，郤缺死了。于是，出兵泡汤。

郤缺死了，谁来出任中军帅？

当时的排位是：郤缺、荀林父、士会、先縠、赵朔和栾书。因为栾盾已经死了，儿子栾书接任。那么，按照这样的排序，应该是荀林父接任中军帅。

可是，郤缺的临终安排是先縠接任中军帅，又是一个超拔，荀林父又没戏。这样的安排，保证了郤赵先的三家联盟轮流执掌晋国政权。

想法挺好，可是郤缺不是赵盾，晋成公的儿子晋景公比他爹又要强硬得多。所以，事情已经很难按照郤缺的设想去进行了。

"这不是欺负老实人吗？你以为这个国家是谁的？"晋景公拍桌子了，反正郤缺已经死了，也不用怕他。

晋景公没管那么多，当即任命荀林父为中军帅。不过随后还是给了郤缺的面子，当然也是顾虑到三家的势力，因此，先縠跳一级为中军佐，士会原地不动，依然是上军帅，郤缺的儿子郤克直接担任上军佐，面子给足。赵朔任下军帅，栾书为下军佐，都是原地不动。

这样，晋国权力重新布局。

美女的处置

同样是秋天,楚庄王也准备出兵了。

楚国大军在秋收之后集结,浩浩荡荡,向陈国进发。

夏征舒在干什么呢?自从占领了后宫,也跟陈灵公一样了,整天忙着淫乱去了。没办法,在这样的国家长大,也不会别的。

楚国大军长驱直入,占领陈国,楚庄王向陈国人民发出号令:"无惊,吾诛征舒而已。"(《史记》)意思就是:别害怕,我们楚军只是要讨伐夏征舒而已。

陈国人民怕也好不怕也好,反正人人都知道楚军来了谁也抵挡不住。夏征舒还在宫里淫乐呢,楚国大军到了都不知道,哪还跑得了?

夏征舒被五马分尸,可怜啊。

现在,需要处置两件事情。

第一件,夏姬怎么处置?全世界都知道,陈国有今天,就是因为国君跟夏姬乱搞造成的。按照规矩,作为祸国殃民的红颜祸水,毫无疑问要咔嚓掉。

第二件,陈国怎么办?按照当时的规矩,楚国的出兵是为了讨伐弑君的夏征舒。那么,在逆贼被杀之后,应该扶立新的国君。

可是,楚庄王不准备按照惯例进行。

第一件事开始了。

庄王在陈国的朝廷上开庭了,夏姬被押了上来。

鸦雀无声,因为夏姬的美貌震惊了所有人。

"哎呀妈呀,我要是陈灵公,我也愿意为她死啊。"有人这么想。

"啊,她有三十六了?十八岁吧?"有人这么想。

夏姬面带微笑,毫无畏惧,因为她知道,只要是男人,只要是真的男人,没有人可以抗拒她的魅力。

"嗯,嗯,这个。"楚庄王有点傻眼,咽了咽口水,迅速地转动着头脑。原本,他的讲话提纲大概是"淫妇误国,推出砍头",可是,现在他的脑子一片混乱,不过,最后他还是厚着脸皮说了他想说的话:"夏姬,老公死了,儿子也死了,一个多么可怜的女人,啊,这个,我看,就送回去到我后宫当个妃子吧。"

楚庄王这话说出来,好像夏姬的儿子是被强盗杀死的,而自己是个很有同情心的人。

楚庄王想要这个女人,大家都只好咽口水了,谁敢反对?可是,有人反对。谁?申公屈巫,又叫巫臣。巫臣此人十分聪明,而且见多识广,颇受楚

王的重用。

"大王,这样不太好啊。您想啊,您亲自率领大军讨伐陈国,是为了伸张正义,讨伐罪人啊。如今您要是收纳了夏姬,那说明您的动机不纯,知道的说您是怜香惜玉什么的,不知道的还不要说您是贪恋美色? 那您跟陈灵公还有什么区别? 那您不是成了一个淫乱的国君了? 再说了,夏姬是个破鞋啊,多少人穿过? 大王,身份哪,您不能捡别人的衣服穿吧。"巫臣一张嘴说出话来毫不客气,本来楚庄王就有些不好意思,如今被他一说,还怎么坚持呢?

"那,那就算了吧?"楚庄王万分不舍,可是又不得不舍。尽管不得不舍,可还是不舍。

舍不舍? 就在庄王还有些犹豫的时候,有人发言了。

"大王,这个女人给大王作妃子确实不合适,我看,不如给我做夫人吧。"说话的是子反,又叫公子侧,是庄王的弟弟。

楚庄王一看,尽管有些犹豫,还是点点头,给自己的老弟做老婆,好歹也算肥水不流外人田。

子反高兴啊,正要谢恩,巫臣又说话了。

"不行啊,这个女人不能要。你想想,多少人死在她的裙子下面? 最早的公子蛮,之后夏御叔,再之后陈灵公,她还连累夏征舒被杀,孔宁、仪行父光着屁股逃到楚国,公子午逃到晋国,还连累陈国灭亡。这样的女人纯粹是天下第一扫帚星啊,谁娶了她谁倒霉,谁全家死光光。啊,这样的女人你也敢娶?"巫臣这段话说出来,比刚才那一段还要狠。

子反倒吸一口凉气,美人固然重要,自己这条命也很重要啊。为了爱情而牺牲性命? 考虑了一下,子反很庸俗地说:"算了,我退出。"

巫臣松了一口气,可是,他没有想到的是,他这口气松得太长了一点,以至于还有不要命的抢先说话了。

"大王,这个臭女人给我吧,我老婆刚刚死了,让他给我当老婆吧。"这话说得很粗,因为说话的就是一个粗人。这个人是连尹襄老,就是连这个地方的尹,名叫襄老。

巫臣没等楚庄王发话,先说上了。

"老襄啊,你不怕死? 你不怕名声不好?"巫臣问他。

"该死鸟朝天,怕什么? 什么名声? 我才不要名声呢。"襄老是什么都不在乎。

巫臣没话说了,万事不可怕,就怕不在乎。

"好吧,夏姬赏给你做老婆了。"楚庄王咬咬牙,把夏姬赏给了连尹襄老。

襄老抱着夏姬走了,巫臣在后面看得牙痒痒。

费了那么多心思和口舌，巫臣其实就是想自己把夏姬给娶回家的。好不容易说得庄王和子反知难而退了，却冒出这么个缺心眼的来抢了。

还是那句话，太聪明的人，往往栽在缺心眼的人手上。

不过，巫臣是一个对爱情执著的人，他不会就这样罢手的。

第二件事开始了。

"大家看看，陈国现在这个样子纯粹就是无政府状态，官不像官民不像民，他们需要管啊。我看，既然这样，干脆也就不要恢复陈国了，就做我们的一个县吧，就叫陈县。啊，大家有没有意见？"楚庄王决定吞并陈国，其实这是早就预谋好的。

在女人的问题上，大家难免有点想法，在国家的问题上，谁去想啊？

没有反对的声音，于是，楚庄王宣布陈国并入楚国。

"大王英明！"大夫们高声祝贺。

会议开完，解散。

人刚走完，又有人来了，谁？楚庄王派去出使齐国的申叔时。

申叔时汇报了出使齐国的事情，又问了问讨伐陈国的事情，之后没多说话，拍屁股走人。

"哎，老申，我们吞并了陈国，别的人都纷纷祝贺，你一句话不说就走了，什么意思？"楚庄王叫住申叔时，他有些不高兴了。

"可以辩解一下吧？"

"说吧。"

"大王讨伐陈国，是因为夏征舒有罪。如今杀了夏征舒，那是大王伸张正义啊。我听说啊，如果一个人牵着牛践踏了你的田地，而你因此抢了他的牛，那就是你的不对了。他践踏你的田地固然不对，你抢他的牛也太过分了。如今为了陈国杀了夏征舒，却把陈国给灭了，怎么能说得过去呢？"原来，申叔时反对吞并陈国。

楚庄王想了一阵，想明白了。要想占个小便宜，那就吞并了陈国；可是，要想称霸，就不能这么做，就要给全世界诸侯做个样子。

"好，我听你的。"楚庄王决定了。

楚庄王命令孔宁和仪行父担任陈国的卿，负责把公子午从晋国请回来。尽管晋国觉得在楚国讨伐陈国这件事情上很没有面子，对于公子午回去担任陈国国君还是很乐意接受的，毕竟公子午是在晋国避难的。

就这样，公子午在晋国避难，却被楚国人接回了陈国继位，就是陈成公。

不过，楚庄王也并没有空手而归，他从陈国每乡抽一个人，集中到现在的汉阳地区，称之为夏，意思是这里是夏朝人的后代。后来此处为江夏、夏口，就是源于此。

第一〇四章　楚庄王的陷阱

讨伐陈国,对于楚庄王来说,最重要的目的实际上是要进一步试探晋国的反应。对于晋国的权力斗争,楚庄王一清二楚,他知道,现在是到了跟晋国人算总账的时候了。

第二年,也就是楚庄王十七年(前597年),楚庄王下令讨伐郑国,因为郑国又跟晋国混在了一起。

楚国全军出动。这一次,楚庄王的目的绝不仅仅是郑国,或者说,根本就不是郑国。

比耐心

楚军在一月开始进攻郑国,郑国则立即向晋国求援。

战争开始了吗?不,战争并没有开始。什么开始了?比耐心开始了。

楚军一路秋毫无犯,直接包围了荥阳。但是,楚国人并不攻城。

"大王,为什么不攻城?"伍参私下里问。

伍参是谁?

嬖人伍参,就是那个给楚庄王讲鸟谜语的人。这么多年以来,他尽管级别不高,但是地位不低,楚庄王一直很信任他,去哪里都带着他。

"因为我们要等晋国人来。"庄王轻轻地说。

伍参是个聪明人,他没有再问,他知道,很长时间以来,庄王都在研究城濮大战的战例。毫无疑问,庄王要用晋国人的方法来对付晋国人。

"郑国人,千万别投降啊。"楚庄王自言自语。

围城打援,这是楚庄王的发明。

绛,中军元帅府。

荀林父虽然最终成为中军帅,但是他明白,自己在晋国政坛上还是势单力孤。如今郑国来求援,情理上说是应该立即出兵的。但是出兵容易,打起来就很难说胜负了。如果战败呢?连赵盾和郤缺都不去碰楚国人,凭什么自己要当这个冤大头?

但是,如果拒绝出兵呢?拒绝出兵又会给政敌留下口实。

想来想去,荀林父想到一个办法。

"回去告诉你们国君,请他无论如何顶住,我们很快就来。"荀林父打发了郑国特使,然后开始拖延时间。

在心里,荀林父希望郑国赶紧投降。

好奇怪的一场战争。

郑国人显然没有能够捉摸透两个大国的想法,他们还傻乎乎地等晋国人来支援呢。

眼看都城被包围了十七天了,晋国人的影子都没有看到,郑国人有点急了。

"我看,投降吧。"郑襄公的哥哥,上卿子良建议。按照子良的理论,"晋楚无信,我安得有信"(《左传》)。意思就是:晋国和楚国都没什么信用可言,我们讲什么信用?谁来我们就投降谁好了。

郑襄公有点犹豫,他不大甘心,谁来谁强奸的日子令他厌烦了,他很期望当一回烈女。最后他想起一个办法来。什么办法?占卜。占卜的结果是投降不吉利。

"那就战斗到底吧。"郑襄公决定了,于是命令每条街巷都准备一辆战车以示决战到底,然后到祖庙中号哭,以示要以死来捍卫祖先的荣誉。于是,整个郑国都城哭声一片,连守城的将士们也都号哭起来。

楚军一看,怎么郑国人全都哭起来了?是国君死了?还是要出来跟我们拼命?

"全军后撤三十里下寨。"楚庄王下令,无论是哪种情况,都应该撤军。

按照规矩,对方的国君死了,就应该停止进攻,这才符合战争的道德。所以,如果郑襄公死了,楚军应该后撤。而如果郑国人出来拼命,也就意味着要一战定胜负,那么晋国人就不会来了。所以,如果对方是要拼命,楚军也应该避免。

楚军后撤了,这下轮到郑国人困惑了。

怎么我们哭了一顿,楚国人就后撤了?郑国人分析了半天也没分析出个所以然来,最后只能认为是祖先显灵,吓退了楚国人。

"立即修补城墙,抵抗楚国人。"郑襄公陡然间有了信心,准备坚持到底。

可是,郑襄公不知道,楚国人正希望他坚持下去。

等郑国人修好了城墙,楚国人再次包围郑国都城。

楚国不攻,郑国不降,晋国不救。

绝妙的国家,绝妙的战争。

这场战争的第一个关键词就叫做耐心。

郑国的使者和晋国、楚国两国的间谍走马灯一样穿梭在郑国和晋国之间,郑国使者每次在晋国得到的答复都是一样的:坚持就是胜利,顶住,我们很快就出兵去救你们。

然而,盼星星盼月亮,就是盼不来晋国的救兵。

而晋国和楚国的间谍在探听不同的消息,晋国间谍探听的是郑国投降没有,楚国间谍则探听晋国出兵没有。后来两国间谍走的次数多了,在路上遇上的次数也就多了,最后成了熟人,进一步成了朋友。

"喂,你们出兵没有?"

"没有,郑国人投降没有?"

"没有呢。"

楚国和晋国的间谍在郑国边境上遇上,索性互相打探消息,然后折返回去,大家都省事了。

这叫什么战争?

又见肉袒

人的耐心是有限度的,每个人都一样。

转眼三个月过去了,从春天走到了夏天。

荥阳城外,臭气熏天,楚军的粪便已经漫山遍野了;荥阳城里,也是臭气熏天,郑国人民的粪便堆积了大街小巷。

楚军的给养已经发生了困难,粮食已经不多了;而郑国军民更惨一些,粮食和用水都发生了危机。

三个月啊,人都要疯掉了。

终于有一天,人的耐心到了极限。

"他奶奶的,晋国人真能忍啊,老子服了还不行吗?传令,明日攻城。"楚庄王忍不住了,决定不等了,立即攻城,征服郑国之后回国。

城里,同一天,发生了同样的事情。

"他娘的,晋国人看来是不会来了,老子投降还不行吗?"郑襄公决定投降。

其实，在同一天，晋国也发生了同样的事情。

"他大爷的，楚国人真能扛啊，郑国人真能扛啊，老子出兵还不行吗？"荀林父宣布出兵了，再不出兵，晋景公不干了，郤先赵三家就要借机扳倒他了。

从耐心的角度说，晋国、楚国和郑国打了个平手。

第二天，楚军准备攻城。正要擂鼓进攻，荥阳大门打开了，城头上摆出两个大字：投降。

好了，不用打了。

楚庄王率领楚军进城了，他甚至根本就没有怀疑对方诈降，他已经有些麻木了。

楚庄王从皇门进入荥阳，一条大道直通郑国朝廷。只见大道上一个人裸露上身，一身肥嫩的白肉在阳光下十分刺眼，此人不是别人，正是郑襄公。郑襄公半裸，手牵一只羊，缓缓走来。

还记得许僖公的肉袒吗？郑襄公给学来了。

楚庄王一看，当时就笑了：肉袒？听说过，没见过，今天见到了。

来到近前，郑襄公跪在楚庄王的面前，开始说话了："大王，我知道错了。我没有按照老天爷的意思事奉大王，让大王您生气了。如今大王攻打我国，都是我们的罪过啊。即便大王把我带到南海之滨种地，把郑国的土地分给诸侯，把我的老婆给您的部下做小老婆，我也毫无怨言。但是，如果大王能够看在历代祖先的面子上，能够顾念两国的友好历史，给我们一个改正错误的机会，让我们不至于灭亡，我保证今后忠心不贰，就像楚国的县一样事奉大王，对大王的恩惠永世不忘。这是我的心愿，但是不敢对此有所指望，请大王定夺。"

郑襄公的声音有些低沉，话有些卑微，但是并不卑鄙，不卑不亢说不上了，但是表情还是很自然，这显示他实际上还是很有骨气、很有主见的人。

楚庄王有些喜欢上他了，他觉得郑襄公是一个好君主，而且他挺到今天才投降，确实够配合的了。

"大王，不要听他的，别放过他们。"身边的人劝楚庄王。

"不，郑国国君谦恭有礼，必然能够得到百姓的信任，这样的国君，我们为什么不能放过他呢？"出乎人们的意料，楚庄王放过了郑国。

郑襄公有些愕然，他想不到楚庄王这样轻易地就放过了自己。

"传令，大军后撤三十里扎营，不得骚扰郑国军民。"楚庄王下令撤军，然后对郑襄公说："贤侯请起，这事情不怪你，我在楚军大营等郑国使者过来结盟。"

楚庄王走了，郑襄公眼含热泪，他感动啊。

"名不虚传啊,楚王比晋国人够意思多了。"郑襄公的泪水忍不住还是掉了下来。

于是,楚国与郑国结盟,楚国派潘尪进城递交盟书,而郑国派郑襄公的哥哥子良前往楚国做人质。

由于楚军仅仅是包围了荥阳,而对其他地方秋毫无犯,因此郑国的春耕损失不大。

尽管郑国归顺了,但楚庄王并不是太高兴,因为他认为自己比耐心比输了。

"文化底蕴哪,还是晋国比较厚啊,他们的耐心怎么就那么好呢?"楚庄王感慨。

出兵三个多月,如果就这么回去了,岂不是很没有面子? 庄王有点郁闷,怎么办呢? 孙叔敖给出了个主意:"大王,咱们不妨再向北走走,到黄河边上,饮饮马,盖个庙什么的,也算向对面的晋国人示个威,那不是也很有面子?"

楚庄王想想,到这时候了,也只有这样了。

于是,楚军休整三天之后,班师向北。

还没动身呢,派往晋国的间谍回来报告了:"大王,晋国军队出动了。"

楚庄王吃了一惊,算算日子,笑了:"他奶奶的,晋国人的耐心也不比老子强啊。"

"再探再报。"楚庄王下令,一面按照既定计划向北。

等楚军来到郔这个地方的时候,探马回报:"晋军已经渡过黄河,进入郑国境内。"

"啊,这么快?"楚庄王大吃一惊,他想不到晋国人竟然这样神速,难道他们已经下定了与楚军决战的决心?

到这个时候,庄王有些犹豫了。

我们来看看晋国人,他们真的做好准备了吗?

窝囊的荀林父

如果早知道郑国已经投降了楚国,荀林父是无论如何也不会出兵的。

三军出动,三军帅佐分别是:中军荀林父和先縠,上军士会和郤克,下军赵朔和栾书。三军大夫分别是:中军赵括和赵婴齐,上军巩朔和韩穿,下军荀首和赵同。行军司马依然是韩厥。

194 晋国大军由荀林父统领,一路南下,来到黄河边,对面就是郑国。就在这个时候,对面划过来一条小船,晋国的间谍回来报告了。

"报告主帅,楚军已经攻破荥阳,楚郑两国签署了和平协议,楚国派潘尪与郑国结盟,郑国派子良去楚国做人质了。"间谍把最近的情报汇报给了荀林父。

荀林父急忙召集三军高级将领,通报了情况,然后说:"本来我们是来救郑国的,现在战争已经结束了,咱们再去,就成了攻打郑国了,还去干啥?再说,咱们原来是来跟楚国打的,如果楚国走了,咱们再去,不是很没面子?"

荀林父的意思,回家去吧。

士会第一个表示拥护,因为他知道以目前的状况,根本没有可能与楚军对抗。

"各位,楚国很强大,楚王很英明,楚军很勇猛。他们讨伐郑国,是因为郑国背叛他们,如今郑国顺从了,他们就宽恕郑国,这是很有大国风范的。我听说楚国在楚庄王的英明领导下,在以孙叔敖为首的大臣们的全力治理下,如今已经国强民富、文明发达了,不再是从前那个不知礼节的蛮子国家了。所以,对这样的国家,能不和他们开战就不开战吧。"士会说的道理尽管有些大,却是事实。

对于荀林父,不服气的人很多,但是对于士会,所有人都很尊重。所以,士会附和之后,大家都没有说话。基本上,就算达成了撤军的共识。

荀林父正要宣布撤军,有人说话了,荀林父最担心的那个人说话了。

"不行,晋国之所以能称霸天下,就是因为我们能打,谁也打不过我们。如果眼看郑国被征服却不去救援他们,敌人就在对岸却不去击败他们,这是男人吗?我们作为统帅的,如果这样畏敌如虎,还不如一头撞死算了。要走,你们走,我不走。"先縠大着嗓门说话,他一向就瞧不起荀林父,见他要撤军,更是不把他放在眼里。

"这个。"荀林父确实有些弱了,这要是换了当年先轸做元帅,直接把先縠推出去了。就算是后来赵盾和郤缺做元帅,也决不会允许有人这样放肆。可是,荀林父竟然无可奈何。

"再议吧,先驻扎下来。"这就是荀林父的决策。

大家哄然而散,士会暗自叹了一口气。

当天下午,出大事了。

中军佐先縠竟然率领自己那部分兵力渡河了,等到荀林父知道的时候,已经渡了大半过去。荀林父急忙去阻止,谁听他的?

太没面子,太没面子了。

违抗军令,擅自行动,是什么罪?死罪。

可是,荀林父根本没有这种魄力,他甚至连杀一个普通军官以阻止渡河的胆量都没有。

眼看着先縠的部队渡过了黄河,荀林父垂头丧气,其他人都在看热闹。这一回,连士会都没有说话。

但是,还是有一个人站出来帮助荀林父,那就是下军大夫荀首。整个晋军,跟荀林父最铁的就是荀首了。为什么?不为什么,因为荀首是荀林父的亲弟弟。

"主帅,先縠违抗军令,擅自行动,他这样必然被楚国人击败,就算他侥幸逃回来,也是死罪。让他去,我们按计划撤军吧。"荀首站出来为荀林父鸣不平。

荀林父没有说话,他没有做出这个决定的胆略。

司马韩厥走了过来,尽管他与先郤赵三家也是同党,不过他要厚道得多,看热闹归看热闹,他还在想办法。

"主帅,先縠的队伍要是被击败了,您难道没有责任?军队不听号令,您难道没有责任?事情到了这个地步,我看不如三军渡河算了,就算战败,也是大家来分担责任啊。与其您一个人承担责任,不如六卿一块分担,不是更好?"韩厥的建议就是大家跟着先縠渡河。

韩厥,这个铁面无私的司马这个时候也不说先縠违抗军令了。

与权力斗争相比,军令算个屁。

回想起来,当初韩厥处斩赵盾的御者,那不过就是一场秀。

"那,那,大家渡河吧。"荀林父无可奈何地下令。

这个主帅,真的很窝囊。

就这样,晋国三军渡河了。

楚国人也在争吵

就在晋国人为打还是不打而争吵的时候,楚国人其实也分成了战与不战的两派。

楚军现在的人员布置是,庄王亲自领军,令尹孙叔敖为军师。中军由虞邱为主帅,左军由子重也就是公子婴齐为主帅,右军由子反也就是公子侧为主帅。

提醒一下,从前,楚国三军都是斗家的人在统领,而现在,都是王室的人在统领。由此可知,楚庄王为什么要杀斗越椒。

楚庄王原本的目标就是要与晋国人决战,可是,事到临头,他又很犹豫。

这一点,就像当初晋文公在与楚国交战之前的心理一样。

"大王,郑国已经降顺,我们的目的已经达到,撤吧。"孙叔敖建议。

"那,那就撤吧。"看上去,楚庄王有些犹豫。

"大王,不能撤啊。晋国人来了,咱们就撤,那不是示弱吗?"巫臣反对。

"那,那不撤?"楚庄王看上去好像拿不定主意。

在场的分成了两派,孙叔敖和虞邱主张撤军,子重、子反等将军反对撤军。基本上还是那个路子,文官主和,武将主战。问题是,谁也不能说服谁。

庄王看在眼里,心里有数。可是,他不愿意这么快就表态。

"参,你看呢? 到底是撤,还是不撤呢?"楚庄王猛然间看见身边的伍参,于是问他。

见楚庄王问自己,伍参忍住了没有笑出来,心说你真是揣着明白装糊涂。伍参比所有人都了解庄王,他知道庄王想要自己说什么。

"大王,我看,不能撤。晋国新任主帅是荀林父,这个人很懦,而先郤赵三家势力强大,根本不尿他这一壶,其中先縠更是不把他放在眼里,晋军指挥不灵,军令混乱。这样的军队,怕他们干什么? 何况,大王您是一国之主,对方不过是个中军元帅,我们怎么能躲避他们呢?"伍参的话说得很有道理,大家都觉得奇怪,怎么这么个嬖人这么有才呢?

其实没有什么好奇怪的,一来伍参是个人才,二来,关于晋国的情报,楚庄王知道的他基本上也知道,所以倒比将军们看得更清楚。

别人没话可说了,孙叔敖脸上有点挂不住了,自己一个堂堂令尹竟然不如一个小小嬖人的话令人信服,没面子啊。嬖人是什么? 不就是个专业拍马屁的吗?

"伍参,这是国家大事,你懂得什么? 要是万一不能战胜晋国,恐怕你的肉都不够大家吃的。"基本上,孙叔敖是在威胁伍参,潜台词就是:如果打输了,把你扒皮剔骨给大家做肉末茄子。

"嘿嘿,要是我们打败了,只怕我已经被晋国人砍了,我的肉也轮不到你吃了;可是,如果胜了呢? 是不是说明你缺少谋略?"伍参竟然不接受威胁。

大家都有些吃惊,伍参竟然这样跟孙叔敖说话,是不是过分了点?

"向北进军。"楚庄王下令。

聪明一点的人都已经看出奥妙来了。

第一〇五章　大战前戏

每个人有每个人的心眼,每个国家也有每个国家的想法。

晋国人是主帅不想打,可是有人想打;想打的也未必就是真的想打,他们真正想的是要跟主帅过不去。楚国人是有人想打有人不想打,楚庄王想不想打没人知道,基本上是表面上不想打,实际上却在向北进发。

那么,郑国人呢?

苦大仇深的郑国人认为机会来了。什么机会?报复的机会。就像一个弱女子总是被老张和老李强奸,现在弱女子终于等到老张和老李火并的机会了。"该死的,让你们打,让你们两败俱伤。"基本上,这就是郑国人现在的想法。

两头忽悠

基于以上想法,郑襄公分别派了公子偃和皇戍去楚军和晋军。去干什么?煽风点火,或者叫忽悠。

公子偃来到了楚军大营,求见楚庄王。

"大王啊,求求您一定要打败晋国啊,否则你们一走,晋国人又要包围我们了。你们围了三个月,要是再让晋国人围三个月,我们恐怕就变干尸了。"公子偃忽悠楚庄王,顺便拍了一顿马屁。

楚庄王笑了,他知道郑国人的算盘。

"你放心吧,我们不会抛弃郑国的。"楚庄王表态。

公子偃也笑了,他高高兴兴回去汇报了。

就在公子偃去楚军大营的同时，皇戌也到了晋军大营。

晋军中军帐里乱糟糟一团，什么人都可以进进出出。

"荀元帅，郑国投降楚国实在是迫不得已啊，我们在内心还是向着晋国的。我们盼星星盼月亮总算是把你们给盼来了，你们可不要轻易放走楚国鬼子啊。"皇戌先套了一把近乎，顺便把郑国投降的责任推掉。

"那，据你所知，楚国那边的情况怎么样？"荀林父问他。

"这么说吧，战胜了我们，楚国人很骄傲，得意忘形了；出兵三个多月，楚国士兵都想回家了，所以呢，士气很低落。这样的军队，那简直就是豆腐渣军队啊，只要晋国军队进攻，他们不溃败的话，我把自己的这个皇字倒过来写。等到楚军一溃败，我们郑国军队从后截击，哈哈，看他们往哪里跑？"皇戌继续忽悠。

荀林父点点头，尽管不想打仗，他还是觉得皇戌的话有些道理。

先縠兴奋起来，似乎楚国人已经束手就擒。

"是到了一举击败楚国人，拯救郑国兄弟的时候了，干掉楚国人。"先縠握着拳头说，恨不能立即就出发。

栾书瞪了他一眼，心说这个蠢货，郑国人显然是来忽悠我们的，连这都看不出来，打什么仗？

"事情怕是没有你想的那么简单，自从楚王任用孙叔敖以来，楚国已经发生翻天覆地的变化了。在楚国战胜庸国之后，楚王就经常告诫自己国家还很贫穷，战争随时会降临。他们还用祖先的事迹来进行爱国主义教育，随时提高警惕。所以，说他们骄傲是没有道理的。狐偃曾经说过：师出有名则理直气壮，无名则理屈气衰。我们比楚国人更有理由出兵吗？我听说楚王很勤勉，他把自己的卫队分成东西两广，每天全天防备，以防意外，他们怎么会懈怠呢？郑国人来说这些，无非就是希望挑起战争，他们好投靠胜者。"栾书算是看得很清楚了，尽管他也不愿意得罪先郤赵三家联盟，此时此刻，还是忍不住要说句明白话。

先縠有些意外，他没有想到栾书竟然敢跟自己做对。他正要呵斥栾书，赵括先说话了。

"老栾，你这不是长他人志气，灭自己威风吗？国家养我们干什么？不就是为国征战吗？强敌在前，怎么能够后退呢？我们支持先縠，就算为国牺牲，我们也在所不辞。"

"说大话谁不会说？但是凡事要先从国家利益的角度出发吧？"荀首反驳赵括。

"哎，荀二，你是男人吗？你怎么畏敌如虎呢？"赵同说话也不客气，他们说话都是指名道姓，明显盛气凌人。

"不过我觉得,栾书说得也有道理。"赵朔说话了,赵朔的性格不大像他父亲,倒更像赵衰,他不像其他赵家人那么嚣张,说话要客观得多。

晋国的将军们一通争吵,不了了之。

皇戌摇摇头,告辞回去了。

"俗话说,不怕杀错人,就怕站错队。两位,赶紧分析下,这晋楚两国到底会不会打,如果打,谁胜谁败。事关国家存亡啊,要是分析得不准,站错了队,到时候再玩肉袒可就不灵了。"郑襄公对公子偃和皇戌说,忽悠完了,现在又面临站队的问题。

公子偃和皇戌对视一眼,公子偃说:"那我先说吧,楚国人肯定是要打的。理由很简单,令尹孙叔敖说不打,嬖人伍参说打,楚王就听了嬖人伍参的话,明摆着嬖人伍参是在替楚王说话的。"

郑襄公点点头,表示同意。

"晋国人有想打的,有不想打的,主帅说话都不算数,进也不是,退也不是。不打,算他们好彩;如果打,一触即溃。"皇戌说。对于晋国的权力斗争,他听说过,但是看到之后才发现比自己想象的还要厉害。

"这么说,我们要坚定地站在楚国一边了?"郑襄公问。

"不是坚定,是无比坚定。"公子偃说。皇戌点头支持。

"那好,你去楚军大营,请求出兵与楚军协同作战。"郑襄公做出了决定。

是郑国人太势利了吗? 不是,是晋国人让郑国人太失望。

自古以来,对于一个大国来说,如果小国纷纷背叛自己,那就应当反思自己是不是权力斗争太过分了。

庄王继续作秀

晋楚两军在荥阳以北形成对峙,晋军驻扎在敖、鄗两山之间(今荥阳北)。三军各自扎营,荀林父也没有办法。是进是退,没有定论。

楚军在南面扎营,三军相连,号令统一。

公子偃前来,找到楚庄王,主动要求协同楚军作战,并且将皇戌在晋军中的所见所闻一一作了汇报。当然,公子偃不傻,他当然不说皇戌是去忽悠晋国人进攻楚国人,而说成是皇戌去劝晋国人撤军。

"不必了,你们被围三个月,很多事情等着要做呢,我怎么忍心再劳烦你们?"楚庄王婉拒了,把公子偃感动得几乎流出泪来。

公子偃回去把情况一汇报,郑襄公也感动得差点落泪了。

"人家这么诚心对待我们,我们还忽悠人家,不应该啊。"郑襄公感慨。

送走了公子偃，楚庄王心里更有底了。可是，他也知道，晋军不是吃素的，要做到万无一失，还需要更多的准备。

"召开前敌会议。"楚庄王召集三军将领，继续按照自己的思路进行布置。

一众将领到齐，楚庄王并没有告诉他们郑国请求协同作战的事情。

"各位，如今楚晋两军剑拔弩张，大战就在眼前。不过，昨晚我梦见了成得臣，他告诉我说晋军十分勇猛，劝我不要跟晋国人作对，因为我们永远也不能战胜晋国人。我想，干脆我们趁着他们还没有发起进攻，今晚上撤退回去，不知道大家怎么看？"庄王上来这么一段，大家都给听愣了。

"大王，三军将士憋足了劲要和晋国人大战一场，怎么能逃？"子反第一个反对，不等别人说话，先吼了起来。

"哎，我也知道你们不服气。想想当年成得臣，那也是百战百胜的名将，可是遇上晋国人，不也被打得满地找牙？ 如今，先轸、魏犨等人虽然不在了，可是他们的后人还在啊。我看，还是撤军吧。"庄王还是坚持撤军。

"大王，我们愿与晋国人血战到底。"大夫熊负羁挺身出来，反对撤退。

"令尹，你看呢？"庄王故意问孙叔敖。

"我觉得，撤军为上。"孙叔敖回答。

孙叔敖话音刚落，只见三军将领呼啦啦站起来十多个人。

"大王，我们请求与晋国人决一死战，报仇雪耻！"大家群情激奋起来，对于先轸、魏犨，大家是认同的，可是对他们的后人，大家不屑一顾。

"这个……"楚庄王犹豫起来，似乎拿不定主意。

伍参在一旁看得想笑，他知道该自己主动出场了，这一次不能再让庄王点自己的名字了。

"大王，我想说两句。"伍参提出请求。

楚庄王也差点笑出来，他用赞赏的眼神看看伍参，心说这小子太醒目了，做个嬖人太可惜了，回去要提拔他了。

"你说。"

"大王，依我看，大家斗志昂扬，就这么撤了，真是太对不起大家。我看，不如咱们先派人去到晋国那边提出一个和平建议。他们要是答应了，咱们也不吃亏。他们要是不答应，那时候正义的一方是我们，咱们再跟他们决战，到时候就拜托各位将军了。"伍参的主意算是个折中。

"那好，蔡鸠居，你去一趟晋国人那里，请求和平解决。"庄王决定了，将军们还在愤愤不平。

第一次和平谈判

晋军大营。

几天来，三军将领们备战的时间不多，主要的事情是在争论该打还是该和，争论到现在都没有结论。

这一天争论还在继续，正争得面红耳赤，楚国特使蔡鸠居到了。

"哎，先听听楚国人怎么说。"晋国人暂时不争了，大家都想看看楚国人想干什么，是下战书？还是求和？

我们来听听蔡鸠居怎么说。

"寡君少遭闵凶，不能文。闻二先君之出入此行也，将郑是训定，岂敢求罪于晋？二三子无淹久。"蔡鸠居的话显然是楚庄王教给他的，软中带硬，不卑不亢。什么意思呢？大意如此：我们大王从小遭遇忧患，不太善于辞令。从前我们的先王成王和穆王来往途经这里，都是为了教训和安定郑国而已，我们大王这次来也是这个意思，怎么敢得罪晋国呢？各位，请回去吧。

从软的角度说，楚国人是主动来表示善意的；从硬的角度说，楚国人是要晋国人回去，也就是说，晋国人没有任何收获。

荀林父一时不知道怎样回答。就这么回去吧，太没面子；拒绝吧，那就等于宣战，又不是自己的本意。

"当年周王曾经对我们先君晋文公说过，让我们和郑国一同辅佐王室，如今郑国背抗王命，不跟晋国亲近，我们国君命令我们前来质问郑国，怎么敢劳驾你呢？谨此拜谢楚王的命令。"士会说话了，既客气，也没有示弱。

说来说去，楚国和晋国都没有错，错的就是郑国。

弱小就要挨打，而且还要背黑锅。试想一下，如果这个场合郑国人也在，就该郑国人转圈赔礼道歉了。"我们有罪，我们有罪，都怪我们自己做得不好，才害得你们来教训我们，我们是坏人，我们是坏人。"

基本上，士会的意思跟楚国人的意思一样：我们是来教训郑国人的，不想跟楚国人作对。至于撤不撤军，没说。

荀林父对这个回答很满意，从外交的角度说，楚国和晋国的话都是废话，但是，至少表达了双方的善意，这为进一步的接触打下了基础。

蔡鸠居没有说更多的话，他没有得到授权，事实上他也不知道该说什么。所以，他告辞之后出来了。

刚才先縠之所以没有说话，是因为他没想好该说什么，并不等于他赞同士会的话，实际上他非常不同意士会的话。看见楚国使者走了，他把赵括拉到了一边。

"兄弟，士会简直就是软蛋，丧权辱国。你追上楚国使者，表达我们的严正立场。"赵括急忙追出去了。

蔡鸠居还没有上车，后面赵括追了上来。

"嘿，楚国来的，等等。"赵括大步追上来，说话一点也不客气。

蔡鸠居转过身来，看看是什么人这么粗鲁。

"你谁啊？什么事？"蔡鸠居问，说话也不客气。

"我赵括，告诉你，刚才士会的话不恰当，我代表晋国三军来警告你们，我们晋国军队来，就是要把你们赶出郑国去，听见了没？告诉你们国君，识相的赶紧自己走。"赵括把自己提升为晋军的发言人了，不管三七二十一，直接最后通牒了。

蔡鸠居一听，你是个什么鸟啊？你就代表晋国三军了。本来想直接顶回去的，想想来的时候庄王叮嘱过不要多说话，忍住了，转头上车，回楚军大营了。

第二次和平谈判

楚军大营。

蔡鸠居把出使的情况一五一十作了汇报，一个字也没有漏，甚至连晋国人的语气和表情都尽量模仿回来了。

"该死的晋国人，给脸不要脸，跟他们打。"大家听完之后，都义愤填膺。

"大家不要急，赵括是个什么东西？他怎么能代表晋军？我看，士会的话才是他们的官方答复。"出人意料的是，庄王并不生气。

"可是，士会的话都是废话啊，倒是撤还是不撤，他没表态啊。"子重说话了，他对士会的答复也不满意。

"不能这么说，我们平白无故让人家撤军，人家怎么有面子呢？这样吧，蔡鸠居，还是你去一趟，跟他们商量商量，看看他们需要什么条件才肯撤军，啊，别跟他们争吵啊。"楚庄王又派蔡鸠居去了。大家一看，大王这简直是仁至义尽啊。

"我们大王对他们的臣子都这样谦虚，都这么客气，如果他们再提什么无理要求，我们就不答应。"将领们议论纷纷，他们已经很愤怒了。

蔡鸠居又来到了晋军大营。

"各位，我们大王说了，你们撤军有什么要求，可以提出来。"蔡鸠居开门见山，连外交语言都省了。

"嗯。"荀林父首先吃了一惊，他惊讶于楚庄王的通情达理，这样的国君

平生还第一次见到,打仗还要给对方留台阶的。在那一瞬间,他甚至有些感动。

"士会,楚王这样仁义,士会,你说说吧。"荀林父又把皮球踢给了士会。这么多人当中,从人品和能力的角度来说,他也只能信得过士会了。

"我看,不如让郑国国君派使者过来,我们再和郑国结盟,也让郑国派一个公子到晋国为人质,这样我们就很有面子了,就可以撤军了。"士会的提议很现实,也很可行。

现在,士会把球踢还给了楚国人。

蔡鸠居没有说话,不过他心中还是很佩服士会。

可是,总有蠢货以为把球握在手里会更爽一些。

"不行,这是楚国人不把我们放在眼里,凭什么他们给咱们划出道来?他们先撤军,然后再谈。"先縠非常强硬,这一次他要当即表达意见了,他不想再像一个小偷一样派人去追楚国使者。

"我觉得可以了,人家楚国是国君啊,主动来和我们和谈,我们还有什么可说的?"荀首表态支持士会。

"不行,就这样回去了,楚国人会瞧不起我们的。"郤克支持先縠。

晋军将领们开始争吵起来,荀林父几次大声制止,没人理他。

眼看争吵了半个时辰了,依然没有结果。如果不是有人来紧急报告楚军动态,这场争吵不知道要到什么时候才能结束了。

楚军什么动态?楚军来挑战了。

不是在和谈吗?怎么楚军又来挑战?楚庄王出尔反尔了?

第一次交锋

蔡鸠居前脚去了晋军大营,楚军将领们就开始议论纷纷,大家一致认为,这一趟蔡鸠居过去,晋国人一定会提出跟郑国结盟以及郑国派公子去晋国做人质的条件,而这个条件是楚庄王无法拒绝的。到时候,两国军队各自撤退,晋国人今后一定会笑话楚国人。

"奶奶的,就这么回去了,晋国人一定瞧不起我们。不行,就算不打,也要让晋国人见识见识我们的手段。"乐伯是楚军中的勇士,对晋国军队一向就不服气,本来憋着劲要跟晋国人见个高低,如今看见和平在望,失望得不得了。

"干脆,咱们哥几个去晋军挑战吧。"许伯提出建议。

"太好了,咱们去吧,杀进敌营,砍翻晋国人,再割几只耳朵回来给大家看看。"摄叔响应。

这哥三个是一乘战车的组合,许伯是御者,摄叔是车右,乐伯是射。三个人装备好了,杀出楚军大营,直奔晋军大营挑战去了。

三个二百五。

三个人的勇气还算不错,一直冲到了晋军中军营前,然后张牙舞爪那么闹了一阵,算是示威。乐伯还脱了裤子,把屁股亮给晋国人看。

晋国人愤怒了,打这么多年仗,从来没有受过这样的侮辱。

三军的主要将领都在开会,先縠手下的鲍癸(音鬼)不管那些,带着自己的手下,打开营门,杀了出去。

"你们,从左边上;你们,跟我从右边追击。"鲍癸布置了分进合击的战术打法,于是,左边三乘车,右边三乘车,晋国人杀了过来。

乐伯三人原本凭借着一时之勇来示威,如今真的面对人数占绝对优势的晋国人,那还不跑?

楚国三人组合在前面狂奔,晋国人紧追不舍。

"看我左边射人。"乐伯的箭术一向不错,一箭射去,射在一个晋军的肩膀上,左边的晋军立即降低了速度。

"看我右边射马。"乐伯一箭向右边射去,正中一匹马,连带着整辆战车摔倒,右边的晋军也小心翼翼起来。

乐伯十分得意,一箭接着一箭,晋军小心应对,但是依然紧追不舍。

射到最后,乐伯一摸箭囊,哎呀妈呀,有点傻眼了,因为只剩下一支箭了。乐伯摸了摸自己的耳朵,今天弄不好自己的耳朵就要归晋国人了。

正在危急时刻,乐伯看到了救星。

第一〇六章　闹剧还是战争

一头麋鹿从不知道什么地方蹿了出来,战争来了,还要到处乱逛,很危险的。

乐伯看到麋鹿,瞬间就想到了脱身的办法,只见他对准麋鹿就是一箭,这一箭射得够准,直接把麋鹿射翻在地。

"快停车,摄叔,你去把麋鹿献给晋国人。"乐伯下令,于是许伯赶紧把马拉住,摄叔跳了下去,一把将麋鹿提起来,扛在肩上,向追来的晋国人走去。

鲍癸一看,这楚国人怎么跑着跑着扛过来一头麋鹿? 什么意思? 当时也拉住了马。

摄叔把麋鹿放在鲍癸的车前,然后说:"晋国的兄弟,我们刚才是去问候你们的。如今还不到时令,应当奉献的禽兽还没有出现,暂且献上这头麋鹿,作为您随从的佳肴吧。"

鲍癸略微犹豫了一下,然后说:"多谢你们的馈赠了,那我们就不远送了,一路走好啊。"

楚国人登车,绝尘而去。

"看看人家楚国人哪,射箭射得准,还懂得外交,还这么有礼貌,真不愧是大国啊。"鲍癸望着楚国人的背影,由衷地说。

春秋时期的人打仗,有的时候真的很天真。刚才还在你死我活,现在又成了串亲戚了。

晋国人的应对

乐伯跑了,可是蔡鸠居有麻烦了。

"你是来忽悠我们的吧? 你这边来和谈,怎么还派人来挑战?"晋国的将领们都有些愤怒,赵括大声质问起来。

"这个,这个,我也不知道啊。不过,我猜测他们是偷偷跑出来挑战的,不是大王派来的。"蔡鸠居连忙解释,在人家的地盘上,只能小心翼翼。

"不行,你们楚国人不讲信用,你的话我们就不能信了。"赵同说。

蔡鸠居没话说,现在是跳进黄河也洗不清,说什么也没用了。

"我说吧,跟楚国人有什么可谈的? 照我说,宰了楚国使者,直接跟楚国人决一死战吧。"先縠趁机就要杀人。

蔡鸠居瞪了先縠一眼,心说自己怎么这么倒霉,当个使者还要被杀? 也不知道是哪个缺心眼的来挑战,竟不管自己的死活。想是这么想,还不能表现出害怕来,还要作出一副大义凛然、视死如归的架势。

还好,有人救他。

"两国交兵,不斩来使,让他走吧。"士会说话了,他实在忍不住要说话了。

先縠不依不饶,一定要杀了蔡鸠居。眼看又要争吵起来,荀林父终于决定果断一回。

"使者,你先回去,把我们的条件转达楚王,若是楚王同意,我们再商量具体的撤军方式。"荀林父把蔡鸠居打发走了,他怕再闹下去,先縠等人就要动手了。

蔡鸠居走了,可是晋军的争吵并没有结束。

"主帅,楚国人来挑战,分明是不把我们放在眼里,我坚决要求去楚军大营挑战。"说话的名叫魏锜,是魏犨的二儿子。

"算了,别惹事了。"荀林父拒绝了魏锜的请求。魏锜哼哼唧唧,很不满意。荀林父不去理他,问大家:"各位,如今我们应该怎么办?"

先縠、赵括等人斜着眼,对这个问题不屑一顾。

"我看,不如我们也派特使过去,探一探楚王究竟什么意思,也摸一摸楚军的虚实。"赵朔提了个建议。大家都不好反对。

"好主意,谁去走一趟?"荀林父认为这个主意不错,至少算是个主意。

没人答应,主战派不愿意去,主和派也不愿意去。

"谁愿意去走一趟?"荀林父再问。

还是没有人回答。

荀林父一看，似乎只好派下去了，没想好派谁呢，终于有人搭茬了。

"我去，让我去吧。"又是魏锜。

荀林父是很不想让他去的，他知道这是个二百五。可是，除了他，没有别的人愿意去，如果再不让他去，既得罪人，自己也没有面子。

"好，你去吧。记住，言语要温和有理，把我们的条件说清楚，即使对方挑衅，也不要回击，记住了吗？"荀林父嘱咐。

"知道了。"

魏锜摇头晃脑地走了，似乎很得意。

如此使者

魏锜确实很得意，他终于找到了机会。

按照赵盾制定的规矩，六卿为公族。但是，赵盾本人把自己的几个兄弟都弄成了公族，大家看着就有些怨气。

魏犫家族原本与赵家地位相当，如今却差了许多，魏家的人很不服气，魏锜就是其中最不服气的一个，常常说："你赵家阿猫阿狗都成了公族，凭什么啊？"

赵盾死了之后，魏锜就开始蠢蠢欲动，不久前申请担任公族大夫，混进公族队伍，结果呢，因为各项条件不符合，被拒绝了。

就为了这个，魏锜心怀不满，这次出征，下定了决心要把晋国军队搅和失败。如今得了这么个差事，心里当然高兴。

"想平平安安回家？没门，就算楚国人真不想打，老子也要撺掇他们打过来。"魏锜心中暗想，就这么去了楚军大营。

魏锜走了，荀林父正要宣布散会，又有人发言了。

"主帅，楚国人派了一个使者，然后又派了一个人来挑战。咱们现在有使者了，还要有人去挑战啊，派我去吧。"又是一个请求挑战的。

荀林父心想，怎么刚才都不发言，现在都发言了？抬头去看那个挑战的人，禁不住心中叹了一口气，借用《水浒传》上的话，那就是：只叫得苦。

此人名叫赵旃(音沾)，跟他爹一样难缠。他爹是谁？赵穿。

赵旃人称赵大胆，谁都不敢惹他，因为他有公室和赵家双重背景。

"我看，还是算了吧，等魏锜回来再说吧。"见是赵旃，荀林父说话也客气一些。

"不行，难道我比魏锜差？他能去楚营出使，我就不能去挑战？既然不让挑战，我也要去出使。"赵旃不挑战了，要出使了。

"那，那好吧。"荀林父吞吞吐吐，竟然同意了。

肉啊，荀林父真肉。

赵旃摇摇晃晃出去了，似乎很过瘾。

赵旃确实很过瘾，他终于找到机会了。

赵旃的老妈是晋襄公的女儿，也就是说，赵旃是公室的亲戚。同时，他还是赵家的人。有了这两座靠山，赵旃的政治资本算是雄厚。同他父亲赵穿一样，赵旃很自负，一直认为自己是个很牛的人物。

赵穿一辈子没能干上卿，赵旃就很替自己的父亲不平，他认为自己天生就应该是个卿。郤缺鞠躬尽瘁的时候，他就强烈要求当卿，谁知道被荀林父给了郤克。赵旃很愤怒，他发誓要报复荀林父。

现在，机会来了。

"该死的老荀，让你牛，这次一定要让你打败仗，回去被砍头。"赵旃恨恨地说，他有自己的打算。

荀林父很肉，但是，他不傻。他知道，如果没有老天爷来拯救的话，这一次一定要栽。

荀林父不傻，但是，他很肉。尽管他知道在劫难逃，他却没有办法改变。

他现在能做的是什么？

等待命运的到来。

还有呢？

准备逃命。

"婴齐，你率领你的部下去安排渡船。"荀林父暗中派了赵婴齐去黄河岸边安排渡船，准备战败之后渡河。

赵婴齐虽然也是赵家的人，但是跟两个哥哥赵同、赵括关系一直不好，反而跟荀林父亲近一些，因此这个任务就安排给了他。

不仅荀林父知道晋军必败，士会和郤克也都看出来了。

"巩朔、韩穿，你们俩在敖山山口布置七道埋伏，一旦形势不利，掩护主力撤退。"士会做了周密安排，以防万一。

郤克跟先縠一向关系不错，他主动去提醒先縠。

"老先，派赵旃和魏锜这两个心怀不满的家伙去当使者，一定会激怒楚国人的，到时候楚国人可能就会一怒之下来袭击我们，要做好防范啊。"

"怕什么？不怕。"先縠断然拒绝。

战神先轸怎么有这么个衰神儿子？

第三次和平谈判

魏锜牛哄哄地来到了楚军大营。听说晋国特使来了，楚庄王亲自接见。

"大王，我代表我军主帅向你们表明严正立场，立即无条件从郑国撤军，否则，我们就不客气了。"魏锜上来就是威胁，连眼皮子也不抬。

楚庄王愣了一下，没见过晋国使者，以为一个个都应该是经纶满腹、彬彬有礼的，谁知道这个美好印象一下子就完蛋了。

"你谁啊？"楚庄王问。

"我？魏锜。"魏锜依然很牛的样子。

楚国的将军们见魏锜一点礼数也不讲，都非常恼火，恨不能拔剑宰了魏锜。想当年城濮之战的时候，两国使者是多么优雅和有礼貌？再想想当年传说中的晋文公一行在楚国的时候是多么的有理有礼有节？楚国人心中对晋国人的那么一种崇拜立即烟消云散了。

按照规矩，魏锜应当以对本国君主的礼节拜见楚庄王，要自称"外臣"，还要说自己"斗胆前来"，等等。

"你？能代表你们主帅？"楚庄王接着问。他没有听说过魏锜这个人，这人在晋军中的地位并不高，所以庄王有些怀疑。

"不错，我家主帅说了，你们的条件很无理，我们不答应。"魏锜接着说。他是铁了心要激怒楚国人。

"你们不是已经答应了我们的提议，提出撤军条件了吗？"楚庄王压着火，再问。

"嘿，我们后悔了，后悔了行不？"魏锜说话满不在乎。

"嚓。"拔剑的声音，谁？大将潘党。

"小兔崽子，不知死活，你以为你在跟谁说话？老子宰了你。"潘党实在忍不住了，要杀魏锜。

魏锜吓了一跳，这才注意到周围的人都对他怒目而视。

"大、大王，两国交兵，不斩来、来使啊。"魏锜真有点害怕了。

所有人的目光都在楚庄王的脸上，只要楚庄王一挥手，大家就会上去把魏锜砍成肉酱。

楚庄王笑了。装的？不是装的，是真的笑了。他觉得魏锜这个兔崽子简直就是自己在晋国的卧底。有这兔崽子的表现，自己的战前动员都可以免掉了。

"魏锜，你走吧，代我向你们主帅致意。"庄王淡淡地说。

210　魏锜拣了一条命，这回老老实实谢过了楚庄王，在众人的怒视中溜了出去。身后,听见楚军将领们问楚庄王:"大王怎么放过了这个小子?"

出了楚营,魏锜得意地笑了。之后,哼着流氓小调,一路轻快地回晋军大营。走出去不到一里路,就听见身后有人高喊:"魏锜休走,留下命来。"

魏锜回头一看,吓得一个哆嗦,只见潘党带领一哨人马追了过来。原来,潘党私下里来追杀魏锜了。

"哎呀妈呀,快,快跑。"魏锜命令御者快马加鞭,赶紧逃命。

魏锜的战车在前面没命地跑,潘党带着四五乘战车在后面拼命地追。魏锜不敢放箭,因为他知道,潘党是神射手,要是对射的话,死的一定是自己。而潘党之所以不肯放箭,是因为他一定要活捉魏锜,羞辱他之后再杀他。

眼看着越追越近,就在魏锜几乎绝望的时候,他猛地看到了救星,一群救星。

前面,出现了六头麋鹿,魏锜开弓一箭,射倒其中一头。魏锜也来不及跟车右说话了,直接从车上跳了下去,一把拎起麋鹿,再回头,潘党的战车已经到了眼前。

"将军,作战辛苦,吃不好喝不好的,我给您献上一头麋鹿,给您和您的部下改善生活。"魏锜壮着胆子,把麋鹿献给了潘党。

潘党一愣,想了想,乐伯献鹿,人家晋国人就放了他,如今魏锜也玩献鹿,如果不放他,岂不是显得楚国人没有风度?

"嗯,多谢多谢,一路走好,不远送了。"潘党收了麋鹿,又说了几句客气话,倒好像这一路上不是追杀,而是送行。

魏锜高高兴兴回去了,他决定再射几头麋鹿备着。

流浪歌手

魏锜回到晋营,添油加醋将自己在楚营的表现说得天花乱坠,说是自己的义正词严镇住了楚国人。至于被潘党追杀那一段,则说成自己的神箭吓退了对方,为了表现晋国的风度,将麋鹿赏赐给了楚国人。

先縠表扬了魏锜。

赵旃听说之后,很不服气。他决定,自己要来点更绝的。

天色渐渐黑下来,赵旃带着筝、席子和麻布,驱车前往楚军大营。就在楚军中军大营外面,把席子一铺,盔甲随手一扔,然后一屁股坐下去,开始弹筝唱歌。如果不是在打仗,赵旃整个就是一流浪歌手了。

这一下,整个楚军中军被惊动,大家纷纷探看,只见一个晋国人在楚军

大营的大门口目中无人,弹筝唱歌。

"欺人太甚。"潘党火大了,张弓搭箭,就要开射。

"慢着,让他唱罢。"楚庄王制止了他。

消息传开,楚国三军都非常愤怒。上午来了个口出狂言的魏锜,现在又来这么一个流浪歌手堵在中军大营前唱歌,这不是欺上门来了吗?

许多人要冲出去杀了晋国人,只是楚庄王派了亲兵卫队守住营门,才阻止了众人。

在纷扰混乱之中,有一个人分外的冷静,这个人就是巫臣。整个晚上他做了一件事:把魏锜射中麋鹿的那支箭悄悄地弄了回来。

巫臣打的是什么算盘?

战争为了什么?土地?金银财宝?或者女人?

巫臣只是想为战争增添一点浪漫的色彩。

决战前夜。

至少对于楚庄王来说,这是决战前夜。

楚庄王的卫队分为左右两广,每广三十乘战车。卫队的任务一是保护楚庄王,充当卫戍部队的角色,二是巡视中军,充当宪兵的角色。通常,右广负责早上到中午这段时间,左广负责中午到天黑这段时间。

"屈荡,明天早上早起,我要用左广。"楚庄王对负责左广的屈荡下命令。屈荡没有多问为什么,安排士兵早些休息,准备第二天早起。

楚庄王并没有安排右广换班,也就是说,右广同样也还要在明天早上值班。这意味着什么?意味着左右两广明天早上将同时出动。

左右两广同时出动意味着什么?

意味着下午不用值班了。

绝密会议,参加人员为:孙叔敖、虞邱、子重、子反和伍参。

绝密会议的内容不得而知,因为是绝密会议。

绝密会议结束的时候,已经月朗星稀。

楚军大营外,赵旃还在孤独地歌唱。

"我是一匹来自北方的狼,走在无垠的旷野中。"歌声悠扬,直入天籁。

多么写意的夜晚啊。

赵旃被一阵鼓声惊醒,揉揉眼睛,睁开眼,天已经蒙蒙亮了。

"我在哪里?"赵旃发现自己在野地里,有些吃惊,猛然想起来自己昨晚是在楚军大营的前面唱歌,也不知道唱到哪里,就睡着了。

顺着鼓声看过去,只见楚军大营开了营门,几十乘战车杀了出来。

"哎呀妈呀,快跑吧。"赵旃一下子清醒了过来,筝也不要了,盔甲也来不及穿了,跳上战车,催促御者赶紧逃命。

御者也是刚醒过来,发现情况不妙,扬鞭打马就跑。

赵旃在前面逃命,后面,三十乘楚国战车紧追不舍。

赵旃做梦也想不到的是,他享受了国际最高规格:楚庄王亲自领兵来捉拿他。庄王在左广的指挥车上,彭名驾车,屈荡为车右,率领着左广的三十乘战车追杀赵旃。

想想看,楚庄王的禁卫部队,车是最好的车,马是最好的马,战士是最好的战士。赵旃人困马乏,怎么能逃得了?

很快,楚军左广卫队就迫近了赵旃,并且从侧面追了上来。赵旃的车右被楚庄王一箭射倒,屈荡的大戟随后刺了过来。赵旃见势不妙,跳下车来,好在身上没有盔甲,逃跑倒是快了很多。赵旃顺势一个前滚翻起来,一个加速跑,跑进了旁边的树林。

屈荡也跳下车来,追到树林中。

两个人边跑边斗,赵旃的衣服被屈荡的剑刺烂了。

眼看赵旃就要玩完,突然前面一阵尘头,晋国人来了。

原来,荀林父见赵旃一夜不回,担心这家伙出了什么事情,自己回去不好交代,于是派了三乘战车前来接他,恰好遇上屈荡追杀赵旃。

屈荡见对方人多,不敢再追,急忙回来,会合左广卫队。

此时的楚军大营已经集合完毕,孙叔敖站在指挥车上。

"兄弟们,大王亲自去追晋国人了。如今,晋国人已经包围了大王,现在我命令,全体出击,直袭晋国大营。"孙叔敖发起了攻击令。

楚国军队一声欢呼,他们早就憋足了火气和力气要跟晋国人拼命了,如今大王被围,正是立功的好机会。

如狼似虎,楚军出击。

第一〇七章　邲之战

士气高昂，杀气腾腾，红了眼的楚军杀奔晋军大营。

赵旃刚刚回营，还没有来得及喘息，楚军已经杀到，不管三七二十一，直接撞破晋军大营的营门，杀了进来。

荀林父叹了一口气，这一天终于到了。这仗还有办法打吗？逃吧。

荀林父站在高处，使劲地擂鼓，让身边卫士高呼："快跑，先渡河者有赏。"

晋军本来还想抵挡一番，如今主帅的命令下来了：逃得快的有赏。既然如此，谁还抵抗？

晋国中军崩溃了。

作为中军主帅，荀林父怎么命令大家逃命？说起来，原因很简单。荀林父所能号令的是他的部下，让自己的部下逃命，其意图是让先縠的部属在这里被宰。

那么，先縠的部属奋起抵抗了吗？谁抵抗谁傻瓜，别看先縠叫打仗叫得最凶，敌人来了，他是第一个逃命的，连号召大家逃命都顾不上了。

先跑跑，先縠就是先跑跑。

晋军崩溃

黄河岸边，赵婴齐按照荀林父的部署安排了船只。等看到溃败的晋军跑来的时候，赵婴齐对自己的部属下令："快，我们先过河。"

得，赵婴齐的队伍跑了，剩下不多的船在岸边，给剩下的大部队的兄弟们去争夺了。

中军的兄弟们分成了荀林父和先縠两派人马,为了渡船争夺起来。正在争吵不休,下军的兄弟们也来了。下军其实并没有受到攻击,不过赵朔和栾书还是决定走为上计。

现在好了,三股力量在争夺不多的渡船,晋国人也不认晋国人了。先上船的急着要走,后来的则抓住船帮不让走,于是船上的兄弟们一通乱砍。《左传》记载:"中军下军争舟,舟中之指可掬也。"

船上的指头多得可以用手捧起来。

中军崩溃,下军奔逃,上军呢?

那帮兄弟根本不是来打仗的,他们是来阶级斗争的。而士会不是,他是来打仗的。

当中军崩溃的同时,楚军的左军来攻击晋军的上军。

"主帅,我们要抗击敌人吗?"郤克的儿子郤锜问士会,上军是做了严密准备的,完全可以一战。

"不,楚军士气正盛,而且已经击溃了我们的中军,如果我们与他们交战,最终就是他们的全部兵力来包围我们,我们就会全军覆没。"士会冷静地分析了形势,决定撤退。

士会命令郤克率军撤退,他自己则在最后压阵。利用地形,士会命令后队布置埋伏,设置障碍,轮番后撤。

楚军左军完全没有办法发动有效攻击,眼睁睁看着晋军上军全军而撤。

晋国三军,唯一没有损失的就是上军。

晋军损失最惨重的是中军,完全是被楚军狼入羊群一般屠杀。

赵旃逃回晋军大营的时候,意外地发现自己的战车也回来了。原来,赵旃跳车之后,楚国人只顾抓他,倒把他的战车放走了。于是,赵旃跳上自己的车,继续逃命。

晋军哭爹喊娘,一片狼藉。赵旃正在没命奔逃,猛地看见一辆车几乎跑不动了,定睛一看,还是亲戚,谁啊?自己的叔父和哥哥,两人在一辆车上,但是他们的马不行了。

"叔父,哥哥,你们上我的车。"别说,赵旃虽然浑了点,还挺讲义气,挺讲亲情。

叔父和哥哥也没客气,下了自己的车,跳上赵旃的车,这才发现,赵旃没地方了。

"兄弟,我们用了你的车,你怎么办?"哥哥问他。

"嗨,我还没办法?别管了,赶快逃命吧。"赵旃在马屁股上拍了一巴掌,

把车赶走了。

现在,赵旃成了步行,好在身上穿得不厚,跑得还算快。

跑了一程,眼看跑不动了,而后面尘土大起,楚国人追过来了。

就在这个时候,赵旃发现前面有一乘战车也在逃命,定睛去看,发现是逢大夫和他的两个儿子。

"老逢,逢大夫。"赵旃在后面喊。

其实,逢大夫早就看见了赵旃,可是他假装没看见。如今听到赵旃在后面喊,逢大夫假装没听见,还低声对两个儿子说:"谁也不许回头。"

两个儿子比较缺心眼,老爹说了不许回头,他们偏偏要回头,然后还告诉自己的老爹:"爹,是赵旃啊。"

"唉。"逢大夫叹了一口气,如果两个儿子不回头,那还可以说是没听见赵旃的喊声,如今两个儿子回头了,再说没看见赵旃就说不过去了。如果赵旃没有被楚国人杀死而回到了晋国,一定会怨恨逢大夫见死不救。到时候,不被赵旃整死就怪了。

逢大夫停下了车,气哼哼地对两个儿子说:"你们下车去,给赵旃让位。明天早上我到这里来给你们收尸。"

就这样,赵旃搭上了逢大夫的车,顺利逃命,而逢大夫的两个儿子真的就在这里被楚军射死了。

所以,逃跑的时候,谁喊也不要回头。

楚庄王遇险

是不是所有人都只顾逃命呢?当然不是。

荀罃是下军大夫荀首的儿子,却在中军效力。他早就看出晋军要败,自己的部属提早作了防备,因此在楚军杀来的时候,荀罃的手下都已经穿盔戴甲,准备迎敌了。大军溃散,荀罃并没有逃。

楚庄王似乎有些兴奋过头,带着左广卫队在晋军营中左冲右突,奋勇当先。一片混乱之中,庄王的卫队被冲散了,庄王身边仅仅两三乘战车紧随。荀罃远远看见,从装束到战车到气质,他看出来了,那个领军冲杀的人一定就是楚庄王。

"弟兄们,给我包围那辆车,活捉楚王。"荀罃的判断很准确,决策也很快很坚决。他知道,尽管晋军溃败,但是只要捉住楚王,就能反败为胜。

荀罃十多乘战车呼啸而上,将楚庄王包围在中间。

楚庄王正杀得带劲,猛然发现自己被包围了。大的局面自然是楚军追杀晋军,然而在局部却是晋国人包围了楚庄王。

晋国人的战术素养确实很高,他们似乎总能在逆境中发现机会,总能创造性地应用"擒贼先擒王"的战术方针。想一想,当初秦穆公就差一点被晋国人活捉。

屈荡抢开大戟,要带着庄王突围,但是荀罃的手下都是晋国的精兵,也不好惹。因此,尽管屈荡勇猛,竟然冲不出去。

庄王眼看形势危急,不禁仰天长叹:"老天啊,怎么能让我落到晋国人的手中啊?"

就在庄王万分危急的时候,一乘楚国战车奋勇杀来,车上大将的勇猛见所未见,竟然一路杀到了庄王的车前。庄王一看,正是大夫熊负羁。庄王当时有些奇怪,这熊负羁在楚军将军中算不上出色,平时打仗也算不上勇猛,这回怎么这么玩命?吃药了?

"大王,跟我来。"熊负羁高喊。喊这话有些缺心眼,因为这让晋军确信这确实就是楚王。

熊负羁在前,楚庄王在中,后面是另外两乘战车断后。熊负羁又是一路冲杀,杀出包围圈,回头看,庄王没出来。于是又杀进去,又杀出来。一连三次,还是没有把庄王给救出来,而熊负羁身上已经多处受伤。

熊负羁现在发现了,靠这种办法,一辈子也救不出庄王。而此时如果再去找援兵,已经是来不及了。怎么办?熊负羁用很短的时间思考了一个问题。什么问题?晋国人为什么拼了命也要捉住楚庄王?答案简单:擒贼先擒王。

想明白了擒贼先擒王的道理,熊负羁眼前一亮。他再次杀了进去,不过这一次不是直奔楚庄王,而是直奔荀罃。荀罃正在那里指挥活捉楚庄王,没料到熊负羁从侧面杀到,当时猝不及防,被熊负羁一戟刺中大腿,翻身落车。

晋军一看主将折了,无心恋战,纷纷奔逃而去。

荀罃本来是来捉楚庄王的,谁知自己成了俘虏。

"熊将军,我问你,你今天为何如此勇猛?我对你也并没有特别的好,你怎么能为我出生入死呢?"楚庄王没有道谢,先问这个问题,他太困惑了。

"大王,还记得那次庆功宴吗?"

"哪一次?"

"灭了斗越椒之后的那一次,中间熄了灯,有一个人乘醉牵了美人的袖子,美人拔了他头盔上的缨,大王随后命令每个人都把头盔上的缨拔下来。"

"想起来了,难道?"

"大王,我就是牵美人袖子的人,请大王治罪。"

"哈哈哈哈,宽容必有善报啊。熊将军,你救我一命,谢你还来不及呢。

你浑身是伤,不要再战了。回国之后,我单独请你。"

楚庄王高兴极了。

《说苑》这样评论这件事情:"此有阴德者必有阳报也。"

所以,积点阴德是值得的。宽恕别人,实际上也就是造福自己。

战斗友谊

基本上,晋军中军死得很惨。

那么,下军呢?

下军的情况要好一些。

下军的大部分顺利逃到了黄河岸边,只有少数掉队的被楚军追到。不过,楚军的右军不像中军那样痛恨晋国人,因此下手还算客气。

有三乘晋国战车不幸掉坑里了,偏偏这几个哥们死心眼,舍不得战车,非要把车弄出来。结果耽误时间,被楚国人追上了。

一队楚军发现了三乘晋国战车和九个晋国士兵,因为推车太专心,晋国人竟然没有发觉楚军已经包围了自己。

楚国人很好奇,于是都下了车,在坑边围观。

"见过爱财的,没见过晋国人这么爱财的。命都要没了,还舍不得车。"楚国士兵在坑边议论。

"车要是没了,还要命干什么?哎,别只管说风凉话,给出出主意啊。"晋国士兵也不害怕。

"嗨,兄弟,你们这样不行啊,车前面那根横木卡住了,把那根木头卸掉不就行了?"楚国士兵看出了问题,提了个建议。

晋国士兵一听,还真是,于是三下五除二,把几辆车的横木给卸了。

车顺利推了出来,楚国士兵还上去帮忙推了。

晋国士兵上了车,打马上路,谁知道马竟然在原地转圈。转了好几圈,把晋国士兵给转迷糊了。怎么回事呢?晋国士兵怎么也想不通。

其实呢,就是因为卸了横木,车的平衡不对了。

结果还是楚国士兵看出了问题,于是又提建议:"把大旗和车轭去掉试试。"

晋国士兵按着楚国士兵的建议去掉了大旗和车轭,果然马就跑起来了。

"楚国的兄弟们,还是你们经常逃跑,有经验了,哈哈哈哈。"晋国士兵一边逃命,还一边拿楚国士兵开涮。

218

"哈哈哈哈,小心点啊,别再掉坑里了。"楚国士兵们也大笑起来,他们觉得晋国人很有意思。

这仗打得，像游戏一样了。

为了儿子的反击

荀首已经逃到了黄河岸边，甚至战车都已经上了船，这个时候，有人来报告说荀罃被楚国人给捉了。

"我的儿啊，你被楚国人捉了，我回去怎么跟你娘交代啊？不行，小魏，我要去救我儿子。"荀首毫不犹豫地下了船，把战车也卸下来，掉转车头，带着自己的部属回去救儿子。

小魏是谁？魏锜，魏锜现在给荀首驾车呢。

就这样，晋国下军浩浩荡荡杀回去了，不为别的，就为了要救荀首的儿子。

回到战场，楚军已经收军了，荀首捉了几个掉队的楚军，知道儿子已经被送回楚军大营。

"追。"荀首下令，现在成了晋军追楚军了。

荀首难道要杀到楚军大营？他没那么傻，他的想法就是能捉住个楚军高级将领，今后好把自己的儿子换回来。

所以，荀首每次射箭的时候，一看是利箭，就放回到魏锜的箭袋里。

"哎，老荀，你倒是要救儿子啊，还是舍不得你的箭啊？"魏锜很纳闷，心说老荀可真是吝啬鬼，救儿子都舍不得用好箭。

"不是舍不得，我是要捉活的回去好换我儿子，太锋利的箭，怕一箭射死了。"荀首解释。

荀首的箭术不错，射伤了几个楚国将领，可是捉住之后发现档次都不够。

"老荀，前面那个行了，那是连尹襄老，这个够级别了。"魏锜到楚营出使过，认识连尹襄老。

"好了，就是他了。"荀首张弓搭箭，瞄准了连尹襄老。

连尹襄老也不是吃素的，他也看到了荀首，他也拿起了弓箭，瞄准了荀首。

这个时候，谁也没有注意到，还有一个人也端起了弓箭。

弓弦声响，连尹襄老的箭擦着荀首的耳朵飞了过去。荀首并没有在意，他只关心自己的箭，令他高兴的是，他看见自己的箭稳稳地扎进了连尹襄老的肩膀。

连尹襄老从车上栽了下去，魏锜急忙驱车过去，荀首不等车停稳，跳了下去，他要活捉连尹襄老。

可是，荀首失望了，因为连尹襄老已经死了。连尹襄老的肩膀上，是荀首的那支箭，而在他的脖子上，还有一支箭，那支箭从左到右贯穿过去。就是这支箭，要了连尹襄老的命。

"他死了。"荀首说。

"怎么会？分明射在肩膀上啊。"魏锜感到奇怪，他也从车上跳下去，可是，当他看到连尹襄老脖子上那支箭的时候，他大惊失色。

魏锜为什么大惊失色？

因为，那支箭是他的。

是谁一箭射死了连尹襄老？

这个时候，荀首已经没有心思去想这个了。

"把尸体带回去。"荀首命令手下把连尹襄老的尸体装上车，实在不行，尸体也算是个筹码。

这个时候，一队楚军杀来，要抢回连尹襄老的尸体。荀首看见其中的一乘战车十分华丽，车上的战将看上去又非常年轻。直觉告诉荀首，这个人够分量。

荀首重新上了战车，这一次，他不再射人，他射马。一箭过去，那员小将的马就被射倒了，在小将还在发呆时候，荀首已经率领晋军杀了过去。

这一次，红了眼的是晋国人，楚国人抵挡不住，逃的逃，死的死，小将被荀首生擒活捉。

这员小将是谁？楚庄王的儿子公子谷臣。

"撤。"荀首下令，公子谷臣外加连尹襄老的尸体，本钱绰绰有余了。

战略家楚庄王

楚庄王下令收兵。

"大王，晋国人现在都在渡河，无心作战，如果我们乘胜追击，一定能把他们全部赶进水中。"子重建议。

"不必了，冤冤相报何时休？又何必赶尽杀绝呢？当年城濮之战，晋文公也并没有穷追不舍。"楚庄王坚持。

于是，楚军收兵。

整个晚上，晋国军队都在渡河，直到早上，总算逃回了北岸。

楚军清点人数，死伤极少，但是襄老战死，公子谷臣被活捉。而清点尸体之后,晋军被杀上千人,被俘上千人。楚军完胜。

因为楚军晚上驻扎在邲(今河南荥阳北部),这一战历史上称为邲之战。

城濮之战,晋国大胜楚国。邲之战,楚国完胜晋国。

现在,先来看看楚庄王的战略战术。

第一步,诱敌。

围困郑国,引诱晋国来援。晋军远道而来,必然疲惫,楚军正好以逸待劳。这一招,正是城濮之战中先轸用过的招数。

第二步,示弱。

这是楚庄王用了一辈子的计谋,对付斗越椒就用了这个办法。示弱的好处在于,一方面让敌人骄傲并失去警惕,另一方面自己的队伍会因此愤怒而求战欲望强烈。此长彼消,战斗力的对比立即发生巨大变化。

楚庄王两次派使臣去求和,是忽悠晋国人;两次忍让晋国使臣,是激怒楚国人。所有这些,都是基于这样的战术考虑。

第三步,袭击。

最后的攻击选择了袭击,时机恰到好处。

其实,以当事双方的战力和心态,即便是正面交锋,楚国人依然占六成以上的胜算。但是,有了楚庄王的战略战术,楚国人不仅能够战胜晋国人,而且能够完胜。

可以说,这一战是中国历史上的经典战例,而其中最经典的部分又是心理战。

如果我们说楚庄王是心理战的祖师爷,应该没有争议。

如果说狐偃和先轸导演了晋楚之间的首次大战,那么,第二次大战就完全是楚庄王的设计了。

第一〇八章　美女害死人

非尔所知也。夫文,止戈为武。武王克商。作《颂》曰:"载戢干戈,载橐弓矢。我求懿德,肆于时夏,允王保之。"又作《武》,其卒章曰:"耆定尔功。"其三曰:"铺时绎思,我徂求定。"其六曰:"绥万邦,屡丰年。"夫武,禁暴、戢兵、保大、定功、安民、和众、丰财者也。故使子孙无忘其章。今我使二国暴骨,暴矣;观兵以威诸侯,兵不戢矣。暴而不戢,安能保大?犹有晋在,焉得定功?所违民欲犹多,民何安焉?无德而强争诸侯,何以和众?利人之几,而安人之乱,以为己荣,何以丰财?武有七德,我无一焉,何以示子孙?其为先君宫,告成事而已。武非吾功也。古者明王伐不敬,取其鲸鲵而封之,以为大戮,于是乎有京观,以惩淫慝。今罪无所,而民皆尽忠以死君命,又可以为京观乎?

——《左传》

晋军用了整个晚上的时间渡河,楚庄王则在第二天中午来到了黄河岸边。河边一片狼藉,晋军来不及带走的辎重到处都是。庄王用很凝重的表情看着对岸,摇了摇头。

"大王,咱们把晋国士兵的尸体埋起来,在上面做个京观,让子孙后代都记得我们大胜晋国人的武功,怎样?"潘党提出一个建议。什么是京观?就是纪念碑。

楚庄王把眼神收回来,看了潘党一眼,摇摇头,然后说了一段非常有哲理的话,就是上面的这段话,这段话本应该成为当今联合国的座右铭的。

这段话什么意思?翻译一下:有些道理不是你能够明白的。从字面上看,武就是止戈。从前周武王消灭商朝之后,曾作《周颂》说:"把干戈收藏起来,把弓箭也收藏起来。我将追求美德,并把这一愿望体现在夏乐中,以求永久保有天下。"……所谓武功,就是要清除残暴,消灭战争,保有天下,巩固功业,安定百姓,调谐诸国,积聚财富,只有做到这些,才能使子孙后代不忘记祖先的显赫功业。如今我使两国士兵的尸骨暴露荒野,这是残暴不仁;夸耀武力使诸侯畏惧,这也是没有停止战争。既没有消除残暴,又没有停止战争,怎么能保有天下?再说晋国虽然战败,但仍然存在,我又怎么能巩固功业?我所做的违背老百姓意愿的事情还有很多,百姓怎么能够安定?缺少德行而勉强和诸侯争霸,怎么能够和谐各国?乘人之危为自己谋利,以别国的动乱来求得自己国家的安定,还要以此为荣,怎么能增加财富?武功有上述其中七种德行,而我一种也不具备,又拿什么向子孙展示?我们只在这里修建一座庙,向祖先报告我们的这次胜利就行了。古代圣明的国君出兵攻打不听王命的国家,杀死首恶,那才建造京观以警戒罪恶。现在,晋国人并没有什么罪恶,他们的士兵也都是为国尽忠,我们又怎么能用他们的尸体作京观呢?

楚庄王的话表达了一个意思:战争是为了和平。最伟大的武功就是消灭战争,让老百姓生活富足。

辩证吧?

"止戈为武",这是成语吗?似乎不是,这是哲语,而这句哲语来源于楚庄王。

楚庄王只在黄河边上修建了一座临时的祖庙,祭祀了祖先之后,就撤军回国了。

楚庄王的忧虑

在回国的路上,楚军路过申叔时的家,楚庄王就住在了申叔时家中。

大王来住,申叔时当然十分小心,用最好的房间、最好的仆人、最好的饭菜来招待,端菜上饭都是自己亲自动手。

可是,楚庄王似乎并不高兴,从早上到中午都在发呆发愁,连饭也不吃。

申叔时有点害怕了,不知道哪里得罪了大王。到了中午,申叔时战战兢兢来送中午饭,发现楚庄王的早饭还没吃。

"大王,我们战胜了晋国人,应该高兴才是啊。可是大王您好像情绪不高啊,是不是我招待不周,导致您食欲不佳?"申叔时小心翼翼地问。

"啊,这不关你的事,是我自己有些担忧而已。"楚庄王笑笑说。申叔时是他很看重也很尊重的,所以他才会住在这里。

"担忧什么?"

"我听说,国君有才能,又有有才能的人帮助他,就可以成就王业,譬如周武王;国君才能一般,但是有有才能的人帮助他,就可以成就霸业,譬如齐桓公和晋文公;国君才能本来就差了,而且臣下的才能还不如国君,这个国家就有灭亡的危险。如今,我的才能就比较差了,可是还没有发现比我更有才能的臣下,我很担心国家的前途啊。而且,世界上总是有圣人,每个国家也都有贤人,而我却不能发现他们任用他们,我觉得自己很失败啊,我吃不下饭啊。"楚庄王这番话,说得申叔时目瞪口呆。见过谦虚的,没见过这么谦虚的;见过清醒的,没见过这么清醒的。

庄王这段话见于《说苑》,原文如下:"吾闻之,其君贤者也,而又有师者王;其君中君也,而又有师者霸;其君下君也,而群臣又莫若君者亡。今我,下君也,而群臣又莫若不谷恐亡,且世不绝圣,国不绝贤;天下有贤而我独不得,若吾生者,何以食为?"

关于楚庄王的话,多说几句。

其实在春秋,具有反思精神的国君非常多,似乎是个国君都会反思一下。这么说吧,周文化是具有反思精神的。但是,能够在战胜劲敌之后还要反思的,只有两个人,晋文公和楚庄王,而楚庄王的反思显然更彻底,也更深刻。

不要以为庄王仅仅是在作秀或者过度谦虚,庄王的话应该发自肺腑。首先,庄王的能力确实在他的臣子之上,楚晋大战,可以说是庄王一手策划操纵的,而楚国将帅们要么没有必胜之心,要么缺乏计谋。与当年晋文公的团队相比,楚庄王确实有发出这样感慨的理由。

至于亡国之论,并非危言耸听。楚庄王在,可以控制大局,但是,他知道,一旦自己不在,没有人能够掌控这个国家。

那么怎么办?

"怎么办? 老申,你认为应该怎么办?"楚庄王把问题抛给了申叔时。

"大王其实已经说过了,止戈为武啊。战争必然带来战乱,带来欲望和仇恨,如果大王能够避免战争,国家就会安定,人民就会安心,野心家就不会产生。"

"老申,你所说的,正是我所想的。"楚庄王高兴起来,他知道,能够理解自己的,也许就只有申叔时了。

当然,说句公道话,楚庄王是很贤能的国君了。

又一次暗箭伤人

究竟是谁射死了襄老?

答案是:一个朋友。

这个朋友是谁? 巫臣。

当初楚国灭了陈国,捉到了夏姬,去捉夏姬的就是巫臣。

巫臣显然没有想到三十六岁的夏姬竟然还是那么妖冶动人,似乎岁月完全没有在她的身上留下印记。巫臣命令士兵守门,自己则将夏姬抱上了床。

云消雨散之后,巫臣的感受是:陈灵公死得值。

他下定了决心,一定要把夏姬娶回家,一生一世永不分离,与她一起慢慢变老。

夏姬同样也爱上了巫臣,这个楚国人英俊潇洒,懂得爱惜女人,还会讲黄段子。夏姬强烈地感受到,与巫臣相比,自己所认识的男人们简直就是一坨狗屎。

"等着我,我要娶你。"巫臣动情地说。

"我等你,海枯石烂,我也要等你来娶我。"夏姬也动了真感情。

于是,就有了后面巫臣极力阻止庄王和子反娶夏姬的故事。眼看就要成功了,谁知道连尹襄老横刀夺爱,看着夏姬极不情愿地被襄老带走,巫臣心如刀割,暗自发誓:该死的襄老,让你不得好死。

战争给了巫臣机会。

巫臣是一个很博学的人,他知道公孙子都的故事,他认为公孙子都不够聪明,因为他纯属意气用事,没有考虑后果。

巫臣要聪明得多,他看出来楚庄王是决心要与晋国人决战,所以他看到了机会。不过,他没有傻到要用自己的箭的地步,所以他偷偷地在魏锜献给潘党的麋鹿身上拔下了魏锜的箭。

战斗非常混乱,巫臣根本就没有心思追杀晋国人,他的追杀目标是襄老。可是,他一直没有找到合适的下手机会,直到他几乎绝望的时候,机会终于来了。

荀首带着晋军杀回来了,而襄老因为贪婪地搜集晋国人的财物而没有及早撤回,于是成了荀首的猎物。

巫臣确实是个博学的人,看到荀首的军旗,再联想到荀罃被捉,他猜到了荀首是要活捉襄老。可是,巫臣想要襄老死。

在荀首出箭的时候,巫臣在侧面也已经悄悄地射出了魏锜的箭,而这支箭与荀首的箭同时到达目的地。

"让你跟我抢老婆？哼。"巫臣悄悄地走了。

所以，宁可跟人抢老妈，不要跟人抢老婆。

巫臣的妙计

襄老死了，但是，襄老的尸体始终没有找到，掉井里了？还是被野狗吃了？

襄老的儿子叫黑要，老爹生死未明，对他来说只能说是喜忧参半。为什么说是喜忧参半？因为他早就对后娘垂涎三尺，爹死了固然伤心，但是后娘很轻易就可以到手了。

果然，耐不住床头寂寞的夏姬上了黑要的床。

幸福了几天之后，有客人来了。

"巫叔，您来了？"黑要对客人挺尊敬，这个客人就是巫臣。巫臣跟襄老的关系一向不错，黑要叫他叔叔。

"孩子，我打听到你爹的消息了。"巫臣说。其实不用打听，他早就知道。

"啊，我爹他？"

"孩子，你可要坚强啊。答应我不要上吊，也不要抹脖子，我就告诉你。"巫臣搞得挺正式的样子，好像很关怀黑要。

"我，我不会上吊。"黑要明显松了一口气，傻瓜才猜不到巫臣要说什么，他现在可以确信后娘今后就是自己的了。

"你爹他，他，他为国捐躯了，呜呜呜呜。"巫臣说完，还假装哽咽了几下。

"呜呜呜呜，爹啊。"黑要哭了，不想哭也要假装哭，还要挤出几滴眼泪来。

巫臣假装擦眼泪，在指缝里观察黑要，他看出来了，黑要根本不伤心。所以他知道，黑要把后娘给上了。

在来之前，巫臣是制定了两套计划的。A计划，如果黑要对夏姬没有企图，巫臣就以帮黑要把襄老的尸体弄回来为条件，娶了夏姬；B计划，如果黑要对夏姬有企图，就要用B计划了。

所以，以下为B计划。

"孩子，你知道你爹的尸首在哪里吗？"

"我，我不知道，呜呜呜呜……"

"你想把你爹的尸首弄回来吗？"

"当然想啊，呜呜呜呜……"

"那好，叫你娘出来，我有话跟她说。"

黑要尽管有些不情愿，可是事关自己父亲的尸首，不得不听巫臣的。

黑要让人叫来了夏姬。夏姬看见巫臣，两眼顿时放出光芒来；巫臣看见夏姬，瞳孔立马放大若干倍。

"夫人啊，节哀顺变啊。襄老的尸体据说是被晋国的荀首给带回晋国了，说要和公子谷臣一块用来交换他儿子荀罃。前两天郑国的皇戌给我来信，说是他和荀首的关系很好，愿意帮你把襄老的尸首给要回来，不过有个条件，要你自己回郑国去接。你要是能去接，现在就告诉我，我好给皇戌回个话。"巫臣一边说，一边使眼色。

夏姬多么聪明的人啊！

"呜呜呜呜，我的老公，你死得好惨哪。人死了，尸体还不得安生，别说是去郑国，就是去晋国，就是上刀山下火海，我也要去把你的尸体给接回来啊，呜呜呜呜……"夏姬痛哭起来。别说，演得挺好。

"那行，黑要，你赶紧向大王提出请求，放你娘回郑国接你父亲的尸首。要快啊，慢了你爹就成虫子了。"巫臣趁热打铁。也是，当时是夏天，慢了就只能接骨头了。

黑要点着头，还要满口感谢，他万万没有想到，眼前这叔叔，就是害死自己亲爹的凶手，现在他要做的，就是把自己的后娘给骗走。

什么叫被人卖了还要给人数钱？就是黑要这样的。

楚庄王很快接到了黑要的申请，说是要让夏姬回郑国去接父亲的尸首。

说心里话，庄王还在想着夏姬呢，不过他很矛盾，因为所有跟夏姬有一腿的人都死得很惨，除了两个老公和陈灵公之外，孔宁和仪行父也在不久前双双暴毙身亡。

换了是别人，爱去哪去哪，大笔一挥就批了。可是这是夏姬，庄王还真犹豫。正在犹豫，看见了巫臣，他决定向巫臣请教一下。

巫臣算准了黑要的申请很快会到，所以这几天一直在朝廷晃荡，好随时探听消息。如今被庄王问到这件事情，心中暗喜。

"嗯，这事我看行。据我所知，荀首是荀林父的弟弟，荀罃是他最喜欢的儿子。如果他把谷臣和襄老的尸体弄到晋国去了，当然是要换荀罃的。而皇戌和荀首关系好，他做中间人也应该是顺理成章的。如果我们能够让夏姬去郑国接回襄老的尸体，就等于告诉他们我们愿意换人，到时候就可以用荀罃把谷臣给换回来了。"巫臣当然大力支持，还把谷臣给捎上，利用楚庄王急于把儿子换回来的心情，促使他立即放夏姬走。

"嗯，我看也行。"楚庄王同意了。

于是，夏姬回了郑国。临行前夏姬假惺惺地对天发誓："要是得不到襄

老的尸首,我就不回来了。"其实,她压根儿就没打算回来。

而巫臣立即通过皇戌偷偷向郑襄公请求娶夏姬。郑襄公当然愿意,当即同意。

万事俱备,只欠东风。

巫臣现在不敢把夏姬娶回来,打死他也不敢,那样的话,就算庄王不杀他,子反和黑要也要杀了他。

怎么办?等待机会。

和平使者

楚庄王十七年(前597年),楚国击败晋国。两年之后,也就是楚庄王十九年,楚庄王决定为世界和平作出新的贡献。

现在,楚庄王是和平主义者。

"冯,你去趟晋国,转达我对晋国国君的问候,同时表达我们希望和他们和平相处,建立友好关系,共同维护世界和平的愿望。"楚庄王主动派出儿子公子冯前往晋国,表达善意。

"那,要向郑国借路。"公子冯提出要求。按照国际惯例,经过一个国家的时候,应该向这个国家借路,以示尊重。怎么借路法?基本上,也就是开个单位介绍信之类。

"不用了,郑国是我们的盟友,直接去吧。"楚庄王觉得没必要。

于是,公子冯走了。

"申舟,你去趟齐国,转达我对齐国国君的问候,同时表达我们希望和他们和平相处,建立友好关系,共同维护世界和平的愿望。"楚庄王派出大夫申舟前往齐国,表达善意。

在楚庄王看来,如果楚国、晋国和齐国三个大国之间能够和平相处,世界和平就来临了。

申舟是谁?就是申无畏。

"那,要向宋国借路。"申无畏请求,去齐国要经过宋国。

"不用了,我们又不攻打他们,借什么路?公子冯去晋国,也没有向郑国借路啊。"楚庄王觉得没必要。事实上,他准备在与齐国建立友好关系之后,也派使者去宋国联络感情。

"大王啊,郑国是个开明的国家,宋国是个比较傻的国家,两个国家不一样啊。不向郑国借路,没问题。可是不向宋国借路,恐怕会被杀啊。"申无畏解释。其实还有一点他没有说,当初楚穆王和宋昭公在孟诸打猎,宋昭公忘

228

了带火种,申无畏鞭打了宋昭公的仆人,尽管宋昭公已经不在了,但是宋国人一定还记得这个仇恨的。

"尽管放心,没事的。"楚庄王坚持。

"大王啊,这样的话,我必死无疑啊。"申无畏几乎是在哀求。

"他们要敢杀你,我就讨伐他们。"楚庄王把话说到这个分上,申无畏不敢再说什么了。

临行之前,申无畏把后事吩咐好,一脸愁容地上路了。

第一〇九章 "希望"工程

公子冯一路顺利,郑国人也没有为难他,他来到了绛。

晋国人对于公子冯的到来很诧异,不过他们还是很欢迎他,热情接待之外,晋景公也委托他向庄王致意。

那么,战败之后,晋国发生了什么?问责了吗?荀林父还在主持工作吗?

老实人被逼急了

晋军大败,荀林父率领着三军回到了绛。作为败军之帅,荀林父很自觉地上书请求晋景公处死自己。

古人很自觉,战败了请死,失败了请辞。那么,晋景公同意了吗?

晋景公不是傻瓜,他仔细地权衡了利弊。

按照问责制,不管晋军失败的原因是什么,主帅都是第一责任人,更何况这一次荀林父的表现如此糟糕,被处死一点也不冤枉。但是,晋景公现在考虑的不是问责制,而是权力斗争的形势。

如果杀掉荀林父,等于为先郤赵三家联盟除去了眼中钉,对于晋景公来说,则是失去了盟友。杀掉荀林父,似乎也就同样要杀掉先縠,那么就等于一次性杀掉了排位最靠前的两个卿,不仅失去盟友荀林父,而且要得罪先郤赵三家联盟,更糟糕的是,士会很可能拒绝递补为中军帅,那么中军帅的位置就要被郤克夺得。算起来,实在是没有任何好处。

所以,晋景公并不愿意答应荀林父的请求。问题是,需要找到一个说得过去的理由。

晋景公于是找来荀林父的朋友、士会的弟弟士渥浊。这个名字很难听，但是就是这么起的。

"该不该杀荀林父?"晋景公问。找来士渥浊询问，自然就是不想杀荀林父。

"当然不能杀啊，荀林父虽然战败了，可是人家公而忘私，忠贞不渝，怎么能杀他呢? 当年文公战胜了楚国人，还很担心成得臣，后来成得臣被杀了，文公才高兴啊。成得臣被杀，等于晋国又打了一次胜仗啊。杀了荀林父，等于我们又打了一次败仗啊。"士渥浊极力反对。

"嗯，我知道了。先縠呢? 该不该杀?"

"该杀，但是，不能杀。因为不杀荀林父，杀先縠就怕有人闹事。"

"那怎么办? 难道打个败仗，没人负责?"

"主公，何必担心没有机会呢?"

晋景公笑了，会意地笑了。

荀林父被特赦，每个人都被特赦。

荀林父很愧疚，其实每个人都很愧疚。

荀林父开始反思，他很后怕，他发现自己的软弱实际上正在将自己推向灭亡。

"看来，赵盾是对的，心慈手软当不了政治家。"荀林父反思的成果出来了。

第二年秋天，北方的赤狄来侵犯晋国。

这一次，荀林父汲取教训，率领了半支中军和整支上军与赤狄作战，没有先縠那一帮人捣乱，晋军的战斗力还是不错的，结果在清这个地方击败赤狄人。

回到绛，荀林父召开六卿会议，请晋景公亲临。

内阁会议开始了。

荀林父首先报告了与赤狄交战的情况，随后说:"为什么赤狄会无缘无故来侵犯我们? 大家知道吗?"

大眼瞪小眼，没人说话。

"因为我们有内奸，是内奸勾结他们前来的。"荀林父继续说，很严肃。

大眼瞪小眼，内奸是谁?

"这个内奸就在我们这里。"荀林父扫视一遍。

大眼瞪小眼，谁都怕别人看自己。

"是谁?"晋景公严厉地问。其实，他知道是谁，因为他知道应该是谁。

"主公，我们捉到了俘虏，招供了内奸。来人，把俘虏带上来。"荀林父下

令。

不多时，赤狄俘虏被带了上来。

"说，是谁招你们来的。"荀林父呵问。

"是，是，是一个叫先縠的，说是要里应外合。"俘虏惊恐地说。

所有人的眼光都盯在先縠的身上。

"你，你血口喷人。"先縠慌了，他知道不是自己，但是正因为如此，反而更危险。

晋景公一拍桌子，站了起来，"先縠，你好大的狗胆，与楚国人作战时破坏军令的罪责还没有追究你，如今又里通外国。是可忍孰不可忍？来人，砍了。"

先縠还想争辩，荀林父哪里给他机会，示意刀斧手立即动手。

"我冤枉啊，该死的荀林父公报私仇啊。"凄厉的喊声。

先縠就这么死了。

晋景公索性一不做二不休，下令灭族。

于是，继狐家淡出晋国政治舞台之后，先家被斩草除根了。

权力斗争就是这样，谁的刀快，谁就能占据主动。

没有人想到荀林父还有这一招，于是，每个人都老实了。

老实人被逼急了，也是会下狠手的。

权力斗争金科玉律第十六条：欲让你灭亡，先让你猖狂。

小试牛刀，大见成效。

荀林父现在发现，其实只要心够狠，灭掉权力斗争的对手也并没有想象中那么困难。不过，灭掉了先家，绝不是从此就可以高枕无忧。相反，可能更加危险。

按照当时的规矩，灭掉某一家时，每一家都要出兵，这是一种"站队"的方式，也是"用刀投票"的方式。今后如果证明这是一桩冤案，大家都有份，大家都能免责。

灭先家的时候，各大家族都有出兵，唯有一家例外。谁家？赵家。

先郤赵三家联盟中，郤克很聪明地跟先家划清了界限，可是赵家没有，甚至赵同、赵括公开为先縠鸣不平。

"赵家不除，永留后患。"荀林父每天都这么想。可是，有什么办法可以除掉赵家呢？

赵家的实力远在先家之上,动他们可没有动先家那么简单。

怎么办?

让荀林父万万没有想到的是,机会很快自己送上门来了。

赵家发生了一件离奇的事情。

占着茅坑不拉屎

赵家,赵家到底发生了怎样的事情?

赵家的事情有点复杂,还有点麻烦。

赵衰一共有四个儿子,他们是赵盾、赵同、赵括和赵婴齐,其中,赵盾是叔隗的儿子,而另外三个都是君姬的儿子,君姬是晋文公的女儿。从血统来说,赵盾的三个弟弟都是晋文公的外孙,血统上更高贵更正宗。只不过,由于君姬的主动谦让,叔隗作了夫人,赵盾成了嫡长子。也正是因为这样,赵同和赵括始终对大哥不服气,认为家族的继承权应该是他们的而不是赵盾的,赵盾这个时候本应该在北面喝羊奶、吃羊肉,浑身羊臊气味的。

赵盾本身也明白这一点,他对君姬是心怀感激的,对几个弟弟也很关照,想方设法补偿他们。因此,赵盾设法让赵家成为公族,并且让赵括担任公族大夫。赵盾的假公济私是一个方面,另一个方面,出于自感对几个兄弟的亏欠,他对兄弟们的关照又是很真诚的。

然而,赵同、赵括始终是心怀不满的。怨恨,外加上优越的家族和身世背景,赵同、赵括的心理有些扭曲,他们骄横跋扈,目中无人,惹是生非。在赵盾鞠躬尽瘁之后,这兄弟两个变本加厉,整个晋国,没有人喜欢他们。甚至,在荀林父击败赤狄,派赵同去向周王室献俘的时候,他也表现得非常轻浮不敬,以致周大夫刘康公断言赵同十年之内必有血光之灾。

赵盾死后,赵朔继承了家族的领导权,他的个性有些像他的祖父赵衰,他从内心里很讨厌这两个叔叔,就像这两个叔叔讨厌他一样。而小叔叔赵婴齐与赵朔年龄相仿,性格相投,他们是好朋友。这样,赵家内部实际上分成了两派:赵朔、赵婴齐为低调派,赵同、赵括为高调派。

为了巩固赵家的地位,赵盾为赵朔迎娶了晋成公的姐姐为夫人,也就是晋文公的小女儿。这样,晋文公的大女儿是赵盾的后妈,而小女儿是赵盾的儿媳妇,这叫一个乱。赵同、赵括叫赵朔大侄子,却要叫他老婆为小姨。姐妹嫁给了爷孙,要放在今天,那是头等的八卦新闻。

因为老妈孕中受寒,赵朔先天不足,后天难补,身体一向不好,性格也比较偏弱,于是就出了两个茅坑和拉屎的问题。第一,在卿的位置上占着茅坑

不拉屎;第二,在老公的位置上也是占着茅坑不拉屎。

——来说。

先说第一个茅坑。作为下军主帅,赵朔性格偏软,缺乏主见,基本上可以说完全没有威望。而且他的身体很差,经常请假,人称老病号。

再说第二个茅坑。赵朔娶了成公的姐姐赵庄姬,按照规矩,同时还有一个公族女子为媵,也就是说,赵朔一次娶了两个老婆。可是,几年过去,两个老婆没有一个生孩子的。怎么回事?谁的问题?赵朔又娶了两个小老婆,结果还是生不出来。到晋景公三年的时候,赵庄姬三十三岁了。就算十八岁嫁给赵朔,造人的时间也已经长达十四年。十四年造不出个人,很明显,赵朔没有生育能力。

占着茅坑不拉屎,别人肯定会有意见的。

于是,麻烦来了。

对于赵朔担任下军主帅,很多人不服,但是出于对赵家的忌惮,也没外人敢说三道四。可是外人不敢说,不等于自家人不敢说。

赵同、赵括一向就对赵盾父子不满,如今看着赵朔占着茅坑不拉屎,非常气愤:"该死的赵朔,自己不行,让位啊。"

按照顺序,如果赵朔辞职或者被免职,卿的位置就该轮到中军大夫赵同。

邲之战回来之后,哥俩就几次找赵朔,一开始是劝说,然后是利诱,最后是威胁。干什么?要赵朔主动让贤,把卿的位置让给赵同。

虽然身子不好,赵朔还没有到脑子不好的地步。他知道两个叔叔没怀什么好心,所以任你怎么忽悠,就是不同意。

赵同、赵括急了,也管什么面子不面子了,直接找荀林父去了。

"元帅,我们来反映一个问题。"赵同、赵括来到了元帅府。

"啊,两位有什么事情?"荀林父不知道他们要搞什么鬼,还有点紧张。

"元帅,我们大侄子赵朔身体一向不好,可是为了国家拖着身子带病坚持工作。我们当叔叔的看着心疼啊,劝他退休算了,在家里过清闲日子多好?可是他很偏,说是只要国家需要他,他决不退缩。你看,多好的干部啊。对于这样的好干部,我们不应该爱惜他吗?我们来找元帅,就是希望元帅劝说他退下来。实在不行,就勒令他退休,让他好好养身体。"赵同的话说得很漂亮,好像是出于一番好意。

荀林父一听,差点笑出来,这不是黄鼠狼给鸡拜年吗?不就是想取而代之吗?

"好,太好了。正愁没办法对付你们呢,最好你们自己内部干起来。"荀林父心中暗喜。他当然不会这么说,他说:"这个,不太好吧?赵衰、赵盾都是对国家有重大贡献的,怎么能随便就把赵朔撤了?再说了,赵朔的职务还是郤缺安排的,我如果随便动他,不就等于否定前任吗?不行。"

看见荀林父一口拒绝,赵同、赵括急了。

"元帅,赵朔就是个废人啊,你知道他一天拉多少次屎吗?十五次啊。这样的人担任下军元帅,那不是国家的耻辱吗?我要是他,不等别人说话,早就自己找地方凉快去了。元帅,你一定要撤了他。"赵同一急,把黄鼠狼的真实嘴脸给露出来了。

"那也不行。"

"不行?老荀,你要考虑后果啊。"赵括也急了,他说话更硬。

"这个,两位,都不是外人,咱们打开天窗说亮话吧。我知道你们想当卿,可是,坑少萝卜多,大家都要排队啊。赵同啊,我跟你说实话吧。按照惯例,每个家族只能有一个卿,虽然你现在排在第一候选人的位置,可是你要当卿,除非是赵朔不幸鞠躬尽瘁。"荀林父面上是交代政策,实际上等于说:不整死赵朔,你这辈子就没戏。

赵同、赵括一路骂骂咧咧,走了。他们尽管很失望,却也看到了希望:整死赵朔。

从那之后,赵同、赵括请了巫师作法,每天诅咒赵朔早死。

也不知道是巫师的诅咒起了作用,还是赵朔本来就该这样,赵朔的身体一天不一天,恐怕熬不到过年了。

可是,让赵同、赵括有些困惑的是,赵朔和赵庄姬似乎并不伤心,他们反而比从前看起来还要心情愉快。

"怎么回事?"赵同、赵括决定暗中进行调查。

调查结果很快出来:赵朔和赵庄姬正在造人,并且把握很大。

赵朔不是没有造人的能力吗?他怎么造人?

赵家造人工程

尽管身体不好,赵朔对一切都很清楚。他清楚什么?

外部形势,先家被灭,赵家已经是众矢之的,非常危险。

内部形势,两个叔叔虎视眈眈,恨不得自己早死。而一旦自己死了,家族控制权就落在两个叔叔手中,那时候他们会更加飞扬跋扈,赵家被灭就成了无法避免的事情了。

要保住家族,唯一的办法就是阻止赵同、赵括接掌家族。而要做到这一点,唯一的办法就是自己生一个儿子。

可是,自己没有生育能力,怎么办?

赵朔想起了两个字:借种。

"小叔叔,赵家很危险了。"赵朔请来赵婴齐,商量眼前的形势。

"是啊,各家都对他们两人很不满了。"赵婴齐说。赵婴齐是个很随和的人,与各大家族之间都处得不错,他很清楚各大家族的态度。

"我的身体越来越差,估计活过今年就不错了。我死了,赵家一定落入他们的手中,我们这个家族一定会灭亡的。"

"唉。"赵婴齐叹了一口气,表示认同,"你要是有儿子就好了。"

"叔叔,我有个大胆的想法,你坐近一点,我告诉你。"赵朔轻声说。但是他还要更轻声,因为他知道这个家里到处是赵同、赵括的耳目。

赵婴齐坐近了一些,下意识地向四周望望。

"叔叔,我知道我是个废人,这辈子也不会有儿子了。所以我想,叔叔帮我个忙,帮我生个儿子。这样,我死之后,我的儿子,实际上是你的儿子,就能接着执掌这个家族,赵家就有可能保存下去。"

"什么?"赵婴齐大吃一惊,这个想法太疯狂了。

"小声点,听上去乱伦是吧?但是为了整个赵家,也只能这样了。"

"不行,真是乱伦了,传出去还怎么混?"

"叔叔,为了整个家族,做一点牺牲吧。如果家族被灭,我们就什么也没有了,还在乎什么乱伦不乱伦?其实,早就已经乱伦了,你是我的叔叔,可是你又是我老婆的外甥,这还不乱吗?"赵朔耐心地劝说着。

"可是,可是,就算我想通了,庄姬呢?她同意吗?"

"我已经跟她商量好了,为了赵家,她已经准备做出牺牲了。"赵朔早已经做通了赵庄姬的思想工作。想想看,从大处想,赵庄姬是为了整个家族做出牺牲;从人性角度说,赵朔是个废人,庄姬是个正常女人,性生活长期不和谐,她也需要一个正常男人的滋润。

"那,那好吧。"赵婴齐答应了。他知道,如果家族真的归了自己的两个哥哥,自己也没有好果子吃。

"太好了,我们赵家有希望了。"

从血统上说,庄姬是赵婴齐的小姨。

由于这个造人的工程寄托了赵家的希望,我们简称为"希望"工程。

在赵朔的安排下,赵婴齐和庄姬开始了"希望"工程。

《左传》记载:"晋赵婴齐通于赵庄姬。"

这属于偷情,还是通奸?或者是强奸?或者是性交易?都不是,这只是一个工程,一个造人的工程,一个秘密造人的工程。

造人工程进展顺利,三方都感觉很满意。

与赵朔相比,赵婴齐强壮、健康、英俊,更重要的是,性能力要强得多。所以,赵庄姬在造人的过程中真的爱上了赵婴齐。而赵婴齐对自己的这个小姨、侄媳妇和情妇三位一体的女人也很来电,他也爱上了她。

至于赵朔,看着老婆的脸色一天天变得好看,他的内疚得到了释放,他也很高兴。

"老公,我那个有一个半月没来了。"终于有一天,赵庄姬向赵朔报告喜讯。

"真的? 太好了。不过,保险起见,再接再厉吧。"赵朔挺高兴,但是还不是太放心。

当天晚上,赵庄姬和赵婴齐再接再厉了。

他们没有想到,有人就在等他们再接再厉呢。

赵庄姬和赵婴齐被捉奸在床。

"赵婴齐,你这个不知廉耻的东西,竟然搞自己的侄媳妇。"赵同大声呵斥。

"不仅搞自己的侄媳妇,还搞自己的小姨。"赵括加一句。

两把刀架在脖子上,赵婴齐还能说什么? 能把"希望"工程的来龙去脉告诉他们吗? 不能。所以,赵婴齐不说话,他宁愿自己背黑锅。

"你们不要难为他,是我不对。我的男人没有生育能力,我想为你们赵家留后,所以我才勾搭小叔叔的。"庄姬主动承担责任,她依然没有出卖赵朔。

"哼!"赵同、赵括开始商量怎样处理这对乱伦的男女。

杀了赵婴齐呢,他们没有这个权力,这个权力在赵朔那里,可是赵朔会杀赵婴齐吗? 不会,赵同、赵括已经猜出来这事情赵朔是知情的。

杀了庄姬呢? 那更不行,庄姬是国君的姑姑,谁敢杀?

就这么放过赵婴齐吗? 赵同、赵括又不甘心。

"你这个不要脸的东西,家族的败类,看在父亲的面子上,我们饶你一条狗命,不过你不能在晋国待下去了,明天就给我们滚蛋,滚得越远越好。"两兄弟商量好了,命令赵婴齐离开晋国。

"两位哥哥,我不能走。这次是我的错,你们宽恕我吧。我在晋国,栾家、郤家、荀家都会给我面子,如果我不在了,我们赵家就会面临灭顶之灾。"赵婴齐不肯走,他恳求赵同、赵括。

"臭不要脸,你以为你是谁? 好像我们赵家没有你就活不下去了,滚吧! 你要是明天不滚蛋,我们就把你的丑事告上朝廷,让你吃不了兜着走。"赵括大骂,他做得出来。

第二天,赵婴齐逃去了齐国。

第一一〇章　赵家灭门

希望本是无所谓有，无所谓无的。

"希望"工程本也是无所谓有，无所谓无的。

当"希望"工程不得不中止的时候，并不意味着希望也同时中止了。事实上，希望还在，因为赵庄姬的"那个"一直没有再来。

得罪所有人

在赵同、赵括逼走赵婴齐之后不久，晋国发生了一件事。

夏天的时候，晋景公召集内阁扩大会议，商讨迁都的问题。没办法，国家发展太快，人口迅速膨胀，首都极度拥挤，不迁都不行了。

"我建议，迁到郇瑕氏（今山西运城解池）去，那里土地肥沃，离盐池又近，那里好。"被扩大进来的赵同第一个发言。

赵同一说话，基本上大家就不说话了，因为只要你跟他意见不一致，他轻则跟你争吵，重则呵斥你。所以，有人怕他，有人不愿意跟他一般见识。

赵括和赵旃附和赵同的意见，其余人没意见。

晋景公是个聪明人，也看出来了，知道这会开下去也没啥意思了。

"散会，日后再议。"晋景公宣布散会，给了韩厥一个眼色。

大家都走了，只有韩厥悄悄地跟着晋景公进了后宫的院子。韩厥为什么可以进后宫？他是太仆，宫中的事务归他管。

"你是什么看法？"晋景公问。他知道韩厥是个很周到的人，考虑问题很全面。

"郇瑕氏那地方不行,土地贫瘠不说,关键是缺少水。没有水的地方就会藏污纳垢,无法清排。不如迁往新田,那里土厚水深,有汾水和浍水,各种脏东西都能被水冲走。再说,盐池是国家的宝藏,在那里建城不就是浪费宝藏吗?"韩厥是个明白人,深知沿水造城这个原则。

"好,你说的有道理。"晋景公很高兴,决定采纳韩厥的意见。

当年,晋国迁都到新田,称为新绛,就是今天的山西侯马。这是后话。

赵家兄弟为此对韩厥十分不满,四处散布韩厥的坏话。

赵同和赵括从生下来就备受宠爱。父亲赵衰宠爱他们,因为他们是晋文公的外孙;哥哥赵盾护着他们,因为他们的母亲对赵盾母子恩重如山;之后晋襄公关照他们,因为他们是襄公共患难的姐姐的儿子。

他们没有受过任何苦,他们几乎想要什么就有什么,他们从来不知道生活的艰难和奋斗的不易。他们的眼中,什么都是简单得手到擒来。他们是死硬的主战派,不是因为他们比别人勇敢或者比别人智慧,而是因为他们根本不懂得打仗。

他们骄横跋扈,目空一切并且完全不懂得进退。他们不懂得尊重别人,因此四处树敌。

他们痛恨自己的侄子,羞辱最可靠的朋友,顶撞自己的顶头上司。

历史上和现实中,从来不缺少这样的人,他们托庇父辈的权势,胡作非为,胡说八道,直到有一天众叛亲离,连自己怎么死的都不知道。

赵同和赵括,我们来讲完他们的故事。

赵朔的主意

赵庄姬的肚子一天大似一天,到了冬天,圆鼓鼓的肚子看上就要瓜熟蒂落。

赵同和赵括有些傻眼,更有些气愤,他们知道这肚子里的孩子是赵婴齐的,可是名义上还是赵朔的。

怎么办? 赵朔快死了,这一点基本上是确定的。可是,如果让赵庄姬把孩子生下来,并且还是个男孩子的话,大家基本上就要绝望了。

所以,赵同和赵括开始探讨怎样把那个孩子给弄死。实在不行,把赵庄姬也给弄死。

赵朔已经卧床不起,他在与时间抗争,挣扎着熬到自己的孩子出世的那一天。但是直觉告诉他,自己的两个叔叔已经准备下手了。

在苦思一个晚上之后,赵朔做出了一个惊人的决定,或者说是赌博。

"老婆,我猜想叔叔们已经准备好要害死我们一家了,如今只有一个办法,你一定要照我说的去做。"赵朔叫来了庄姬,把自己的计划告诉她。

"什么办法?"

"你过来,我告诉你。"

庄姬把耳朵凑近了赵朔的嘴,赵朔艰难但是清晰地把自己的计划说了出来。

"太绝情了吧?"

"他们不仁,不能怪我们不义。"

"我们还是一家人呢。"

"他们早就不把我们当成一家人了。"

"我,我不放心离开你。"

"我已经是半条命了,不要管我,管好我们的孩子。"

"我……"

"快走。"

晋景公四年冬天。

"我要举报。"庄姬从赵家来到了朝廷上,作为景公的姑姑,她不用通报。

"举报什么?"晋景公问。

"赵同、赵括谋反。"

"谋反?真的?"

"当然是真的,他们勾结楚国和北狄,想要害死你和荀元帅。"

"啊?"晋景公有些将信将疑,对赵家兄弟,他也很讨厌,恰好郤克、栾书和韩厥都在,晋景公问:"你们三人怎么看?"

韩厥犹豫了一下,没有说话。他也恨赵同和赵括,不过还是不忍心害他们。

郤克和栾书对视了一眼,他们知道,机会来了。他们更知道,景公希望听到的是一个什么回答。

"我们觉得,赵家兄弟很长时间以来就对主公不满了,如果说他们谋反,我们一点也不意外。"什么是落井下石?这就是落井下石。

"好啊,既然有姑姑做人证还有两位元帅作旁证,一定就是了。"晋景公一拍桌子,站了起来,大喝一声:"来人,招屠岸贾来。"

屠岸贾是谁?司寇,也就是最高法院院长,抓人杀人的活,该他干。

不多时,屠岸贾来了。

"屠岸贾,赵同、赵括谋反,立即捉拿归案,斩首示众。"晋景公下令。

"别,别急。"屠岸贾没有行动,先说话了。

240　　"你要为他们说情?"

"我觉得,斩首示众太便宜他们了。你问问满朝文武,谁没有受过他们的气？一定要灭族。"原来,屠岸贾不是说情,他更狠。

"这,赵朔没有罪啊。"晋景公觉得有点过分了,而且这不是惯例。

"没罪？主公啊,当年灵公的时候,赵朔的父亲赵盾就杀死了灵公。算算看,不仅灵公,主公的两个伯父不也都死在赵盾手上？这样的一家,难道不该灭门？早就该灭门了。"屠岸贾当年就是灵公的死党,对赵家一直又怕又恨,如今报仇的机会来了,怎能轻易放过？

晋景公看看郤克和栾书,那两个假装没看见,心里正幸灾乐祸。

"主公,不能这样,赵盾是个忠臣啊。"韩厥急忙为赵朔开脱。

"主公,赵盾是个大奸臣。"屠岸贾说。

晋景公思考了片刻,最后一拍桌子:"灭族。"

赵家的灭顶之灾到了。

屠岸贾派人前往各家召集军队,共同讨伐赵家。自从灭先家以后,这成了一个规矩。

趁着屠岸贾调兵遣将的时候,韩厥赶到了赵家,他要救赵朔。至于赵同、赵括,韩厥才懒得管他们。

"不必了,就算我逃走,也熬不过这个冬天了。我死无所谓,庄姬就要生了,如果是儿子就叫赵武,如果是女儿就叫赵文。女儿就算了,如果是儿子,拜托你帮我保住赵家的一点血脉啊。"赵朔说完,挣扎着翻身下床,跪在韩厥的面前。

"好,我答应你。"韩厥没有犹豫,他把赵朔扶上了床,匆匆离去了。

当天,屠岸贾率领各大家族的联军杀到赵家。所有卿大夫家,只有韩厥没有出兵。

从赵衰的人人感激到赵同、赵括的人人痛恨,可以看出一个家族的沦落并不需要太长的时间。

"男女老幼,一个不留,杀。"屠岸贾下令。

屠杀开始了。

"你们要干什么？"

"谁说我谋反？"

"我要去见主公。"

"饶命啊！"

基本上,赵同、赵括在说完这四句话之后就一命呜呼了。

赵家,风光一时的赵家被灭门了。

赵朔一定没有想到自己的办法会是这样的结局,不过他相信,即便没有这个办法,赵家同样是这样的结局。

至此,晋国称霸的三大功臣狐偃、先轸、赵衰的后人都在晋国政坛上消失了,最强势的三大家族都不复存在了。

什么是权力斗争? 这就是权力斗争。

什么是政治斗争? 这就是政治斗争。

而这样的权力斗争、政治斗争还将进行下去,不仅在晋国的历史上,应该说是在随后几千年的中国历史上。类似的事情,是不是我们都似曾相识?

辛弃疾词曰:叹人间哀乐转相寻,今犹昔。

权力斗争金科玉律第十七条:内部斗争是自我毁灭的捷径。

副一条:要击败强大的权力斗争对手,首先要从他的内部开始。

斩草除根

除了赵婴齐因祸得福免于一死之外,赵家人全部被杀,无一幸免。

赵庄姬因为是国君的姑姑而不受牵连,并且灭门发生的时候她已经躲到了宫里。但是,她肚子里的孩子是赵家人,严格来说也要处死。

赵庄姬在宫里待产,屠岸贾每天派人探看,他坚信一点:斩草不除根,春风吹又生。

赵庄姬没有想到的是,从前要提防赵同、赵括,现在赵同、赵括死了,屠岸贾比赵同、赵括更狠。

终于有一天,庄姬生了,是个男孩,庄姬悲喜交加,喜的是赵家有了接班人,悲的是弄不好立即就会被杀。

"赶快抱出去。"庄姬的贴身老宫女轻声说。

孩子被抱走了,按照赵朔当初的说法,这个孩子就叫赵武。

屠岸贾来晚了一步,孩子不见了。

"孩子呢?"屠岸贾问。

"生下来就死了,扔河里了。"老宫女说。

"哼,骗我? 搜。"屠岸贾自然不会上当,卫士们搜了一遍,没有孩子的踪影。

"全城大搜查,但凡有新生儿子的,都要一一验明。"屠岸贾下令。

全城大搜查,一连三天,没有进展。

"明天开始,搜查附近的山区,一定要找出来。"屠岸贾料定无论是谁带

242

着一个初生小孩子,一定逃不远。

除了搜索之外,屠岸贾贴出了布告,若有报告线索者,最高赏白银一千两,隐瞒不报者,灭族。

事实证明,重赏之下,必有勇夫。

第二天一大早,事情突然有了决定性的进展。

"我知道赵朔的儿子在哪里,不过,我要一千两银子。"一个人找到了屠岸贾,他要报案。

"你怎么知道? 银子没问题。"屠岸贾喜出望外。

原来,这个人叫程婴,从前是赵盾的门客。听说赵朔被杀,庄姬在宫里待产,于是伙同另一个门客叫公孙杵臼的,两个人从宫里把孩子偷运出去,准备抚养成人。

"唉,想来想去,跟自己过意不去,何必呢? 讲什么义气啊? 银子才是硬道理啊,所以,我就来报案了。"弄来弄去,程婴是来告密的。

"那好,带路,我们先去抓人。"

于是,程婴带路,屠岸贾带着人,出了城,在一座山里捉到了公孙杵臼和那个刚出生三天的婴儿赵武。赵武的身上,还裹着宫里的小被子。

"卑鄙小人,出卖主人和朋友的无耻之徒,程婴,你真不要脸。"公孙杵臼大骂程婴,看上去,他比程婴有骨气得多。

"嘿嘿,朋友不就是用来出卖的吗? 兄弟,人生苦短,何必呢?"程婴厚着脸皮说。

"就算赵家有罪,这个刚出生的孩子有什么罪呢? 叔叔大爷,求求你们,杀了我,放过孩子吧。"公孙杵臼哀求。

看上去,是不是很感人? 是不是很感动?

可以感动,可以激动,但是,不能冲动。屠岸贾当然明白这个道理。

"啰唆什么? 都给我砍了。"

刀光闪动,两颗人头落地,一个大人,一个孩子。

"走。"屠岸贾挥挥手,带着手下回去了。

程婴呆呆地站在那里,一动不动。

他的面前,是一千两银子,屠岸贾是说话算数的。再说,反正银子也是公家的。

程婴发财了,出卖朋友历来是发财的捷径。

从那之后,程婴消失了,他为什么消失,以及消失去了哪里,没有人知道。人们只知道,一个叫程婴的为了银子出卖了朋友。

赵家的故事告一段落,接下来,继续说楚国的故事。

要命的单位介绍信

公子冯顺利从晋国回来了。

申无畏呢？

申无畏的运气就没有这么好，他回不来了，永远回不来了。

使节出使，是代表一个国家的，因此都会在车上设旌。申无畏离开楚国，就进入宋国，这时候随从建议把旌收起来，这样不引人注意，或许就能蒙混过去。

"不可以，楚国是什么国家？怎么能像小偷一样偷偷摸摸过去？"申无畏拒绝了。

进入宋国之后不久，申无畏就被宋国军队发现了，一看是楚国使者，也不管是过境还是到宋国的，直接就给送中央去了。那时候，两国是敌国，宋国是晋国最坚定的同盟国。

按理说，如果楚国使者是来宋国出使，宋文公就要亲自接待。不过这一次是路过，就只需要右师华元处理了。

按照惯例和最基本的礼节，即便不是友好国家，使节借路也是没有问题的，东道国还应该提供食宿方便。

华元很不喜欢申无畏，上次孟诸打猎他也在，当时申无畏鞭打宋昭公随从的那一幕至今历历在目。尽管他很不喜欢申无畏，可还是得接待他，宋国可是个礼节上的模范国家。

"老申，又见面了，去哪里？"华元说话还算客气。

"啊，去齐国。"申无畏小心地说，尽量赔着笑脸。

"单位介绍信呢？"

"没有。"

"没有？"华元几乎叫出来，脸色沉了下来，"忘了带，还是没有？"

"就是没有。"申无畏也不好说是楚庄王不给开。

"你们太欺负人了。申无畏，还记得当年你羞辱我国国君的往事吗？如今路过我国却不借道，分明把我们当成了你们自己的一个县，也就等于是当我们亡了国。如果我杀了你，顶多也是被你们讨伐，也就是个亡国。既然无论怎样都是亡国，姓申的，别怪我手下无情，都怪你欺人太甚了。来人，砍了。"华元当即翻脸，气不打一处出，当时一咬牙一跺脚一瞪眼一声喊，把申无畏给剁了。

所以，单位介绍信是很重要的。有的时候就因为缺一张单位介绍信，就会送命。

为什么楚庄王执意不给申无畏开单位介绍信呢？两种可能：第一种，他以为世界大同就要到来，因此国家之间可以任意通行；第二种，他就是要申无畏去送死,以此来为讨伐宋国找到借口。

如果是第一种,楚庄王就很天真;如果是第二种,他就很阴险毒辣。

我们来看看楚庄王得到申无畏死讯时的反应,然后来判断庄王属于哪一类人。

《左传》这样记载:"楚子闻之,投袂而起,屦及于窒皇,剑及于寝门之外,车及于蒲胥之市。"

翻译过来是这样的:楚庄王听到申无畏被杀的消息之后,一挥袖子站了起来,一言不发向外走去,侍从追到院子里才把鞋送上,追到宫门口才把佩剑送上,追到蒲胥街市上才让他坐上车子。

想象一下那样的场景,那叫做震惊、震怒或者"出离愤怒"。

庄王连鞋都没有穿,直接从宫里走到了大街上,他心中的郁闷可想而知。宋国人杀掉的不仅是申无畏,更是他的伟大理想。他驱车直到郊外,才使自己平静下来。

"树欲静而风不止,宋国,等着吧。"楚庄王决定讨伐宋国。

显然,楚庄王是第一种人,可是他得到了第二种人想要的结果。

通常,第一种人都会得到第二种人的结果,因为虽然他天真,这个世界却很不天真。

九月,匆忙秋收之后,楚庄王亲自率领大军讨伐宋国,申无畏的儿子申犀也随军前往,发誓要手刃杀父仇人。

宋军哪里敢和楚军交锋,直接退守首都睢阳。楚庄王也不客气,直接包围了睢阳。

打宋国可不是打郑国,打郑国那是做个样子,这次是要灭了宋国。所以,楚军开始攻城。

宋国人看出了楚国人的气势,他们能够感觉到,如果城池被破,他们面临的将是灭顶之灾。正因为认识到了这一点,宋国人的防守异常坚固。

要知道,整个春秋,最善于防守的就是宋国人了。

一个是铁了心要攻城,另一个是玩了命要守城。从九月到转年的二月,五个月过去了,双方损失惨重,楚国人却依然拿不下睢阳。

楚国人有点急了,再熬下去,春耕就彻底泡汤了。可是,大家看不出来楚庄王有任何要撤军的意思。

宋国人更急,被围的时间太长了,忍不住有发疯的冲动,已经有几个弟兄从城头上跳城自杀了。其中一个跳下去没有摔死,因为他正好砸在一个楚军的身上,砸死了楚军之后,他不想死了,结果砍了楚军士兵的头回来,竟然算立了一功。

不管怎样,宋国人向晋国求救了。

第一一一章　尔虞我诈

　　古人有言曰,虽鞭之长,不及马腹,天方授楚,未可与争,虽晋之强,能违天乎? 谚曰,高下在心,川泽纳污,山薮藏疾,瑾瑜匿瑕,国君含垢,天之道也,君其待之。

——《左传》

鞭长莫及　

　　"救,还是不救?"在接到宋国特使的求救之后,晋景公紧急召集六卿扩大会议,讨论救宋事宜。

　　"倒是救,还是不救?"荀林父反过来问。他没主意,或者说,从心底里,他不愿意救。

　　"那究竟是救,还是不救?"所有人都在问。说实话,战败的阴影还在每个人的心中,谁也不愿意在这个时候再去跟楚国人交手。

　　晋景公犹豫不决,从情理上说是绝对应该救的,因为宋国是最铁杆的盟友,在盟约上也说到了一方有难对方支援,如今宋国有难,盟主不出手是说不过去的。可是,看眼前的状况,真是没有人愿意去救。

　　终于,有人提出看法了,这个人叫伯宗。关于此人的身世,史书上只说是孙伯起的儿子。孙伯起又是谁的儿子? 不知道。有说法认为他是宋国公族在晋国的后代,又有说法认为他就是晋国公族。不过综合分析,他似乎应该是晋国公族。理由有两点:第一,晋景公跟他非常亲近;第二,就是因为上面《左传》的那段话了。

那段话什么意思?

伯宗那段话很有哲学意味,我们来学习一下:"古人说过,马鞭虽然很长,但是打不到马的肚子。现在上天正在眷顾楚国,不能与他们争夺。我们晋国虽然也很强大,但是能够违背天意吗? 俗话说:是屈是伸要心中有数。江河湖泊也要容纳一些污浊之物,山林草莽也要隐藏一些蛇蝎毒虫。作为国君忍受羞辱,那也是合乎天道的。所以啊,忍忍吧,等待时机吧。"

"鞭长莫及"这个成语,就来自这里。成语的原意不是说鞭子不够长,而是说长也有长的不足,不等于长了就哪里都能打到。

"藏污纳垢"这个成语也是出自这里。

弯来绕去,这段话的结论就是:不救。

"可是,见死不救,说出去不好听啊。"晋景公还是有些犹豫。

"咱们派人去宋国,就说咱们很快会出兵去救他们,让他们再坚持一段时间。只要他们能坚持,楚国人就会自己撤军了。"郤克出了个主意,这也是最近这些年来晋国人的惯用手法。

这不是忽悠人家宋国人吗?

忽悠宋国人

派去忽悠宋国人的是解扬。

解扬不是被楚国人抓走了吗?

说起来,解扬够倒霉。上一次因为马受惊把自己送到楚军大营,稀里糊涂当了俘虏。后来多亏楚庄王开恩,把他给放回了晋国。如今,这倒霉的差事又派到了他头上。这差事不仅危险,而且今后要挨骂,因为你是去忽悠人家嘛。

"小解,我们考虑到你在楚国待过,了解楚国人的习惯,还会说楚国话,因此,这个光荣而艰巨的任务非你莫属了,祝你马到成功,平安归来。"荀林父给解扬布置任务,用的是不容商量的口吻。

没办法,解扬自认倒霉,回家交代了后事,上路了。

要说一个人倒霉,那叫做喝口凉水都塞牙。想想看,人家宋国的使者都能在楚军的包围圈里出入自由,解扬进去一趟应该是没什么问题的。可是解扬正走在"背"字上,就注定了他完不成任务。

到了睢阳外围,楚军的包围并不算太严密,解扬瞅个空子,要混到睢阳城下,谁知道恰好过来一队楚军。

"什么人?"带队的军官喝问。

"啊,走错路了,走错路了。"解扬急忙说。换了别人,这样说也就行了,可是偏偏解扬不行。

"你的声音怎么这么熟?哎,你不是解扬吗?"带队军官竟然认出解扬来了。

解扬定睛去看那人,套用《水浒传》的说法,那叫做:只叫得苦。原来,解扬在楚国的时候,就是这个人负责看管他,两人后来关系混得还不错。

这下没什么好说了。

"你就是解扬?嘿嘿,说吧,你到这里来干什么?"楚庄王亲自审问。

"奉了我国国君的命令,来告诉宋国人,晋国军队已经出发,很快就到,让他们坚持下去。"解扬实话实说了。不过,晋国实际上不会出兵的事情他没有说。

"你觉得,晋国能打败我们吗?"楚庄王接着问。

"当然能。"

"那上次为什么败给了我们?"

"上次不是楚国击败了我们,是内讧使得我们自己击败了自己。如今我们在我国国君的英明领导下,三军在荀林父的指挥下团结一心,所以,我们能够击败楚国。"

几句对话之后,楚庄王挺喜欢解扬,觉得这个人挺直爽而且挺硬气。

"兄弟,投靠我吧,怎么样?让你做上大夫,怎样?"

"不感兴趣。"

"当官没兴趣?发财有兴趣吧?"楚庄王命令手下拿来许多金银财宝,放在解扬的面前。

解扬没有说话。

"怎么样?只要你到城边上对宋国人喊,就说晋国不来救他们了,这些金银财宝就都是你的。"楚庄王以为解扬动了心,于是开出了条件。

"不行。"

"如果你不答应我,我就杀了你,然后号令在军前,让宋国人看看晋国特使已经被我们杀了。"

"这……"

"干不干?"

解扬在那一刻进行了激烈的思想斗争。他知道,如果按照楚庄王的话去做,那就是背叛了祖国,可是却是在说实话。能够背叛祖国吗?不能。可是,如果不答应楚庄王的条件,自己就会被杀,就完不成忽悠宋国人民的任务。要完成忽悠宋国人民的任务,只有一个办法:忽悠楚庄王。

"好吧。"解扬答应了。

为了完成一个忽悠,而不得不先进行一次忽悠,这就是忽悠的最高境界吗?

解扬登上了楚军的楼车,然后一直推进到了城边。

城头上,宋军准备好了弓弩,他们以为楚军要攻城。

"宋国的兄弟们,别射我,我是晋国特使解扬。"解扬大声喊起来。城头上的宋国人都有些吃惊,怎么晋国特使上了楚国的楼车?

"我被楚军给抓住了,我特地来告诉大家,晋国军队已经出发了,你们要顶住,胜利一定是我们的,世界和平一定能够实现。"解扬继续喊。

宋国人高兴了,兴奋地欢呼起来。他们不知道,他们被忽悠了。

同时被忽悠的还有楚庄王,他一点也不兴奋,他要杀人。

"你忽悠我,你不讲信用,我要杀了你。"楚庄王对解扬说。

"我对你讲信用,就必然对我的国君不讲信用。我虽然死了,却完成了我的任务,死得也值啊。可是大王你呢? 你竟然贿赂我,太不高尚了吧? 这是大国君主的风范吗? 来吧,砍了我吧。"解扬玩起了视死如归,继续忽悠。

楚庄王想了想,解扬虽然忽悠了自己,可是人家是为了国家利益,不是为了自己啊。这样的忽悠难道不是高尚的忽悠吗? 如果不是自己试图贿赂人家,人家又怎么能够忽悠自己? 所以,说来说去,是自己错了。

楚庄王这人就这个特点,喜欢反思,喜欢找自己的不足。

"算了,我敬你是一条好汉,你走吧,我放你了。"楚庄王放走了解扬,还赠送了礼物。

这就是解扬的故事了,忽悠了敌人,也忽悠了朋友,完成了任务,还能活着回去,还有礼品。

这样的忽悠,有理有礼有节,还有盈余。

忽悠,自古以来就是一门学问。

宋国人又来了精神,被忽悠之后的精神力量不可低估。而楚军因为担心晋军到来,也加紧了围城。

从二月到五月,转眼又是三个月过去。这三个月,楚军把睢阳围得水泄不通。

宋国军民盼星星盼月亮,就是盼不到晋国大哥的援军。城中早就没有了粮食,能吃的都吃完了,甚至有吃人的事情发生了。即便这样,宋国人还是在死扛,他们要跟楚国人比耐心。

楚庄王决定撤军了,像上一次围困郑国一样,楚庄王认栽了。

"大王,信用啊! 我多为了完成对大王的信用,宁可被杀也要出使齐国。大王既然答应了为我多报仇,怎么能不讲信用呢?"申犀听说要撤军,直接来找楚庄王论理了。

楚庄王无言以对,他是一个很看重信用的人,否则也不会被解扬感动而放了他。问题是,大军已经在这里待了足足八个月,再待下去,怕是大家都要疯了。就在两天前,两个士兵因为睡觉打呼噜的小事大闹军营,大打出手,最终一死一伤,受伤的士兵被处死之前甚至露出了解脱的笑容。

"老申,怎么办哪?"楚庄王愁死了,向申叔时问计。

"大王,其实这事情也简单。现在看来,晋国人显然忽悠了宋国人,他们根本不会救宋国人。宋国人之所以还不投降,就是赌我们熬不过他们。如果我们现在开始造房,把逃走的农民招回来耕地,以此显示我们准备常驻下去,宋国人恐怕立即会投降了。"申叔时还真有主意,这个主意还真正点。

"老申,这么好的主意,你怎么不早说?"楚庄王大喜。

"不是我不想说,是我弄不懂大王的算盘啊。"申叔时说。他说的是实话,楚晋大战就完全是楚庄王一个人在操控,谁知道这一次他是不是也故意不拿下宋国呢?

第二天,楚庄王命令士兵就地打地基修房,挖坑灌水养鱼,同时出了告示,要这一带逃走的农民回来种地,政策优惠。

这一招灵不灵?

可以说:立竿见影。

华元的妙计

"华老,怎么办啊?看来楚国人要跟我们耗到底了。"宋文公问华元。到现在,宫里也没粮食了,大家都在啃树皮,连做爱的力气都没有了,看着这么多女人就烦。

"我也想呢。"华元这个时候很后悔,心想当初要是忍一忍就好了,何至于如此?不过事到如今,后悔也来不及了。

"投降行吗?肉袒怎么样?"宋文公问。他已经做好了裸奔的思想准备。

"围了八个月了,这时候再投降行吗?别楚王不高兴,把您直接扔锅里了。"

"那,那,那怎么办?"宋文公傻眼了。

想了半天,华元想出来一个很奇怪的招数。

"主公,我跟楚国的子反挺熟,这样,我半夜出去找他,求他跟楚王说个情,和平解决这个问题。"华元说。这就是他的主意。

"行吗?"宋文公觉得这个主意很怪,华元跟子反也就是一个熟人而已,连朋友都算不上,两国之间的战争,靠熟人关系就解决了?

"不行也得行了。"华元也没有别的办法了。

深夜，小半个月亮，星星点点。这是小偷最喜欢的夜晚，因为这样的夜晚能看见路，但是看不清人。

城头上悄悄放下一根绳子，一个人顺着绳子溜了下来。谁？宋国第二号人物华元。

溜下城头，华元迈过了护城河。为什么是迈过？因为护城河早就被楚军给填上了。还好，没有人发现。

华元小心翼翼地前进，心想要是被楚军捉住，可就糠大了，说不定明天早上就只剩下身子，人头拿去城边展览了。

还好，一直到了楚营，都没有人发现他。八个月了，楚国人早就没有警惕性了，白天挖坑盖房，累得打雷都吵不醒。

华元溜进了楚营，子反的帐篷在哪里？正在发愁，出来一个撒尿的士兵，懵里懵懂的。

"嘿，兄弟，子反将军的帐篷在哪里？"华元急了，索性跟这个士兵打探一下。

"那边，亮着灯的那个。"士兵指给他看，指完之后，还问了一句："怎么你是宋国口音啊？"

华元没理他，走开了。

士兵撒了泡尿，回去继续睡觉，他做梦也想不到，刚才问路的竟然是宋国右师华元，否则抓住华元，那就升官发财了。

所以，该你发财的时候，半夜起床撒尿都是机会。不该你发财的时候，撒尿就能得到的机会都抓不住。

华元顺着灯光，来到子反的帐篷，拉开条缝一看，里面只有子反一个人躺在床上睡觉，五月份天正热，子反脱得赤条条一丝不挂，嘴里还打着均匀的呼噜，卫兵都不知道去了哪里。

华元掀开了帐篷的门帘，踮着脚来到了子反的床前。

"子反，子反。"华元小声叫。

子反没有任何反应，天气热，好不容易凉快点，刚睡着，正睡得熟呢。

"子反，子反。"华元拍一拍子反的肚子。

子反身子动了一下，接着睡。

华元倒有点犯难了，这不是进了洞房却抱不动新娘吗？想要大声喊或者给子反两记耳光，又怕声音太大，被人发现。

"哎，这个主意好。"华元自言自语，他觉得抓脚板心抠痒痒很灵。

子反的脚很臭，没法不臭，整个楚营到处都是大便，每天不踩上才是意外。华元顾不上那么多，伸出小指头，用指甲在子反的脚心轻轻地划来划去。

子反哼了两声，屁股动一动，接着睡。

华元急了，他觉得很没有面子，连一个人都弄不醒，自己是不是太无能了？

想到这里，华元"嚓"一声拔出了刀，再弄不醒，就用刀砍了。

"啪啪。"华元用刀的侧面在子反的肚子上拍了两下。

大概是当兵出身，子反对刀的感觉明显不一样，腾地坐了起来。一睁眼，看见一个人就站在自己的床边，手中拎着明晃晃的刀。

"啊。"子反本能地低声惊叫了一声，任何人在半夜醒来却看见一个人拎着刀在自己的床前都会害怕的。何况，自己还是裸体，想抓个武器都抓不到。

"嘘，子反，别怕，我是华元啊。"华元说，心说总算把你给弄醒了。

"华元？啊，对了，华元。你，你来干什么？吃了吗？"子反也不知道说什么了，总之他还是认出了华元。

"吃？吃什么啊？还有什么可吃的啊？都什么时候了，你还能睡得这么沉？还有心思打呼噜？"华元一紧张，把来的时候准备好的话给忘了，先说几句壮壮胆的话再说。

"啊，这个，不好意思啊。你，你，有何贵干啊？"子反更加害怕。

"敝邑易子而食，析骸以爨。虽然，城下之盟，有以国毙，不能从也，去我三十里，唯命是听。"（《左传》）华元终于想起自己要说的话了。大意是：我们里面什么吃的都没有了，只好交换孩子当饭吃，把吃剩下的骨头当柴烧。不过即使这样，我们也不愿意签订城下之盟，宁可与国家同存亡。不过，如果贵军能够后撤三十里，什么都好商量，什么都听你们的。

"易子而食"、"唯命是听"（唯命是从）这两个成语，就是华元发明的。都没饭吃了还能发明两个成语，不简单吧？

子反这个时候已经非常清醒了，他简单判断了一下眼前的形势。从大的方面来说，华元是代表宋国来投降的，不过是想有点面子的投降，所以，华元有求于自己；从小的方面说，自己是裸体，人家拿着刀，自己是很不利的。不管怎么说，先保住自己的命再说。

"老华，有骨气，我好敬佩你。能不能告诉我，城里到底还有多少粮食？"子反问。

"实话相告，粮食早就没有了，能吃的都吃掉了，也就是坚持明天一天了。"华元说。他说的是实话。

"你这人太实在了，告诉你吧，楚军日子也不好过，挖坑种地那是忽悠你们，我们也只有两天的粮食了。"子反被华元的诚实感动了，主动说了实话。

"子反，我就知道你是个实在人，够义气。怎么样，后撤三十里？"华元也挺感动。

"好，我答应你。不过，我答应你没用，我带你去找大王。"子反说。穿好了衣服，他带着华元去找楚庄王了。

楚庄王的帐篷离得不远，卫兵们看见子反来，说大王还在睡觉。

"赶快通报，紧急情况。"子反也不管那么多，让卫兵把楚庄王给弄起来了。

楚庄王起来之后，洗了一把脸，子反带着华元就进去了。

楚庄王隐隐约约认得华元，等子反把事情的过程汇报一遍之后，知道这人确实就是华元了。

"你怎么把咱们的军事秘密告诉他了？"楚庄王质问子反。

"大王，人家宋国是个小国，都不欺骗咱们；咱们是个大国，难道还欺骗小国？您不是经常教导我们要诚信吗？要有大国风范吗？"子反当时就给顶回去了。

楚庄王一反思，子反说得对啊。

"嗯，有道理。"楚庄王自我批评了一下。

"人家这么诚信，这么有诚意，所以，我就先答应他们了。"子反趁热打铁。

"好啊，明天后撤三十里。"楚庄王下令。

华元仍然爬城墙回去，不过这次子反亲自送他到城下。

第二天，楚军后撤三十里。

华元再赴楚营，不过这一次不是翻墙，而是走城门。

楚庄王热情接待了华元，双方在经过亲切交谈之后，决定签署友好条约，那时候叫盟约。盟约由子反和华元签署，上面只有八个大字：我无尔诈，尔无我虞。意思就是：你不要骗我，我也不要骗你。

"尔虞我诈"，这个著名的成语就来自这里。

宋国将申无畏的尸体从城外的乱葬岗中挖了出来，用上卿级别的棺材装殓好，送到了楚军大营，并向申犀做出赔偿和表达歉意。

第二天，楚军撤军，华元作为人质前往楚国。

八个月的战争就这样草草收场。

"我讨厌战争。"楚庄王说。他很大度地放过了宋国之后，决定再也不要战争了。

第一一二章　霸主楚庄王

从宋国撤军的时间是楚庄王二十年,直到楚庄王二十三年鞠躬尽瘁,楚庄王再也没有发动过一场战争。

从齐桓公到晋文公到楚庄王,三代霸主中,齐桓公和晋文公都有一个爱好——开会。两位霸主动不动就要开个联合国大会,他们很享受那种高高在上被吹捧被歌颂的感觉。

可是,楚庄王不喜欢开会,在他的手上,联合国大会一次也没有开过。从理论上说,他甚至都不能算是霸主。但是实际上,他可能是最为强大的霸主。为什么这样说?

霸主楚庄王

我们从几个方面来进行分析。

第一,以德服人。

论楚国的实力,没有任何国家可以相比。但是,在与晋国的争夺中,中原诸侯更愿意接受晋国的领导,为什么?因为晋国比楚国正统。

相比于自己的先辈,楚庄王更加善于反思。前辈们是以怨恨来面对这样的现状,以武力来强迫中原诸侯拥戴自己。楚庄王不是,他的办法是表现得比晋国更宽容、更诚信、更守礼、更容易亲近,从而让中原诸侯从内心感觉到楚国更可靠,更值得信赖,从而从根本上让中原诸侯改变楚国是南蛮的成见,心悦诚服地投靠到楚国的阵营。

254　　恢复陈国,宽恕郑国,宽恕宋国,这是三次典型事件。三个国家很明白,自己之所以能够保存下来，完全是基于楚庄王的宽容。在那样的情况下楚国都能宽容他们，足以证明楚国并不是一个以吞并别国为乐的恶国。

同时，三个国家也都对照着来看晋国，结论很容易得出：晋国很不够意思，很靠不住。

即便对晋国，楚庄王也同样表达善意，战场上没有赶尽杀绝，然后还主动派遣特使修好。事实上我们也可以看到，晋国的大夫们对楚庄王都非常尊敬。相信，在解扬第二次回到晋国之后，楚庄王在晋国人的心目中已经是一个伟大的形象了。

第二，广交朋友。

楚国人在从前有一个问题，就是他们对于中原诸侯普遍抱有敌意和蔑视，因此他们没有朋友。楚成王的时候曾经有意改变这一状况，不过他未能实现。

而楚庄王把自己的地位摆得很低，他主动开始与中原诸侯交朋友，他的特使去了晋国、秦国、齐国，试图平等地与这些国家交往。

很显然，晋国人服了。

即便是对小国，楚庄王的态度也是"国无大小，平等交往"。

《说苑》中记载一则故事，说是在战胜晋国之后，楚庄王在国内修了一个四丈高的高台，请诸侯们前来。这事情换了齐桓公和晋文公，那就是一次联合国大会了。

哪些国家去了呢？没有记载。不过郑、蔡、陈、许甚至宋、鲁这样的国家应该去了不少。楚庄王很客气，请大家海吃海喝，天南海北外带黄段子。吃喝得差不多了，就有人提议说要请求签署盟约，请楚国出任盟主。

"我薄德之人也。"楚庄王谢绝了，他说自己配不上。

诸侯们一看，以为这个老大假谦虚，于是一起来敬酒，楚庄王一饮而尽："高高的楼台作证，我们在这里畅谈国际大事，今后我要是有什么说得不对的地方，请各位批评我、指责我。"

"将将之台，宵宵其谋，我言而不当，诸侯伐之。"这，就是楚庄王的称霸宣言了。

第三，善于反思。

楚庄王的反思精神令人惊讶，甚至可以说叹为观止。

前面的例子不用再举，还是引用《说苑》里的一则故事："楚庄王见天不见妖，而地不出孽，则祷于山川曰：'天其忘予欤？'此能求过于天，必不逆谏矣，安不忘危，故能终而成霸功焉。"

什么意思呢？楚国风调雨顺，没有各种天灾，于是楚庄王在向山川的神灵祷告时就说："上天啊，你难道忘记我了吗？"这就是能够向上天寻求过失，

这种人一定不会拒绝忠言谏劝,居安能够思危,所以最终能够建立霸主的功业。

而再看看后人,一旦有了天灾,所做的就是掩盖真相、推脱责任,然后号称战胜灾难,论功行赏,却完全不去反思天灾中有多少人祸的因素。与楚庄王的境界相比,真的是天壤之别。

第四,慧眼独具。

楚庄王的智慧是值得单独拿出来说的。

从消灭斗越椒到战胜晋国以及最后的称霸,楚庄王所表现出来的智慧远在当时所有人之上,他比所有人都看得远,看得深。

同样在《说苑》中有一则故事,我们从中可以看出楚庄王超人的智慧。

楚庄王喜欢打猎,有人就来劝他:"国际形势空前复杂,现在大王的精力应该集中在怎么对付晋国啊,怎么能耽于打猎呢?"

楚庄王告诉他说:"多谢你来提意见,不过我有自己的想法。我打猎不仅仅是为了娱乐啊,我的主要目的是发现人才。能够用棒子打死老虎的,我知道他很勇敢;能够徒手与犀牛搏斗的,我知道他是个大力士;打完猎之后能够与大家分享猎物的,我知道他是个仁义的人。"楚庄王就是依靠这样的办法,得到了三个贤士。所以,只要有了好的志向,就没有不好的行为,说的就是这事。

一个人,有缺点并不可怕。只要是人,就会有缺点。

春秋之所以伟大,就是因为每个人都有缺点,越伟大的人缺点越明显。所以,有缺点并不可怕,也不可耻。可怕的是没有缺点,可耻的是不承认自己有缺点。

齐桓公、晋文公都是有缺点的人,齐桓公有三大缺点,晋文公小富即安,满足于农妇山泉有点田,但是,他们有一个共同的优点:大度。

真正的霸主,最需要的就是大度。

楚庄王,一个超级淫民,这不可怕,因为,他具备与齐桓公和晋文公同样的品质:大度。

除了大度,楚庄王甚至还有一个伟大的品格:专注。

除了专注,楚庄王还非常聪明,不管有没有争议,笔者认为,他是春秋最聪明最有才的君主。之所以在历史上的地位不如齐桓公和晋文公,最根本的原因是他没有一个管仲这样的天才和狐偃、赵衰这样的天才团队的辅佐。

淫乐三年不理国政,从另一个侧面反映了楚庄王的过人之处。身体强壮,这不用说。他很专注,三年如一日;他很坦白,老子就是干这个了;他很明智,三年时间亡不了国家。

从齐桓公到晋文公再到楚庄王,一个可以做朋友,一个可以做哥们,一个可以做朋友加哥们。真正的霸主,决不盛气凌人。

楚庄王,春秋第三霸。

齐桓公、晋文公、楚庄王,春秋史上的三座丰碑。尽管有春秋五霸的说法,但是真正的霸主只有上述三位,他们同等伟大。

潞国的灭亡

楚国人在南面的胡萝卜加大棒政策已经成功地从晋国人手中夺走了霸主地位,晋国人很郁闷。于是,晋国人不甘寂寞,要搞点什么动静。

晋国的北面有一个狄国叫潞国,因为爵位只有子爵,又叫潞子国,国君叫潞子婴儿。潞子国的执政叫丰舒,前文说过狐射姑就是投靠他了。丰舒很强势,人称潞子国的赵盾。强势到什么地步?

来看看丰舒的战绩。

潞子婴儿的夫人对丰舒的专横很不满,发了几句牢骚,于是,丰舒逼迫潞子婴儿把夫人给杀了。

借着打猎的机会,丰舒用箭射瞎了潞子婴儿的一只眼睛。

狠吧?

你狠,就有人来收拾你。

潞子婴儿的夫人是谁?是晋景公的姐姐。

"各位,潞国的丰舒吃了狗胆了,竟然害死了我姐姐,我们是不是要讨伐他?"晋景公召开六卿扩大会议,专门讨论这个问题。

大家的反应都是不要打,各种理由都有,总之就是不想打。为什么都不想打?荀林父是很担心再出现与楚国人打仗那样的事情,到时候如果战败,恐怕就没有上一次那么好运气了。而其他人也都是多一事不如少一事,打了胜仗是荀林父的功劳,打了败仗大家都没好果子吃。所以,这一次大家竟然很一致。

晋景公很不高兴,在南面已经很没有面子了,如果不在北面把损失捞回来,怎么说得过去?

"一定要打。"就在晋景公要发火的当口,伯宗说话了,现在他是晋景公最信任的人,这个时候,他必须要说话,"丰舒有五宗罪,不祭祀祖先,侵犯黎国,杀了主公的姐姐,弄瞎了潞子婴儿的眼睛,此外,还酗酒。现在,我们已经失去了诸侯的拥护,如果再不做一点替天行道的事情,还有什么脸混下去?"

大家还要说话,晋景公一拍桌子:"就这么定了,讨伐丰舒。老荀,准备出兵。"

荀林父一看,知道这次是怎么也躲不过去了。既然这样,也只好撕开面子了。

"主公,攻打丰舒没问题。不过,鉴于上一次的教训,这次不要三军出动,我只率领中军去就行了。"荀林父提出要求,中军是自己和士会指挥,绝不会出现不守纪律的事情。

就这样,荀林父率领中军讨伐丰舒。事实证明,没有内讧的晋国军队还是很有战斗力的,三下五除二消灭了丰舒的部队。丰舒逃到了卫国,结果被卫国五花大绑送到了晋国,晋景公也没客气,一刀砍了。

潞子婴儿很感激,他以为晋国军队是大救星。

"感谢妹夫啊,总算盼到你们了。"潞子婴儿握着荀林父的双手,感激涕零。

"谁你妹夫啊?我们国君就这么个姐姐,千挑万选嫁给你,结果呢?你连老婆都保护不了,你还是个男人吗?啊,你还有什么资格拥有这个国家啊?去死吧你。"荀林父没鼻子没脸骂了他一顿,当场宣布潞子国并入晋国,潞子婴儿自谋出路。

潞子婴儿傻眼了,以为盼到了大救星,谁知道却是丧门星,直接把自己给整下岗了。

"我,我,我不活了。"潞子婴儿绝望了,他受不了这个打击,当场自杀。

大获全胜的晋军押解着大批俘虏回到晋国。当然,既然潞国已经属于晋国,严格说就不存在回到晋国的问题,只能说是回到晋国首都。

走到一半,晋景公的特使已经到了,说是秦国人入侵,请荀林父直接派兵迎战。

"秦国大将杜回力大无穷,无人能敌,如今秦兵已经到了晋国的辅氏(今陕西省大荔县境内)。"特使介绍了情况。

荀林父皱了皱眉头,他有些犯愁,因为当前的晋军中还没有能够与杜回抗衡的勇士。

"主帅,让我去会会他。"有人主动请战。谁?大将魏颗。魏颗是谁?魏犨的大儿子。为什么魏颗要去?因为杜回曾经放言:跟老子相比,魏犨算个屁。

既然有人愿意去,荀林父当然高兴。

"那行,你带着你的人马去吧。"荀林父同意了魏颗的请战。

"哥,你行吗?我跟你一块去吧。"谁啊?魏锜,魏颗的弟弟,尽管上次与楚国作战时犯了错误,但是那属于缺心眼,不是站错了队,再加上作战勇猛,所以荀林父这次把他给带来了。

荀林父一看，你也愿意去，去吧。

积阴德的故事

魏家兄弟两个前来迎战杜回。

"哥，杜回是秦国头号大力士，据说一个人徒手打死四头野猪，我看，到时候你也别跟他斗，我一箭射死他算了。"魏锜建议，他是晋国的神射手。

"那怎么行？"魏颗瞪了魏锜一眼，心说你缺心眼啊，"到时候大家都在混战，你怎么射他啊？说不定我都被他砍死了，你还没找到人呢。"

"那，那怎么办？"

"咱们堂堂大国，怎么能玩阴的？如果不得不玩，那就要万无一失。这样，我约他单挑，他一定同意。到时候你先埋伏好，找准机会，一箭射死他。"说来说去，魏颗更阴。

"好主意。"魏锜心说以为你多光明正大，谁知道你更阴。

第二天，魏锜整顿好了弓箭，早早去青草坡埋伏。按照计划，魏颗会把杜回引过来单挑。

魏颗率领着晋军列阵，对面是杜回率领的秦军。

"擂鼓。"杜回下令，他已经忍不住要厮杀了。

秦军一通战鼓之后，晋军没有动静。

秦军两通战鼓之后，晋军还是没有动静。

秦军三通战鼓之后，晋军还是没有动静。

"嗯，晋国人的鼓坏了？"杜回有些想不通，他没听说过一鼓作气的故事，所以能想到的就是晋国人的鼓坏了。

"来人，过去问问晋国的兄弟，我们有多余的鼓，要借的话吱个声。"杜回派人去晋军那边了，这人够实在，换句话说，够缺心眼。

杜回的手下基本上也都是缺心眼的。

过了一阵，传话的兄弟回来了。

"主将，他们不缺鼓。"

"不缺鼓？那怎么不擂？"

"对面的大将自称魏颗，说是魏犨的儿子，说你屡次侮辱他的父亲、说他父亲是个屁，他要跟你单挑。"

"单挑？他敢跟我单挑？在哪里单挑？"

"说是离这里十里有一个青草坡，很适合单挑，问你敢不敢去？"

"这有什么不敢？你过去告诉他，让他带路，我跟他去。"

"将军，晋国人没什么诚信的，当心中埋伏啊。"

"怕什么？有埋伏也不怕。"

青草坡。

魏颗的战车在前，杜回的战车在后。车停下，两个御者把车赶去一边，聊天去了。

魏颗手持大戟，杜回用一把开山大斧。两人也不说话，抡家伙就干上了。

要说魏颗，也算是个勇士了，在兄弟几个中，武艺算是最高，但是跟父亲魏犨比起来，差距还是不小。如今跟杜回交手，只两三个回合之后就知道自己不行，杜回的力量比自己的父亲也不差。

转眼之间，两人斗了二十多个回合，魏颗一身臭汗，只有遮挡之功，全无还手之力，好在脚底下还算灵活，否则早就挂了。

"你个魏锜，怎么还不出来？忽悠我？我们晋国人是爱忽悠，可是忽悠谁也不能忽悠自己亲哥哥啊。"魏颗急啊，盼着魏锜出来，可魏锜就是不出来。

眼看着就快抵挡不住，魏颗心里这个后悔啊，早知如此，就不出这个主意了。

正在后悔，杜回一斧兜头砍来，魏颗拼了老命用大戟挡了出去，就听见嗡一声，被震得耳膜荡漾，头昏眼花，向后倒退几步，几乎站立不住。杜回举起大斧，追了过来。

魏颗眼冒金花，隐隐约约之中，就看见一个老头把草打成结，去绊杜回的脚，杜回一个踉跄几乎摔倒。

"哎，是真的吗？"魏颗以为是自己眼花，揉揉眼再看，还是看见一个老头用草在绊杜回，而杜回又被绊了一个踉跄，差一点扑倒在自己的面前。

魏颗也不管是真的还是假的了，大戟就刺了出去，正刺在杜回的肩膀上，杜回一声惨叫，摔倒在地，手中的大斧也掉在了地上。

难道这是在做梦？魏颗使劲摇了摇脑袋，再去看眼前，又看不见老头了。

正在这个时候，一个人气喘吁吁跑了过来，谁？魏锜。

"你怎么才来？"魏颗看见他，很气愤地问。

"嗨，我早就埋伏好了。可是后来来了一个老头，跟我聊天，没聊两句，我就睡着了。这不，刚才才醒过来，这不是活见鬼吗？"

老头？又是老头？难道真的活见鬼了？

兄弟两个带着共同的困惑，把杜回给押了回去。那边秦军看见主将被捉，不用号召，立马转头就跑，晋军在后追赶，把秦军杀得个七零八落。

魏颗大获全胜,回到大营,先把杜回给砍了。

"兄弟,那个老头是谁?看清楚没有?"魏家兄弟虽然打了胜仗,可是白天见鬼,心里发虚。

"是咱爹吗?不像啊。"魏锜说。

"咱爹咱还不认识?"魏颗说。

"那是谁爹呢?"两人探讨到半夜,也没弄明白是谁爹。

魏颗沉沉睡去,做了一个梦。

"你知道我是谁吗?"老头来了,就是那个老头。

"你是谁?"

"你记得婉娘吗?"

"婉娘?记得。"

"我是婉娘的爹,为了报答你,我结草去绊杜回。"

"啊,那你是人还是鬼?"

"你说呢?哈哈哈哈。"老头大笑起来。

魏颗一个激灵,从梦中醒了过来。

现在,魏颗知道老头为什么要帮自己了。

原来,婉娘是魏犨的小妾,魏犨非常喜欢她。每次出去打仗,魏犨都会叮嘱魏颗:"小子,老子要是被打死了,你一定要找个好人家,把婉娘嫁出去。"

到后来,魏犨临死之前,变主意了,用最后一口气对魏颗说:"你,你谁啊?你告诉我儿子,我死了,让婉娘给我陪葬啊。"

到魏犨鞠躬尽瘁之后,魏颗找了个好人家,把婉娘给嫁出去了。有人就说:"你爹不是要她陪葬吗?"

"陪什么葬,没看见我爹说那话的时候都犯糊涂了吗?连我都不认识了,他那话能听吗?"魏颗说。

就因为积了这么一个阴德,魏颗得到了报答。

别以为这是杜撰,这件事情见于《左传·宣公十五年》。

因为战功,魏颗被封在令狐(今山西临猗县境内),其后代中有以令狐为姓。令狐和令两个姓的祖先都是魏颗,再往上,是毕公高,再往上,是周文王。所以,令狐本姓姬,周王族。

有人望文生义,以为令狐源于北方少数民族,大错特错。

到现在,但凡姓令狐的,籍贯一栏都填山西临猗,因为姓令狐的人少。

第一一三章　士会的智慧

灭掉潞国让晋国人民有些扬眉吐气的味道，南边的损失北边补，自尊心得到补偿。荀林父也因此成为民族英雄，晋景公一高兴，赏给了他一千户从潞国抓回来的狄人。

荀林父很兴奋，带了一辈子兵，也就这次打仗算是心情愉快。如今功劳有了，国君又信任，权力稳固了，再也不用担心谁捣乱了。

也许是太高兴的缘故，俗话说：好景不长。荀林父半年不到就卒了，安稳日子没过上几天。

按照顺序，中军帅应该轮到士会，荀林父在鞠躬尽瘁之前也建议士会接任。

"老士啊，您就当中军帅吧。"晋景公一向尊重士会，要任命他接任中军帅。

"主公，你看，我能力也不够，身体也不好，老婆脾气还大，我不适合啊。"士会连忙推托，狐家、先家、赵家的下场他都看到了。士会很害怕，他实在不愿意成为权力的中心。

"老士，你不行？谁行？"

"谁都比我行啊。"士会急了。

"老士，别谦虚了，谁也没你行。"晋景公非要他当。

"那，那我就先干着，随时让贤啊。"士会知道推不掉，只好暂时接过来。

别以为他假谦虚，他是真的。

聪明的士会

士会上任，第一件事是什么？讨伐赤狄。为什么讨伐赤狄？

"爹,为什么讨伐赤狄?"士会的儿子叫士燮,他知道父亲不是喜欢打仗的人,而且是个低调的人,那为什么一上任就高调讨伐赤狄?

"孩子,世界上你死我活的事情有两种,一种是战争,另一种就是权力斗争。现在的晋国就是这样,如果不发动对外的战争,那么就必然让国内的权力斗争激化。孩子啊,你知道多少人盯着我的位置吗?我也不想打仗,可是不打不行啊。"士会说,虽然是小算盘,可说的都是实话。

晋国军队北伐,一口气灭了赤狄的甲氏、留吁和铎辰三个部落,又把晋国的版图扩大了一大块。

"老士,你还说你不行,你是行得很啊。我准备给你一块封邑,你自己挑吧。"晋景公很高兴,要重赏士会。

"这,把范给我吧。"士会想了想,自己挑了一块地。

"范?"晋景公有点意外,因为有很多靠近新绛的好地可以挑,士会却偏偏挑选了偏远的范。范在哪里?在今天的河南范县,紧靠山东,也就是说是晋国最东面的边疆地带。

为什么士会会选择范?因为他知道这样的地方没人会跟他争。

因为封在了范,士会也被称为范武子,后代就姓范。姓范的读者请注意,士会就是你们的得姓始祖。士姓原姓杜,因此与杜姓为同宗;更早的祖先为刘累,因此与刘姓又是同宗。而士会此前的封邑在随,因此也叫随会,有后代姓随,从而士、随、范为同宗。越南范姓也是士会的后代,顺便一提。

按照近年的惯例,讨伐狄人之后,晋国会派人前往王室献俘,也就是把俘虏来的狄人献给王室做奴隶。上一次击败赤狄之后,派去的是赵同,结果这哥们在洛邑大出洋相,狂妄得不可一世,影响很坏。这一次,晋景公干脆派士会去,免得再出洋相。

士会的表现自然比赵同要强得多,他很谦恭也很和气,不仅周王喜欢他,中央的各级领导也都喜欢他。周王一高兴,亲自赠送了上卿的官服给他,算是周王室亲自任命他为晋国的卿。这可了不得,要知道,齐国的国、高两家就是因为这个成了世袭的齐国上卿。

从伟大首都回去,晋景公对士会的表现非常满意,举行仪式再次任命他为中军帅,并且兼任太傅。

士会也没闲着,把在中央学到的礼仪在晋国大力推广。

"爹,王室那套东西又麻烦又没用,推广它干什么?"士燮不理解,再次问士会。

"孩子,人不能闲着,闲着就要生事,这是找点事给大家干,否则就又要进行权力斗争了。"士会悄悄地说。在士会的脑子里,始终有权力斗争这根弦。他不想斗争,他害怕斗争,所以他要想尽办法转移大家的注意力。

士会，是一个好人；士会，是一个聪明人；士会，是一个聪明的好人。他讨厌权力斗争，可是却陷入了权力斗争的核心；他不愿意伤害别人，也不希望被别人伤害，因此他只能竭力地保护自己。

转眼之间，士会上任一年了。一年的时间里，晋国平定了北方，而且掀起了学习周礼的高潮，国家重新出现繁荣景象。

这里有一段古要讲讲。

自从赵盾执掌国政以来，晋国的治安就开始出现问题。到了荀林父担任中军帅之后，晋国恰好遇上三年自然灾害，于是到了盗匪横行的地步。荀林父束手无策。这个时候，有人推荐一个叫做郤雍的人，说是这哥们有特异功能，在人群里一眼就能看出谁是强盗谁是小偷。荀林父很高兴，就派郤雍负责抓捕强盗。当时大夫羊舌职就说了："这样玩法，郤雍活不了几天。"果然，没几天时间，郤雍就被人给砍了。

所以，自古以来，靠特异功能吃饭的，通常都没有好下场。

士会执政之后，采取了大量的惠民政策。老百姓有吃有喝，谁还去当强盗？

眼看国家缓过气来了，晋景公又有想法了。

"老士啊，好多年没召开过盟会了，诸侯都快把我们给忘了，搞个盟会怎么样？"晋景公建议。他想过过盟主的瘾了。

"这个，也好。"士会表示赞同。因为他知道反对也没有用，而且，搞搞这些盟会之类的东东，也可以转移国内权力斗争的视线。

士会很快给大家分派了活，按照规矩，邀请各国国君的事情应该是派卿一级的官员前往的。由于晋国是盟主，派上大夫级别的也可以。不过，士会还是把卿们都给派出去了，借口是现在学习周礼，要以身作则。实际上，士会的目的是把他们都弄出去，省得在家里斗来斗去。

两个大国鲁国和齐国分派给了中军佐郤克，在级别上来说是很合适的。

卿们高高兴兴出使去了，他们也很想去诸侯国炫耀炫耀，展示一下上国国家领导人的风范。

郤克受辱

晋景公八年（前 592 年），那是一个春天。春暖花开的时候，郤克带着助手栾京庐来到了鲁国首都曲阜。

在鲁国，一切都好，鲁宣公热情接待，接受了邀请。

从鲁国出来，郤克前往齐国。恰好鲁国也派季孙行父前往齐国聘问，于是两人同行,来到了临淄。到国宾馆住下,恰好又遇上了卫国的上卿孙林父和曹国的公子首,也都是来齐国聘问的。异国相逢,分外亲热,四人没用多长时间就混成了好朋友。

第二天,四人前去拜会齐顷公。郤克要显示大国风范,把自己排在了最后,于是,鲁国的季孙行父第一,卫国的孙林父第二,曹国的公子首第三,郤克最后一个。

齐顷公接见完前面三个,然后传令请郤克进殿。

看见郤克进来,齐顷公笑了。

郤克行礼完毕,说明来意,邀请齐顷公参加夏天举行的盟会。

"嗯,没问题,盟会当然要参加,哈哈哈哈。"齐顷公说完,大笑起来。

郤克有些摸不着头脑,就算是表达友好或者平易近人,微笑也就可以了,怎么哈哈大笑?难道齐国人都这样?

"请主公亲自出席。"郤克补充了一句。

"尽量尽量,哈哈哈哈。"齐顷公盯着郤克,说完又是大笑。

"请确认,我回去好回复。"郤克坚持要求齐顷公当时就确定。实际上,郤克认为齐顷公必须亲自去。

"不急不急,容我看看时间是否合适。这样,明天中午请你们几位贵使在宫里吃饭,那时候回复你吧,哈哈哈哈。"齐顷公说完还是笑,又加了一句,"寡人看见你们高兴啊。"

既然话说到这里,郤克不好再说什么。

第二天临近中午,四个人从睡梦中被叫醒,齐顷公派车来接他们了。四人急忙起床,匆匆洗漱一遍,换好了衣服,登车前往。郤克的车在最前面,紧接着的是公子首。郤克回头去看公子首,差一点笑出来,因为公子首是个秃子,帽子戴不稳,而接他们的车是敞篷车,车跑起来有风,公子首的帽子根本就戴不住,所以,公子首把帽子给摘下来了。可巧的是,给公子首赶车的御者也是个秃子,在春天的阳光照射下,两个秃子油光瓦亮,分外吸引眼球。

从国宾馆到后宫,一路上,引来许多齐国人围观,指指点点。

来到后宫门口,郤克下了车,早已经有人等在门口。四个太监分别在前面带路,领着四个人进去。刚往里走,郤克就看出蹊跷来了,因为给自己带路的太监是个驼背。

"嗯。"郤克皱了皱眉头,因为他自己就是个驼背。为什么派个驼背来带路?难道是因为驼背更理解驼背?看来,齐顷公还挺体贴。

正想着,来到一个台阶,驼背走路本来就身体前倾,走台阶的时候更是前倾得夸张。前面的驼背费力地走着,后面的驼背又跟了上来。两个驼背走台阶,好像乌龟在爬山一样。

"嘻嘻，嘻嘻。"郤克听到女人的笑声，顺着笑声过去，看见不远处有一个布帘子，帘子后面正有人向这里偷看。

"笑什么？"郤克有些恼火，他怀疑是在笑话他自己。

紧接着，另外三对人依次过来，郤克就听到布帘子后面的笑声越来越大，最后已经是捧腹而笑了。

郤克忍不住回头去看，不看也就罢了，一看之下，郤克也险些笑出来。

原来，季孙行父是个瘸子，带路的太监也是瘸子；孙林父是个独眼龙，带路的太监也是独眼龙；公子首是个秃头，带路的太监也是个秃头。

"这哪里是请我们吃饭啊，这不是拿别人的缺陷找乐吗？这不是把快乐建立在别人的痛苦之上吗？"郤克愤怒了，毫无疑问，自己和另外三个兄弟成了取笑的对象，而司机和带路太监的安排绝对是刻意的。

郤克一把揪住了一个宫女，咬着牙问："说，布帘子后面是什么人？"

宫女吓了一大跳，哆哆嗦嗦说："是，是萧夫人，太，太后。"

现在，郤克明白了。为什么明白了？因为事情是明摆着的。最初齐顷公对自己大笑，就是因为他一连看到了四个残疾人。而现在这一切，毫无疑问是齐顷公布好的局，专门要给他老娘寻开心。

"哼！耍我们？耍我就是耍晋国人民，晋国人民绝不答应。"郤克的怒火腾地起来了，原本是来耀武扬威的，谁知道临时被当成了小丑。

午宴很无聊，因为大家的心情都不在吃饭上。齐顷公嘻嘻哈哈，因为他觉得自己的创意很妙，而四位使节几乎不说话，他们都在强压怒火。

回到国宾馆，兄弟四个不约而同收拾行囊准备回家，谁也不愿意再待下去。

"侮辱老子，老子要打他们。"郤克发誓要讨伐齐国。

"贵国带头，我们一定响应。"那兄弟三个纷纷响应。

"小栾，我先走了，你留在这里再去找那该杀千刀的，如果他不答应亲自出席盟会，你就不要回国了。"临走，郤克把栾京庐留下来，给他布置了一个艰巨的任务。

《史记》记载："八年，使郤克于齐。齐顷公母从楼上观而笑之。所以然者，郤克偻，而鲁使蹇，卫使眇，故齐亦令人如之以导客。郤克怒，归至河上，曰：'不报齐者，河伯视之！'"

一级压一级

郤克气哼哼地回到了晋国，一路上就想着怎样讨伐齐国，活捉齐顷公的老娘,把她也打成驼背,看她以后怎么笑。

"主帅,我请求讨伐齐国。"郤克找到了士会,添油加醋说了很多齐顷公的坏话,然后要求出兵。

"这个,出兵打仗可是大事,要请示主公才行。"士会推托。晋国驻齐国办事处的线报前两天就到了,所以士会早就知道郤克被戏弄的事情了。可是,因为一个人受辱就出兵是不合适的。

郤克知道士会是在推,他也知道要这个老油条出兵那绝对是与虎谋皮。没办法,郤克告辞出来,去找晋景公汇报。

"主公,我请求讨伐齐国。"郤克又是添油加醋,煽风点火。

"算了,不要为了一点私怨动用国家军队吧?"晋景公没客气,直接给点出来了。

"那,那我出动我家族的兵力可以吗?"郤克还不甘心。

"算了,你家族的兵力怎么能打得过齐国? 算了,等盟会的时候让齐侯给你赔个礼也就算了。"晋景公依然拒绝。

郤克没办法了,现在他在等待夏天的到来,到时候在自己的地盘上,一定要让齐顷公好看。

夏天,说到就到。

盟会在晋国的断道召开,各国国君纷纷来到。

按照栾京庐的回报,齐顷公是会亲自来的。

齐顷公真的会来吗?

齐国在晋国也有自己的办事处,齐国办事处也有自己的消息渠道,一切迹象表明,这次盟会将对齐顷公不利。于是,加急线报送到了齐国。

齐顷公决定不去了,他决定派出上卿高固,率领晏弱、蔡朝和南郭偃三个大夫前往。

"我不敢去了,去了说不定就回不来了。"齐顷公对他们说。

"你不敢去就派我们去? 不是让我们去送死?"高固心想,一百个不愿意,没办法,也只能上路。

齐国使团一行四人战战兢兢出发了,出发之前,每人都写了遗书。一路上,四个人都是愁眉不展,唉声叹气。

这一天来到了卫国的敛盂,再往前走就是晋国了。

"老晏,我是实在不敢走了,任务就交给你了,你好自为之吧,我先回去了。"高固打死也不肯走了,把任务压给了晏弱。

晏弱傻眼了,他也想逃,可是又不敢逃。没办法,高固跑了,晏弱带着蔡朝和南郭偃硬着头皮,进了晋国境内。

来到了晋国的野王,晏弱也决定开溜。

"老蔡啊,我也要撤了,任务就交给你了。"晏弱也溜了。

现在,剩下蔡朝和南郭偃。

又走了一程,蔡朝怎么想怎么觉得自己冤枉,你高固和晏弱能推,我为什么不能推?

"南郭啊,这个,不行,我也要闪了,两个人都死不如只死一个,后面的任务交给你了。"得,蔡朝也要跑。

南郭偃欲哭无泪,现在他知道什么叫做一级压一级,小鱼吃虾米了。

"我要是死了,一定要追认我为烈士啊。"南郭偃哭着说,他实在没有别人能指使了,总不能让赶车的代表齐国去参加盟会吧。

四人使团,现在只剩下南郭偃了。

南郭偃硬着头皮继续走,走到温的时候,郤克的人已经在那里等他了。

"你是齐国使臣?"

"是。"

"捉了。"

这下好,不用去参加盟会了,直接在路上就被抓了。

晏弱和蔡朝跑掉了吗? 遗憾的是,他们也没有跑掉。

《左传》记载:"晋人执晏弱于野王,执蔡朝于原,执南郭偃于温。"

这里要说说晏弱,晏弱是齐国公族,因为封邑在晏而姓晏,他不是晏姓的得姓始祖,但他是当今多数晏姓人的祖先。

那么,晏弱被晋国人杀了吗? 没有。

晏弱等人被捉之后,他的朋友苗贲皇知道了。记得苗贲皇是谁吗? 斗越椒的儿子啊,从楚国逃到了晋国之后,很受晋景公的赏识。

"主公,不能这样啊。我们这些年来已经没什么信用,没什么威望了。如今人家的使者来了,咱们不好好招待,还把人家抓了,今后谁还敢来啊? 晏弱是什么人? 那是著名的贤人啊,咱们把人家抓了,那咱们不成了恶人了吗?"苗贲皇很够义气,去找晋景公说情。

其实,晋景公本来就不大同意郤克抓人,如今苗贲皇这一说,更觉得抓人没道理了。

"那,那放了他们? 可是,放了他们不就等于我们承认自己做错了?"晋景公有些为难,怕面子下不来。

"简单,让看守的人故意松懈,放他们逃跑不就行了?"苗贲皇提了个合理化建议。

晋景公接受了苗贲皇的建议,没有多久,晏弱等三人纷纷逃回了齐国,这是后话。

急流勇退

郤克很不爽,非常不爽,相当不爽。他的脾气变得暴躁,平时三句话不到,就开始说齐顷公的坏话。

士会决定退休了,在做出这个决定之后,他把原因告诉了儿子士燮。

"儿啊,你听我说,如果一个人阻止别人的怒火发出来,他就很危险了。郤克现在对齐国是一肚子怒火要发,如果不发在齐国身上,那就一定要发在晋国身上。可是他如果没有权力讨伐齐国,就没办法报复齐国。这个时候如果我不把位置让给他,恐怕他的怒火就会转移到我身上。所以,我要退休,把位置让给他。"士会说。

什么叫知道进退? 知道进很容易,知道退很不容易,而士会是知道退的。

到后来三国时期的贾诩被认为是计谋最深、最聪明的人,而他的为官之道就是克隆士会。

权力斗争金科玉律第十八条:当你成为强势人物或集团的障碍的时候,要懂得主动让开。

副一条:主动让路和被踢开绝对不是同样的效果。

秋天,士会提出了辞职。

"主公,我老了,离老年痴呆也不远了,经常拿起筷子忘了碗,没脱裤子就撒尿,让我退休吧。"士会说得很真诚。

"这个? 你要是退了,觉得谁接任比较合适?"晋景公知道劝不住了,就问问接班人的问题。

"郤克啊,也该排到他了。"

于是,郤克接任中军帅。

"老爷子,你怎么不接着干下去呢?"郤克很高兴,也很感动,从前他经常在暗地里骂士会占着茅坑不拉屎,如今士会主动把茅坑给他腾出来了,倒把他感动得够呛。

现在,看看晋国的六卿是怎样排名的。

中军帅:郤克。上军帅:荀庚。上军佐:士燮。下军帅:栾书。下军佐:荀首。

　　中军佐暂时空缺,荀庚是荀林父的儿子,士燮是士会的儿子,都属于破格提拔。荀首是因为在与楚国的战斗中表现出色,破格提拔。其中,只有栾书一个人原地不动。

　　让栾书恼火的是,按照资历,自己现在应该是中军佐了,而郤克让荀庚和士燮爬到了自己前面。郤克之所以让中军佐空缺,公开的说法是没有物色到合适人选,真实的想法是要遏制栾书。

　　我们看到,只要是父亲做到了中军帅,儿子就自然成为卿。这样就出现了一个现象:卿已经成为事实上的世袭了。

第一一四章　晋齐之战

俗话说:扶上马,送一程。

士会尽管退休了,他还是很关心国家大事。他真的很关心国家大事吗?不是的,他是关心儿子的表现,他要送一程的是儿子,而不是郤克。

士燮每次上朝或者参加六卿会议之后,都要回家向父亲汇报,然后听取父亲的指点。

那一天士燮回家晚了,士会问他为什么回来这么晚。

"今天来了一个秦国人,老有学问了,一直跟大夫们在论辩,大夫们都辩不过他,只有我三次说得他答不上来。"士燮很得意地回答,感觉自己给父亲争脸了。

"什么?"士会的脸色变了,话音刚落,就抡起了手中的拐杖,向士燮打来。

士燮弄不懂为什么挨打,也不敢躲,生生地挨了几拐杖,好在士会也没有太用力。打完之后还不过瘾,士会一把把士燮头上的簪子给拔了下来,狠狠地折成两段,摔在地上。

"我,我做错了什么,惹您老人家生这么大气?"士燮小心翼翼地问。尽管现在也算是国家领导人了,他在父亲面前还是低声下气。

"你以为就你能? 你最牛? 大家不说话,是因为大家谦虚。你一个刚出道的小屁孩子,在朝廷上当众给人下不来台,人家不恨死你了? 我要是死了,估计你也活不了几天了。"士会气哼哼地说着,自己一辈子小心,儿子却这么不懂事。

士燮明白了。

士会经常说:木秀于林,风必摧之。

报仇机会来了

大权在握,现在只差借口。

两年之后,借口终于找到了。

晋景公十一年(前589年)春天,齐国入侵鲁国。卫国在鲁国的请求下攻击齐国,却被齐国击败。于是,鲁国的季孙行父和卫国的孙林父前来晋国求援。

巧合的是,曹国的公子首也来了。

于是,齐国受辱四人组再次聚首。

"哼,早就想打齐国了,还记得当年的事情吗?"郤克有些气愤,还有些兴奋。

"打,我们都跟着晋国干。"那三个异口同声地说。

于是,郤克去找晋景公了,现在他是中军帅,说话的分量已经大不一样了。

"主公,齐国人入侵鲁国,又击败了卫国,现在两国使臣前来求救,为了保护盟国,我决定出兵讨伐齐国。"有理有据,郤克说话底气十足。

"好吧,给你七百乘战车。"晋景公同意了。通常,中军帅的决定是不便反对的。

"主公,说笑吧?七百乘只是当年先君文公城濮大战的兵力,那时候有狐偃、先轸、栾枝、魏犨等那么多贤能,才能取得胜利。我们现在的才能跟他们没法比,简直给他们提鞋都不够资格。无论如何,八百乘。"郤克要求增加兵力。

"那好,八百乘。"晋景公同意了。

当年夏天六月,八百乘战车的晋军出发了,鲁国军队和曹国军队也从各自的国家出发,他们将与卫国军队会合,一同进攻齐国。其中,能够战斗的也就是晋国军队,其余三国军队重在参与。

出征的时候,上军帅荀庚请了病假,下军佐荀首也请了病假。

没办法,六卿变三卿,倒也省事了。三军司马依然是韩厥,赵盾死后,他一直没有升迁的机会。作为赵盾最信任的人,韩厥让所有赵盾的继任者心有忌惮,郤缺、荀林父和士会都在刻意压制他。

韩厥是个聪明人,甚至不亚于士会。他知道,他唯一能做的就是忍耐。同时他也知道,升不上去未必就不是好事。作为一个缺乏根基的人,他特别明白"宁可杀错人,不能站错队"这句话的含义。所以,他竭力对各方面都不得罪。他知道自己在荀林父和士会的手中都不会有机会,所以他小心谨慎

272

地隐忍着,根本不抱任何幻想。

而现在,尽管郤克并没有提拔他,他还是感觉到机会来了。

晋国大军经过卫国,韩厥想起来自己第一次担任司马的时候,赵盾的御者被自己斩掉的往事。他突然想起,这是郤克首次领军出征,他会不会也需要一个倒霉蛋? 韩厥认为郤克需要。

想到这里,他开始仔细观察起来。

俗话说:世上无难事,只怕有心人。

很快,一个倒霉蛋被找到了。

韩厥杀人

一个军官违反了军令,这个人叫什么以及违反了哪一项,史书上并没有记载清楚。不过,这不重要,重要的是找到了这么一个倒霉蛋。

抓住了这样一个倒霉蛋,韩厥几乎要笑出来,因为这个倒霉蛋和上一次的那个倒霉蛋简直就是一个人,上次的是赵盾的御者,这次这个是郤克的亲戚。

“砍了。”韩厥没有丝毫犹豫,他的概念里,这是郤克故意放出来的倒霉蛋。

可是,韩厥错了,郤克根本就没有想过这样的办法,这完全是一个偶然事件。

“什么? 要杀?”当郤克知道自己的亲戚要被韩厥砍掉之后,他吃了一惊,随后他决定亲自去救自己的亲戚。“快,赶快去救人。”

然而,郤克还是晚了半步,他赶到的时候,刀斧手的刀恰好落下去,火辣辣的人头正好落下来。

下一步,会发生什么?

“元帅,有何指示?”看见郤克过来,看见郤克吃惊和失望的眼神,韩厥知道,这次弄砸了。

在那一瞬间,郤克思绪万千。他想到撤韩厥的职,可是没有理由;他想过痛骂韩厥一顿,可是也没有理由;他想过转身就走,可是又觉得很傻。猛然,他想起当年韩厥杀赵盾御者的故事,他恍然大悟:这个贼老韩,他在帮我啊。

“司马,我是特地来告诉你,不要因为这个人是我的亲戚,就对他网开一面,杀得好。来人,号令三军。”郤克下令,于是那个倒霉蛋的脑袋就上了竹竿。

"多谢主帅。"韩厥一身的冷汗,总算镇定下来。

从韩厥那里出来,御者问郤克:"元帅不是去救那人吗?怎么反而支持韩厥杀他?"

"嗨,杀都杀了,我就帮他分担一点批评吧。"郤克回答。似乎那人死得很冤似的,似乎自己很高尚。

齐国君臣

齐国和晋国,可以说是亲上加亲的国家,如今要开战了。

两军在齐国的靡笄(今济南千佛山)相遇了,齐顷公亲自率军与晋国率领的四国联军作战。在齐顷公看来,晋国军队自从上次败给了楚军,已经是一支腐败的军队,根本不必怕他们。

双方下完战书之后,齐顷公决定要给晋国人一点颜色看看,同时也让齐军提升一下士气。

记得高固吗?就是那个出使晋国却半路逃回的人。不要小看了高固,他是齐国著名的勇士。

"高固,你走一趟晋军大营。"齐顷公给高固下命令。

高固这一次没有怕死,登车而去。

晋国军队完全没有想到对方竟然有人敢来踹营,结果被高固直接闯了进去。恰好遇上一乘晋国战车,高固从地上捡了一块大石头,一石头砸死了车上的战士,然后跳上车,用大戟顶着御者的脖子,俘虏了一乘战车回去,半路上还连根拔起了一棵桑树,一并带回了齐营。

于是,高固单乘闯晋营的英雄事迹迅速传遍了齐军大营。高固得意地到处说:"欲勇者,贾余余勇。"

这句话听起来有些绕口,意思是:有想要勇气的人吗?我还有多余的可以卖给他。

"余勇可贾",这个成语就来自这里,见于《左传》。

第二天一大早,两国军队开始布阵,准备决战。

因为战场在鞍(今济南市西),因此这一战叫做鞍之战。

齐顷公的御者是邴夏,车右是逢丑父。

列阵完毕,齐顷公高喊:"余姑剪灭此而朝食。"(《左传》)

啥意思?姓余的姑姑?错。意思是:我们还是灭了敌人再回来吃早饭吧。

"灭此朝食",这个成语来自这里。

喊了这个口号之后,齐顷公命令邴夏开始冲锋。于是,齐顷公一车当先,冲向晋军大阵,齐国军队紧随着冲了出去。

冲出去之后齐顷公才发现,自己的战马连甲都没有披上。可是这时候也没办法停下来披甲了,只好硬着头皮继续冲。

一国国君就这样稀里糊涂打起了前锋,齐顷公真是个很有趣、很性情的人。

晋国人的箭如雨点般射了过来,齐军战车被射倒许多。齐军也同样向晋军射箭,晋军大阵中也有许多人中箭倒下。奇怪的是,齐顷公毫发无损。

晋军大阵,郤克的御者是解张,车右是郑丘缓。

当齐国人突然开始冲锋之后,郤克下令擂鼓迎敌,他本人也开始擂鼓。

齐国人的箭射了过来,解张被箭射伤了右边的胳膊,随后,郤克的胳膊也被箭射伤。

"我受伤了。"郤克大声喊,他非常紧张。

"不要怕,我一开始就伤了,我把箭折断就接着驾车,右边的车轮都被我的血染红了,我看,你还是坚持一下吧。"解张大声喊。

"是啊,只要有危险,我就下去推车,坚持啊。"车右郑丘缓也说。

郤克没有说话,不过他的鼓声越来越慢,他有些坚持不住。

"主帅,我们军队就是随着我们的鼓声和旗子冲锋的啊。只要没有死,就要坚持啊。"解张吼了起来,他用左手挽着缰绳,转过身来,用受伤的右胳膊从郤克的手中接过一个鼓槌,一边赶车一边击鼓。

解张一只手是无法控制住战马的,何况他还转过了身子。战马奔跑起来,丝毫不受控制。于是,晋军主帅的大旗冲在了晋军的最前面,晋军都看到主帅一身是血,胳膊上带着箭还在击鼓冲锋。

"冲啊。"晋军士气大振,开始冲锋。

两军相交,到底还是晋国军队要强一些,齐国军队抵挡不住,大败亏输。

韩厥始终在盯着齐顷公的战车,齐军溃败,韩厥决心要捉住齐顷公,那样的话,自己就没有理由坐不到卿的位置了。

韩厥担心追丢了齐顷公,于是自己去驾车,让御者坐到自己的位置上。

齐顷公一路狂奔,却发现一乘晋国战车紧追不放。

"快射后边车上的御者,那人看上去是个君子。"邴夏对齐顷公喊道。

"知道是君子还射他?不射。"齐顷公这人其实很可爱,他拒绝射韩厥,操起箭来射车左,其实那才是御者。

别说,齐顷公的箭术非常高明,一箭出去,直接把韩厥的司机给射下去了。看看还在追,于是再射一箭,把车右给射死在车上了。

现在,战车上只剩下韩厥一个活人,还怎么追?追上了有什么用?

正在这个时候,有人高喊:"司马,司马,等等我。"

韩厥一看,是晋国大夫綦(音奇)毋张。綦毋张的御者和车右都战死了,战车也翻坑里了,正好来跟韩厥搭伙。綦毋张,綦毋姓的始祖,尽管这个姓的人现在已经很难找到。

二合一,韩厥又有了信心。

"喂,前面的箭术很好,你躲在我身后,把车右扶正了,迷惑他们。"韩厥出了个招数,免得綦毋张再被射死。

就在这边折腾尸体的时候,前面齐顷公和逢丑父趁机换了位置。为什么换位置?因为齐顷公的箭射完了。

跑到华泉这个地方,出问题了。

齐顷公的马被树枝挂住了,马车不得不停下来,逢丑父跳下来推车,结果根本推不动。原来,昨天晚上逢丑父被蛇咬了胳膊,好在蛇的毒性不太强,没有要命,但是胳膊完全使不上劲。

韩厥的战车赶了上来。

紧接着,要上演的是一出春秋时期臣子俘获国君的正规程序。

韩厥跳下战车,綦毋张则依然留在车上,张弓搭箭保护韩厥。韩厥走到齐顷公的战车前,躬身施礼,从怀里掏出一个酒杯和一块玉,这都是给国君的礼物。然后韩厥说:"敝国国君派我们来为鲁国和卫国求情,并且告诉我们不要进入齐国的国境。不幸的是我们恰好遇上了,我也不敢逃避,否则就是给两国国君丢人了。虽然我没什么才能,我还是很愿意代替您的御者,为您驾车。"

说得多么客气啊,多么给人面子啊,什么是为您驾车,就是请您跟我回晋军大营的意思。

韩厥为什么能从怀里掏出酒杯和玉呢?很显然,他是早就准备好了要活捉齐顷公的,多么有心的人啊。

齐顷公有点傻眼,尽管自己这边多一个人,但是御者武功不行,逢丑父用不上力,而对方是两员大将,还有弓箭伺候着。要被活捉,那是不甘心的;要逃跑,估计也跑不掉,而且丢不起那个人。

怎么办?那一刻,齐顷公也是百感交集。

"逢丑父,给我打点水来喝。说你呢,还愣着干什么?"逢丑父说着,一脚把齐顷公给踢下车去了。

齐顷公愣了一下,立即回过神来,刚才自己跟逢丑父换了位置,现在逢丑父是让自己趁机逃跑啊。齐顷公没有犹豫,转头就走。

韩厥上当了,他以为打水去的是逢丑父,因此没有去追他。

"好,我跟你们走。"稍等了一阵,逢丑父说,然后自己跳下车来,上了韩厥的车。

"哎，小心。"韩厥恭恭敬敬把逢丑父扶上车，高高兴兴驾着车回去了。

"元帅，别打了，我把齐侯给请来了。"回到晋国大营，韩厥高声喊道。

郤克早已经回来，他要包扎伤口。战场上总指挥的任务，暂时就交给了栾书。尽管士燮的职位在栾书之上，但是栾书更有战斗经验。

伤口刚包扎好，就听见外面韩厥说俘虏了齐顷公，郤克腾地站了起来。

"奶奶个驴，看你怎么说？"郤克自言自语，不过他也掏出来一个酒杯和一块玉。没办法，这是规矩，即便你很恨对方的国君，礼貌还是要有的。即便你要羞辱对方的国君，也只能用不带脏字的话去骂他。

什么叫春秋笔法？说白了就是骂人不带脏字。

这边刚准备好，逢丑父就进来了，随后是韩厥和綦毋张。

"元帅，我们把齐侯请来了。"韩厥说。

"齐侯？在哪里？"韩厥不认识齐顷公，郤克认识啊，他甚至还认识逢丑父。

"这不是吗？"韩厥反问。

"这哪是齐侯啊，这是逢丑父啊，嗨。"郤克失望极了，把酒杯和玉又揣回怀里了。

"啊?!"韩厥和綦毋张目瞪口呆，费半天劲，弄回来一山寨版的。

逢丑父看着愤怒的郤克及垂头丧气的韩厥和綦毋张，得意地笑了："老郤，这不怪他俩啊，是我跟我家主公换了位置，骗了他们两个人。"

韩厥和綦毋张恍然大悟，原来去打水的那伙计才是齐顷公。

"奶奶个驴，骗我们？骗我们就是骗晋国人民，来人，拉出去砍了。"郤克恼羞成怒，就要杀人。

"哎，慢着。自古以来，还没有代替国君受难的人，现在这里有一个，这么高尚的人，你们要杀掉他吗？"逢丑父急忙说，大义凛然的样子。

郤克一听，有道理啊。

"嗯，杀这样的人是不吉利的。这样的人是模范啊，怎么能杀呢？算了算了。司马，你们也辛苦了，陪老逢去后面帐篷喝酒去吧。"郤克不仅放过了逢丑父，还酒肉招待，恰好逢丑父还没吃早餐呢，灭掉敌人再吃早餐成了被敌人灭掉再吃早餐了。

春秋的祖先们啊，真的很纯真。

再说齐顷公，逃跑之后正好碰上齐国的战车经过，于是又上了车。

"不行，老逢替我被捉了，郤克一定会杀了他，我要去救他回来。"齐顷公倒是个很讲义气的人，也不管身边的人劝他不要去，直接回头杀向晋军，跟随他的齐军没办法，虽然只有十多乘战车，也只好跟着杀回去。

晋国人就觉得奇怪，齐国人都败了，怎么又杀回来一个小分队呢？

"哎，伙计，怎么回来了？"晋国士兵们问。

"逢丑父代替齐侯被捉了，齐侯要回来救他。"齐国士兵心眼实，直接招供了领头的是齐顷公。换了别的朝代，晋国士兵就该一拥而上，活捉齐顷公去请赏了。

可是，别忘了这是春秋。

"够义气啊，兄弟们，让开让开让开。"晋国士兵们顿时对齐顷公敬佩得不得了，纷纷让路。

齐顷公在敌人阵中三进三出，毫发无损，不过最终也没有找到逢丑父。

齐顷公这样的国君，真是可遇而不可求啊。

战败了，怎么办？除了求和，没有别的办法，自古以来都是这样。

派往晋军求和的是国佐。

"我们可以把灭掉的纪国的宝物给晋国，把侵占鲁国和卫国的土地还给他们，只要你们撤军。"国佐给出了求和的条件。

"不行，你们要让萧太后到晋国做人质，还要把齐国的道路都改成东西向的，以便今后我们的战车随时通行。"郤克当即表示不同意，提出了两条苛刻的条件。

"老郤啊，不要欺人太甚了。晋国和齐国是同等级的国家，你们多数国君的老娘都是齐国人，晋国国君跟齐国国君就是表兄弟，我们的太后就是你们的太后，你这样的要求就等于让你们的太后去做人质一样，你这不是胡扯吗？你这不是搬起石头砸自己的脚吗？我们已经表达了足够的诚意，如果你们还不满足，那么，把战场打扫干净，在城前给我们留一块列阵的地方（《左传》：请收合余烬，背城借一），我们再决一死战。"国佐的回答很硬，很有骨气，如果你们提出无理要求，只好跟你们拼了。

"背城借一"，这个成语来自这里。

郤克愣住了，他没想到齐国人这么硬。

"元帅，算了，和平万岁吧。既然齐国人已经答应了给你们宝物和归还我们的土地，也差不多了，困兽犹斗啊，别把他们逼到绝路上啊。"卫国的孙林父和鲁国的季孙行父都来讲情，他们的算盘很清楚啊，如今要是得罪齐国人太重了，今后还保不定受到怎么样的报复呢。

"好吧。"郤克答应了。

战争结束了，郤克的一口闷气终于出来了。

谦虚和假谦虚

晋国大军凯旋,晋国首都人民夹道欢迎。

在这些欢迎的人中,一个老头拄着拐杖,焦急地等待着。直到最后一乘战车进城,老头的表情才松弛下来。老头挥了挥拐杖,战车上的将军急忙跳了下来,快步走过来。

"你不知道我在盼望你回来吗? 怎么走在最后?"老头说,似乎很不满意。

"军队凯旋,国内的人肯定是夹道欢迎。如果走在前面,肯定特别引人注目,得到的欢呼也是最多的,那岂不是要抢主帅的风头? 考虑到这个,所以我不敢走在前面。"将军说。

"儿啊,你如此懂得谦虚有礼,我们家可以免于灾患了。"老头说。

老头是谁? 士会。将军是谁? 士燮。

士家父子真的很有趣啊。

回国之后的第二天,晋景公接见三位卿。

"这次大胜,都是你的功劳啊。"晋景公首先表扬郤克。

"这完全是主公的教导和三军的努力啊,我有什么功劳呢?"郤克谦虚地说。

"这次大胜,你功劳最大啊。"晋景公表扬士燮。

"这完全是郤克主帅指挥得当,荀庚平时练兵有法的结果啊,我有什么功劳?"士燮同样谦虚。

"这次大胜,你功劳最大啊。"晋景公表扬栾书。

"这完全是中军和上军的力量,我有什么功劳呢?"栾书也很谦虚。

看来,在权力斗争中,每个人都学精了。

权力斗争金科玉律第十九条:把功劳推给自己的上级。
副一条:不要和下级争功。

第一一五章　有情人终成眷属

战胜了齐国,晋景公非常高兴。通过这次战争,晋国在整个北方的形象大大改善,齐国臣服了,鲁国和卫国亲近了,重振霸业看来是大有希望了。

"楚国现在怎样了?"晋景公自然想起楚国来了。

想什么,就来什么。

想着想着,楚国来人了。

谁来了? 巫臣。巫臣为什么来了? 因为一个伟大的爱情故事终于有了圆满的结局。

下面,我们来看看巫臣的爱情故事吧。

楚国爱情故事

夏姬回郑国已经六年时间了,巫臣在这六年的时间里一直在找机会,找万无一失的办法把夏姬娶回家。可是,一直没有这样的机会,也没有这样的办法。

直到楚庄王鞠躬尽瘁,巫臣竟然还没有能够把夏姬娶到手,六年的大好光阴就这样过去了。一个非常糟糕的小道消息传来,说是子反准备向夏姬求婚了。庄王在的时候,他不敢;庄王不在了,他要行动了。

"时不我待啊,再不动手,就成了给子反做嫁衣了。"巫臣很急,他知道自己必须做决断了。

机会在恰当的时间到来。

280　　楚共王决定邀请齐国一同进攻鲁国,于是派巫臣为特使前往齐国。

"国家诚可贵,自由价更高;若为爱情故,二者皆可抛。"巫臣下定了决心,他要做一件不能再回头的事情。

巫臣带着使团上路了,还带着大量的财物。

"带这么多财宝去哪里?"有人问。

"去齐国啊,去大国,聘礼当然要多得多。"巫臣说。事实上,他不仅带了大量的财物,还带着儿子。

出边境的时候,遇上了申叔时和他儿子申叔跪。打过招呼之后,申叔跪悄悄地对自己的父亲说:"你看巫臣,带了这么多东西走,还有一种约会前的喜悦,我看,他是不准备回来了。"

"不会吧。"申叔时说。因为他已经老了,他已经感受不到巫臣的那种喜悦,而申叔跪正年轻,正跟隔壁的女孩约会呢,所以他一眼就看出来了。

到了郑国,巫臣找到皇戌,通过皇戌把夏姬从后宫里接了出来。

"小夏。"

"臣臣。"

有缘千里来相会,不是情人不聚头。

那一刻,春风遇上了雨露,干柴点燃了烈火。那一刻,有情人终成眷属,是姻缘总要际会。

两个人紧紧地抱在了一起。

"我等了你六年了,你怎么才来?"夏姬悠悠地说,泪花闪动。

"我,我不是来了吗?你看你,六年不见,一点也不显老,真是去年二十,今年十八啊。来,亲一个。"

"该死的,嘴这么甜。"

打情骂俏,算一算,年龄都不小了,还像年轻人一样打情骂俏。这,大概就是爱情的力量。

"咱们回家吧。"

"家?我带来了。"

"带来了?"

"是的,我们不能再回楚国了,子反一直在打你的主意呢。"

"那,我们去哪里?"

"晋国,只有晋国是安全的。"

"那你不是叛国?"

"为了你,为了爱情,叛国就叛国。"

就这样,巫臣让助手去了齐国,而自己带着老婆、孩子和家产到了晋国。

"好感人的爱情故事啊。"晋景公也为之感动。

于是,晋景公任命巫臣为邢大夫,把邢地给他做了采邑。

后来,巫臣带着夏姬投奔晋国的消息传回了楚国,子反气得暴跳如雷。

"大王,我们给晋国人送重礼过去,让他们把巫臣送回来,至少,也要让他们不用巫臣。哼,不能便宜了这个卖国贼。"子反恨巫臣恨得牙痒痒。

"算了,巫臣虽然这一次不地道,但是从前的功劳还不小。再说了,如果晋国认为他有用,我们送什么去也没用。"楚共王一口拒绝了,心里说,"别装得很爱国似的,无非就是抢女人抢输了。"

巫臣和夏姬的爱情故事到这里就有了一个完美的结局,不过还有一点后话要在这里交代。

以楚庄王讨伐陈国那一年为夏姬三十六岁,那么,整整九年过去,夏姬已经四十五岁了。为了一个四十五岁的老女人,巫臣抛家舍业,不惜背叛祖国,这份爱情令人敬佩。而夏姬在这个时候依然容光焕发,美丽动人,可见保养得有多么好。

到了晋国之后,夏姬竟然还为巫臣生了孩子,至少生了一个。巫臣和夏姬的女儿后来嫁给了叔向,而叔向是杨姓的祖先,后世杨姓多美女,是不是继承了夏姬的基因?

而夏姬作为高龄产妇,看来养生驻颜之道确实非同小可。

爱情故事讲完了,但是,巫臣的故事还没有讲完。

郤克的实事

战胜了齐国,郤克志得意满,他甚至认为自己可以比得上先轸了,他决定要做几件实事。

下面,看看郤克做了哪几件实事。

第一件实事,帮助荀首把儿子荀罃换回来。

算起来,荀罃在楚国已经度过了整整九个春秋。九年里,由于找不到合适的中间人,始终没有能够把荀罃换回来。楚庄王的儿子公子谷臣也在荀首家里住了九年,日久生情,跟荀首混得好像父子一般了。至于襄老的尸首,已经完全成了一堆骨头。

巫臣来到晋国,说到自己的爱情故事,才又让大家想起来这一桩九年没有完成的交换。

"找皇戌啊,他能给做中介。"巫臣提议。

于是,郤克派人去找郑国的皇戌,皇戌果然愿意帮忙,亲自去找楚共王,楚共王当即同意。

齐晋大战第二年的夏天,晋国和楚国各自放人,交易完成。

公子谷臣离开晋国的时候，与荀首挥泪告别。

"荀叔，有时间去楚国啊，我做东。"公子谷臣哽咽着说，九年啊，感情已经不浅了，荀首对他也不错。

荀首一直把公子谷臣送到晋国边界，说："公子啊，一路小心，有时间回来看看。"

楚国这边，也很感人。

楚共王亲自设国宴为荀罃送行。

"让你在楚国待了九年，你怨恨我吗？"楚共王问。共王的性格有些像成王，喜欢问这样的问题。

"两国打仗，我因为无能而成了俘虏。大王没有杀我，让我回去接受处罚，这是对我的恩惠，我为什么要怨恨呢？"荀罃回答。在楚国尽管不是太开心，但是日子过得也还不错，顶多是软禁。

"那你感激我吗？"楚共王又问。他好像总是很关心对方对自己的感受。

"两国交兵，都是为了自己的利益。现在两国之间达成谅解，交换战俘。两国友好，跟我个人没有关系，我为什么要感谢大王呢？"荀罃觉得楚共王的问题有些可笑，也没客气。

"嗯，那你回去之后，要怎样报答我呢？"楚共王就像是一个拙劣的小报记者，遇上一个很拽的明星，拼命提这种无厘头的问题。

"我既不怨恨你，也不感激你。我们之间没有恩怨，也没有情仇，凭什么要报答你？"荀罃的回答很噎人，一点不给面子。

"不，就算是这样，也要把你的想法告诉我。"小报记者楚共王锲而不舍，一定要得到一个雷人的答复，好回去发头条。

荀罃一看，自己够愣的，遇上更愣的了。看这架势，今天不回答这问题，别说国宴吃不上，能不能回家都说不定了。没办法，想了半天，这才回答。

"托大王的洪福，让我活着回家。就算回去之后被国君杀掉，我也算死而不朽了。如果国君不杀我，我父亲在祖庙里杀我，我也算死而不朽了。如果谁也不杀我，还让我继承家族世袭的官位，并且率领军队守卫边疆。那时候如果遇上大王，我也会竭力作战，即便战死也不后悔。这，就是我对大王的报答了。"

荀罃这段话简单说就是：放我回去，接着跟你干。

硬气，太硬气。

楚共王大概要的就是这个答案了，所以他很高兴。

《左传》："王曰：'晋未可与争。'重为之礼而归之。"

楚共王感慨，晋国，我们是不能与之抗衡的。于是，举行了很隆重的仪式为荀罃送行。

春秋就是这样,即便是交换俘虏,都这么动人,都这么让人感慨。

第二件实事,扩张。

尽管赤狄的多数部落已经被晋国灭掉,最强的墙咎如依然在。郤克决定,消灭赤狄残余。

于是,郤克联合卫国,向北讨伐墙咎如,一举灭掉了墙咎如,晋国疆土继续扩大,赤狄则基本被消灭。

第三件实事,扩编。

国家在扩张,人口在增长,当官的越来越多。

郤克明显地感受到,想当官的人太多,可是官位太少了。六个卿对于小国来说有点多,对于中等国家来说差不多,对于晋国这样的超级大国来说实在是有点少了。

不知道有多少人在盯着卿的位置,大把人整天在盼着现在的卿早点死,好给他们腾位置。怎么办?郤克决定给大家谋点福利。

在郤克的主导下,晋国由三军扩充为六军,新增加的三军分别是:新中军,新上军,新下军。韩厥、巩朔、韩穿、赵旃等人都如愿成了帅佐。

那么,新三军的帅佐算不算卿?郤克说了:"奶奶个驴,不算卿的话,我整这事干什么?"

现在,晋国拥有六军,十二个卿。内阁成员扩大了一倍。

因人设事啊。

如今的一百多个县长助理之类的事情,祖师爷就是郤克了。

前面说过,天子六师。晋国的军队编制与周王室平级了,对于尊周王以令天下的晋国来说,无疑是扇了自己一记重重的耳光。

郤克不管那些,大家高兴就好,反正又不是花自己的钱。

其实,晋军的兵力也只够四个军,好在反正也不用六个军一起出动。

齐顷公的忽悠

刚扩完军,齐顷公来做国事访问了。

两国君主在国宾馆宴会厅见面,全体内阁成员作陪。正要举行互赠礼品的仪式,郤克弯着腰低着头就蹭了上去,对齐顷公小声说:"您此次来访,是为了对上次您老娘嘲笑我的事情道歉吧?那我们主公可担当不起啊。"

郤克的话,一半是嘲弄齐顷公,一半是告诉他别再提那事情了,那显得自己太没有风度了。

284　　齐顷公看他一眼,没说话,心说:"再说什么,你也是个驼背啊。老子道了歉,你的背就能直过来?"

宴会上,两国领导人就当前的国际形势进行了深入的探讨,回顾了两国几百年来的裙带关系,并表示,这条裙带要越结越实,两国人民要世世代代友好下去。

说这些套话废话的时候,齐顷公的眼睛总是去盯着一个人,他觉得这个人很面熟。最后,那个人被盯得不好意思了,主动站了起来。

"您还认得我吗?"

"嗯,衣服不一样了。"

"当初我之所以冒死追赶您,就是为了今天两国君主相见言欢啊。"那人说着,举杯相敬。

那人是谁? 新中军主帅韩厥。

"啊,我有一个请求,不知该说不该说?"酒过三巡,齐顷公很小心地问晋景公。

"啊,请说。"

"这个,以晋国的实力,当今天下恐怕也就是楚国可以匹敌。而晋君的德行,那绝对在楚王之上。说句心里话,从前跟晋国作对,那真是瞎了眼。现在我们是王八吃秤砣,铁了心跟着贵国混了。我想啊,王室衰落了,楚国都称王了,晋国为什么不能称王? 所以,我请求您称王,您要是当了晋王,我们跟着您混也面上有光啊。"齐顷公说了一通,归结为一句话:请晋景公称王。

在场所有人都吃了一惊,说实话,还真没有人想过这件事情。

"这个,这个,不太好吧?"想了半天,晋景公没想明白,期期艾艾地说。

"有什么不好? 你要不好意思,我来牵头,鲁国、卫国、陈国等国家响应,谁敢放个屁?"齐顷公说话倒快,晋景公话音刚落,他的话就出来了。

"这个,大家怎么看?"晋景公问大家。

郤缺没有说话,他觉得这个提议有一定的可行性。

士燮和栾书也没有说话,他们在捉摸晋景公的心思。

这个时候,有一个人说话了。谁?

"主公,两个字,不可;四个字,万万不可。"说话的是韩厥,大是大非面前,他异常清醒,"如果我们称王,那我们跟楚国还有什么区别? 我们跟王室是同宗,如果我们称王,比楚国还要恶劣。我们如今之所以能够号令诸侯,就因为我们尊王。如果我们自己称王,谁还会拥护我们?"

晋景公恍然大悟,他点了点头。

看见晋景公点头同意,韩厥底气更足,转而对齐顷公说:"齐侯,我家主公德行不够,我觉得您的德行不错,不如您称王,您看怎样?"

"这……这……这怎么敢？啊，喝酒喝酒。"齐顷公听出韩厥话中的讽刺，连忙转移话题。

到现在，其实每个人都明白了，齐顷公这个建议绝对是不怀好意。

"忽悠晋国人？你还嫩点。"晋国人都这么想。

权力重新分布

也许是老天爷认为郤克把该做的事情都做完了，也许是他旧伤复发，总之，在做完三件实事之后，郤克卒了。那一年是晋景公十四年（前586年）。

中军帅该谁了？

在郤克鞠躬尽瘁的前后脚，荀首也卒了。

按照排序，现在的中军帅就应该是荀庚。荀庚拒绝了，他说自己能力不够。荀庚之后是士燮，士燮也拒绝了，他说自己经验不足。

刨除对于权力中心的恐惧因素之外，荀庚确实能力不够，士燮也真是经验不足。所以，晋景公也没勉强他们。

于是，能力和经验都没得说，而且人缘非常好的栾书当仁不让，成了中军帅。

被压制了这么多年原地不动，突然一天一步到位。

权力场上，什么都有可能发生。

那么，我们来看看晋国现在的权力分布。

郤克和荀首鞠躬尽瘁之后，还有几个岁数较大的卿要么主动要求退休，要么确实已经老年痴呆或者半身不遂，连内阁会议都没办法参加。这样，真正还能工作在第一线的卿连一半都凑不到了。怎么办？

"反正当初也是为了凑人数，如今人数不够，干脆裁掉两军算了。"栾书提出建议，大家一窝蜂叫好，于是新三军被裁并为一个军，就叫新军。

现在，十二卿变成了八卿，来看看是哪些人。

中军帅佐是栾书和荀庚，上军帅佐是士燮和郤锜，下军帅佐是韩厥和荀罃，新军帅佐是赵旃和郤至。

需要提示的是，由于早已经另成一族，赵旃并没有受赵同、赵括的牵连，而且升官了。但是，他已经收敛多了。此外，荀家独占两位，郤家独占两位。荀家的两位是堂兄弟，郤家的两位也是堂兄弟，郤至是郤步扬的孙子，郤步扬是郤芮的侄子。

新一届领导班子中，还有权力斗争吗？当然有。

只要有权力的地方，就有权力斗争；只要权力带来的好处足够大，权力斗争就足够残酷。

那么，权力带来的好处有多大呢？足够大。

从理论上说，周朝是全民所有制，也就是国有制社会。全民所有制的核心不是说每个人对财富都有份，而是财富名义上不能归入任何一个个人手中。就如《诗经·小雅·北山》所写："普天之下，莫非王土；率土之滨，莫非王臣。"

周朝的全民所有制就是周天子代表全体人民对全国的土地拥有所有权，然后分封给诸侯和大夫以及国民，大家可以耕种，享受部分税收，但是，土地始终还是天子的，理论上是随时可以收回的。

到了这个年代，周天子实际上已经不能收回诸侯的土地了。于是，全民所有制变成了集体所有制，什么集体？诸侯。换句话说，诸侯代表各国人民拥有土地所有权了。

诸侯手下的卿大夫们在土地所有权的问题上与一般的士兵没有本质区别，有的只是数量上的区别，他们都是只有使用权，没有所有权。即便是六卿或者八卿，一旦你不再是卿或者你的后代不再是卿大夫，你的土地随时会被收回，你的后代随时会变成穷光蛋。

那怎么办？就只能拼命保持自己的卿的地位和权力，在保障自己的土地使用权的同时，保障儿孙们能够顺利进入权力场，继续保有家族的土地。

说白了，权力之争就是土地之争，土地之争就是利益之争。

想想看，如果那时候土地私有，那么，你的土地就不会因为权力的失去而失去，追求权力的动力就会小很多，权力斗争就会缓和很多。

所以，私有制国家的权力斗争相对不是那么残酷，那是有道理的。

第一一六章　赵氏孤儿

晋景公十七年(前583年),晋景公生了个病,头疼脑热之类。于是占了个卜,占卜的结果呢? 说是有冤鬼作祟。

"太仆,您说说,这是怎么回事? 怎么就招了鬼了呢?"晋景公一听自己这病是鬼闹的,当时就怕了,赶紧派人把韩厥给找来了。所有人中,他最赏识的就是韩厥。

"这个,一定是有鬼,一定是有鬼。我想想看,是个什么冤鬼。"韩厥说完,闭上眼睛,尽量不让自己笑出来。

世上本无鬼,心中才有鬼。确实有鬼,但是,这个鬼不在晋景公的身上,而在韩厥的心里。装神弄鬼,有的时候需要装神弄鬼。身为太仆,韩厥平常在宫中行走,与占卜师相当投契。

韩厥说鬼

韩厥慢慢睁开了眼睛,眼神还有些迷离,似乎刚刚与冤鬼会谈过。

"主公,世上冤鬼可不少。但是,冤有头,债有主,能找到主公这里来的,只怕不是寻常的冤鬼了。"韩厥故弄玄虚,盯着晋景公的眼睛说。

"这,这,是很厉害的冤鬼?"晋景公本来就发虚,被韩厥这么一说,更加害怕。

"嗯,我估计是卿一级的吧。"韩厥开始引导。

"啊,鬼也分公卿什么的?"

"那不是,这冤鬼活着的时候应该是卿一级的,冤死之后,也只能找主公您来投诉了。"继续引导。

"那,那,那就是冤死在我手上的卿?"

"主公,咱们算算。您登基之后,也就是先家和赵家被灭了。先家不说了,先縠那是罪有应得,杀一百次也不算多。可是,人家赵家真是挺冤啊。从赵衰到赵盾,都是兢兢业业为国家效劳的。就算赵同、赵括跋扈一点,可是人家也没谋反啊。再说了,就算赵同、赵括该死,人家赵朔是个老实人,凭什么把人家也给灭了呢?"终于,正题被展开了。

"这,这么说,是赵朔的冤魂?"

"我不敢肯定,不过,应该八九不离十。"

"那,那怎么办? 立即平反昭雪?"

"至少吧。估计仅仅平反昭雪还不够,赵朔肯定还要缠着你。"韩厥很肯定地说,似乎他跟赵朔还有联系。

"那,那,他要有儿子,我立即让他儿子接他的班,原来的封地也都还给他。问题是,他儿子被屠岸贾给杀了呀。"

韩厥笑了。到现在为止,一切都按照他的设想在推进。韩厥向前探了探身子,低声说:"主公,实不相瞒,当年屠岸贾杀的那个是假的,赵朔的儿子赵武还活着。"

"啊!"晋景公惊喜交加,吃惊的是赵武还活着,欣喜的是这下可以给赵朔这个冤鬼一个交代了。

"主公,怎样?"韩厥低声问。

"把赵武找来,我立即给赵家平反昭雪,返还封地,赐予爵位。"晋景公回答,他现在真的很高兴,所以又加了一句:"说起来,赵武还是我表弟呢,可惜我姑姑死得早,否则看到今天,她一定很高兴。"

"好,我去把赵武找来。不过,当初灭赵家是各家都出兵了,如今要给赵家平反,还不能急,只能如此这般……"韩厥把自己精心设计的计划说了一遍,晋景公频频点头,大喜过望。

"好,就这么办。"

别说,心病除去,晋景公当时就觉得神清气爽了许多。

赵武真的没有死吗?

如果赵武没有死,当初被屠岸贾杀死的那个婴儿是谁?

赵氏孤儿

回到晋景公四年。

韩厥从赵朔那里回来,他在想一个问题:怎样完成赵朔的重托,为赵家保住这个根。

作为太仆,韩厥有办法到宫里去把庄姬生下的孩子弄出来。当然,如果生出来的不是赵武而是赵文,那就什么都免了,屠岸贾也不会追究了。问题是,弄出来之后怎么办? 如果留在自己家中,那不要说屠岸贾不干,就是其他的卿大夫也不会干,不等请示晋景公,大家就会来攻打韩家,那时不仅保不住赵武,恐怕韩家也要被灭了。

想来想去,韩厥都想不到好办法。直到赵家已经被灭,他这办法还没有想出来。

怎么办? 眼看赵庄姬就要生了,还没有办法。

俗话说:踏破铁鞋无觅处,得来全不费工夫。

就在韩厥一筹莫展的时候,来了两个人。什么人? 两个老相识。

韩厥是赵衰养大的,后来尽管自立门户,还是常常回到赵家拜会赵盾,所以认识赵盾的门客。来的两个人都是赵盾的门客,一个是程婴,另一个是公孙杵臼。单看这两个名字,就知道是破落公族,因为程姓也是唐叔虞的后代。

什么是门客? 就是私人保镖或者私人顾问之类。

赵盾对他们不错,赵朔对他们也不错。所以尽管后来离开了赵家,两人对赵家还是感恩戴德。

听说赵家被灭,赵朔的老婆在宫中待产,而屠岸贾随时要杀掉生下来的孩子。两人一商量,决定要想办法保住赵家的骨血。

于是,他们来找韩厥,他们知道这个时候如果有一个人肯帮赵家的话,这个人一定是韩厥。

"这样,孩子我想办法从宫里带出来,然后交给你们,后面的事情,就拜托你们了。"有了程婴和公孙杵臼,韩厥有了办法。

从那之后,韩厥整天在宫里转悠。

庄姬生下赵武之后,宫女第一时间把赵武交给了韩厥,韩厥随即带出宫去,交给了程婴和公孙杵臼。

程婴的家在山里,于是两人把赵武带去了程婴的家。

可是,风声越来越紧,屠岸贾的搜索也越来越紧。程婴和公孙杵臼知道,这样躲是躲不住的,即便不被搜到,也会被人举报,所以,必须另想办法。

"我问你,死和养育孤儿,哪一个更难一些?"公孙杵臼问程婴。

"死要容易得多啊。"

"那好,把容易的事情留给我,你来抚养孩子。"

"你这是什么意思?"

"我们去找一个婴儿来冒充赵武,然后你去告发我,屠岸贾必然把我和婴儿杀掉,之后他就不会再追捕了。我死了,赵武就交给你抚养成人了。"

按照公孙杵臼的主意,两人从附近偷了一个男婴(男婴的父母岂不是冤枉死了?),然后程婴去告密,屠岸贾来杀掉公孙杵臼和假赵武,而程婴在埋葬了公孙杵臼和假赵武之后,带着赵武躲进了深山。

而这一切,瞒过了任何人,就连韩厥也不知道。

直到不久前,程婴偷偷来找韩厥,告诉他赵武还活着,已经十四岁了。

"好,你把赵武带来。"韩厥说。不过,他有些将信将疑,谁知道这个赵武是真是假?说不定是程婴拿个山寨版的来冒充的呢。

程婴第二天带着赵武来到了韩厥家中,韩厥第一眼看见赵武,就知道这个赵武是如假包换的正版赵武。

"哇噻,小伙子帅呆了,跟你爹一个模子套出来的啊。"韩厥几乎是惊叫出来。赵武虽然岁数还小,但是那股帅劲已经显露无遗。当年,他爹就号称晋国第一美男子。

赵武笑笑,没有说话。旁边的程婴接了一句话。

"嘿嘿,韩元帅,我觉得他更像他叔祖赵婴齐啊。"程婴说了句大实话。

"啊,对,不过,也像他爹。"韩厥笑了,看了程婴一眼,心说你知道个屁,他爹就是赵婴齐。

不管怎样,韩厥确定了这个赵武是真赵武,他决定要帮他。而一个有利的条件是,屠岸贾已经死了。

恰好晋景公生病,韩厥就串通了占卜师,说是冤鬼作祟,韩厥好趁机把赵家的事情给翻出来。

平反昭雪

晋景公紧急召开八卿会议,地点在后宫。

从时间和地点来看,这是最高级别的秘密会议。

八卿到齐。

"各位爱卿,我叫一个人出来给大家看看,看大家认不认识。"晋景公并没有告诉大家会议的主题,直接搞了一个蒙太奇的东西出来。

灯光调暗,一个少年从暗处款款走来,站住,灯光逐渐变亮,面部特写。

一个英俊少年就这样站在了众人的面前。有多么英俊?英俊得没法说。

所有人都瞠目结舌,不是因为这个孩子英俊,而是因为这个孩子太像一

个人。

"难道?"所有人都在想,所有人都立即想明白了。

赵武,这就是传说中的赵武。看来,赵家并没有被灭绝。

韩厥站了起来,环视大家之后,他说话了:"各位,当年,赵家被冤枉灭门,赵朔冤魂不散,纠缠到主公身上,导致主公患病。所幸天佑好人,赵朔的儿子赵武侥幸存活。因此,主公决定为赵家平反昭雪。各位有什么意见?"

沉默,长时间的沉默。

当初,灭赵家是大家的共同心愿,也是大家联手出兵的。如今要为赵家平反昭雪,那就等于是说当初大家都犯了罪。如果这个会议不是在这里开,而是在中军元帅府开,所有人都会投票反对为赵家平反。可是,现在是在宫里,每个人的性命都在晋景公和韩厥的手中,没有人会傻到要站起来反对的地步。

沉默到最后,所有人的眼光都盯在了栾书的脸上,毕竟他是中军主帅。

"唉。"栾书叹了一口气,然后语重心长地对大家说:"其实,我早就想给赵家平反昭雪了。当初我们大家都是被屠岸贾蒙蔽裹挟的,就连主公也被他蒙蔽了。如今主公拨乱反正,还历史以真相,我双手赞成啊。"

姜还是老的辣,栾书的一番话,首先把自己撇清,然后表示当初晋景公也有责任,最后表态拥护最高领导人的英明决策。

栾书的发言算是开拓了一条道路,大家就都沿着这条道路走下去了。于是,所有人都把责任推到了屠岸贾的身上。弄到最后,倒好像大家都是受害者,只有屠岸贾是个坏人。

顺理成章,最后达成以下一致:

第一,赵家平反昭雪,恢复名誉;

第二,赵家的封邑还给赵家;

第三,待赵武成人之后,继承赵朔的卿位;

第四,屠岸家族驱逐出境。

赵家就这样复兴了,赵武和程婴住进了原来赵家的老宅,拿回了赵家的田地。

程婴现在既是赵武的义父,也是他的管家。韩厥一面派人来赵家帮忙,一面四处打点,为赵武今后的出山打下人脉基础。

后来到赵武二十岁成人之后,程婴到各家卿大夫府上拜会一遍,感谢他们对赵家的关照。做完这些,程婴对赵武说:"当初为了赵家,我和公孙杵臼分工合作。如今,你也长大了,不需要我了,我也该去见公孙杵臼了。"

赵武一听,这什么意思? 这是要去死啊!

"义父啊,你不能这样啊。给我时间让报答您老人家吧,您怎么忍心弃我而去呢?"赵武跪在地上,泪流满面。

"不,我不能对不起公孙杵臼。"程婴决心已定。

当日,程婴自杀身亡。

赵武伤心欲绝,按照父亲去世的规矩,为程婴服丧三年。程婴的灵位进了赵家祖祠,赵家世世代代把他作为祖先祭祀。《史记》记载:"赵武服齐衰三年,为之祭邑,春秋祠之,世世勿绝。"

这是后话。

以上关于赵家的故事后来被编成戏剧,就是著名的《赵氏孤儿》。

关于赵氏孤儿的记载,是一桩历史悬案。

按《左传》和《史记·晋世家》,赵家是在晋景公十七年被灭,随即平反,赵武因躲在宫中而幸免于难。

而按《史记·赵世家》,赵家灭门在晋景公三年,平反在晋景公十七年,中间十四年是程婴将赵武养大。

也就是说,赵氏孤儿的故事记载于《史记·赵世家》,而这段故事与《左传》和《史记·晋世家》相矛盾。进一步说,赵氏孤儿这一段,司马迁本身的记载就自相矛盾。

于是我们有两个问题:第一,究竟哪一个记载是真实的? 第二,以司马迁的认真态度,应该是明知自己在这段历史上的自相矛盾的,他为什么要故意做这样自相矛盾的记载?

很显然,司马迁关于赵氏孤儿的记载取材于赵国史料或者赵家后代的传说,程婴此人必然是存在的,而且必然有大恩于赵家。但是,《左传》的历史可信度是最高的,如果赵氏孤儿这段历史成立,《左传》上就有多处要重写。

司马迁当然明白《左传》的权威性,那么,他为什么还要坚持记载赵氏孤儿的故事呢? 答案只能有一个:司马迁不忍心让这样可歌可泣的动人故事淹没在历史的长河中。

所有赵姓后人都应该感谢程婴,感谢韩厥,也感谢司马迁。

如果不把赵氏孤儿这样的凄美故事讲述给大家,那岂不是辜负了太史公的一番美意?

夹缝中的生存者

晋国国内的故事暂时告一段落,现在,回过头来看看国际形势的最新发展。

楚庄王在庄王二十年(前594年)从宋国撤军之后,一直到庄王二十三年(前591年)薨为止,三年之间没有动用武力,实践了他"止戈为武"的和平理想。庄王的儿子熊审继位为楚共王,于是,世界和平结束了。

从楚共王二年晋国讨伐齐国,到楚共王八年晋国为赵家平反昭雪,七年时间里,楚国和晋国在中原展开拉锯战。这种拉锯战的特点有两个:第一,晋楚之间尽量避免直接冲突;第二,代理人战争。

超级大国之间的对抗,难道不都是这样的吗?

短短七年时间里,楚国入侵中原国家四次,召开盟会一次;晋国入侵中原国家七次,召开盟会三次。其中,晋国出兵喜欢以联合国的名义,率领扈从国家共同讨伐,而楚国喜欢单独行动。两国军队之间都在避免直接对抗。晋国曾经有一次入侵到楚国境内,但是在抓获战俘申骊之后迅速撤军。

在晋国和楚国的对抗中,需要重点说到另外的一个国家,这个国家就是郑国。

郑国,南面是楚国,北面是晋国。

郑国常年处于战争状态,不是晋国人来,就是楚国人来,以至于郑国人民已经见怪不怪。这七年时间,晋国讨伐一次,楚国讨伐两次。

其实,郑国是一个善战的国家,只是他们的敌人太强大了。想想看,两个超级大国轮流来找你练,你能应付得了吗?

鲁成公三年,晋国率领联合国军队讨伐郑国,因为郑国是楚国的盟友。郑国毫不示弱,用伏兵之计击败了联合国军,随后把俘虏献给楚王。大概是认为自己的功劳够大,郑国决定进攻许国。为什么要进攻许国? 因为许国仗着自己也是楚国的保护国,竟然不尿郑国这壶。郑国很恼火,决定教训许国。

郑国军队进攻许国,许国急忙向楚国求救,楚国左右为难,给发了个"我们希望以和平方式解决争端"的呼吁,基本上跟放屁没什么区别。许国一看,楚国这个大哥靠不住了,玩外交辞令了,那就向晋国求救吧。晋国正想来呢,栾书亲自领军,一举夺走了郑国的范、祭两地,弄得郑国又紧张了,赶紧向楚国求救。楚国于是发兵,晋国主动撤退了。

楚老大既然来了,干脆就主持个公道吧。于是把郑国国君和许国国君找到一起来辩论,辩论半天,楚军主将子反也弄不清楚谁对谁错。"都别说了,你们去楚国,到大王面前辩论去。"子反最后这么决定。

鲁成公五年,郑国国君和许国国君前往楚国进行大辩论,结果,许国国君口才了得,说得郑国国君郑悼公张口结舌。最后楚共王宣布:"此次辩论大赛许国获胜,郑国国君立即回国,归还所侵占的许国土地,郑国的皇戍和子国留下来做人质,庭审结束。"

郑悼公郁闷得要死,回国之后立即派公子偃去了晋国,宣布退出南联盟,加入联合国。为此,晋国特地召开了一次联合国大会,隆重欢迎郑国回到联合国大家庭。

鲁成公六年,楚国人讨伐郑国,这一次,晋国人及时出兵相救,楚国人主动撤军了。

鲁成公七年,子重率领楚军再次讨伐郑国,这一次,郑国也没客气,利用楚军的轻敌击败了楚国,活捉了郧公钟仪,然后,把钟仪送到了晋国。

尽管在夹缝中艰难求生,有的时候不得不委曲求全,郑国人还是能够先后击败晋国人和楚国人,颇为令人敬佩。

在大国之间生存,既要足够灵活,还要在适当的时候强硬。既不要鸡蛋碰石头,也要避免被认为是随时准备被捏的软柿子。

容易吗?谁都不容易啊。

第一一七章　命中注定的事

无休无止的拉锯战和疯狂的军备竞赛令晋国和楚国都感到吃力,停止敌对状态实际上是双方都渴望的事情。问题是,谁先开口?

面子,自古以来就有面子问题。

晋景公十八年(前582年)秋天,晋景公视察军用仓库,结果发现在仓库里关着一个人。从衣着打扮上看,这个人是南方人。

"这人是谁?"晋景公问守仓库的官员。

"郑国人献来的楚国的俘虏郧公钟仪。"

听说是楚国俘虏,而且是个官阶很高的俘虏,晋景公来兴趣了,下令召见钟仪,于是有了下面的对话。

"你祖上做什么的?"

"乐官。"

"那你懂得音乐吗?"

"当然懂。"

"来一曲听听。"

钟仪弹奏了一首楚国的乐曲。

"你们大王怎么样?"

"我不清楚啊。"

"别介,总知道一些吧?"

"我真不知道。我是地方官,怎么知道中央领导的事呢?"

"哎,总听说过什么吧?"

又是一个小报记者紧追不舍挖猛料的架势。

"那,那我就说说吧。我听说啊,楚王在做太子的时候,每天早上请教令尹子重,晚上请教司马子反。其他的,我就真不知道了。"

"嗯,不错。"小报记者认为自己的头条到手了。

伸出橄榄枝

晋景公把自己采访钟仪的过程告诉了士燮。

"看来我们从前妖魔化楚国人了,你看人家钟仪,懂音乐,知礼仪,那素质一点也不比我们的大夫差啊。"晋景公先说了自己的感受,从前以为楚国人是南蛮子,野蛮残暴不懂礼仪,如今一看,满不是那么回事啊。

"是啊,钟仪真是个君子啊,还记得祖上的职业,弹奏家乡的乐曲,说明他不忘本啊。对国君的赞扬出于内心,而且不忽悠不吹牛,说明他很诚实可靠啊。我看啊,军备竞赛是两败俱伤,干脆,就把钟仪放回去,让他充当和平使者算了。"士燮知道晋景公的想法,趁机提出了和平建议。

"是啊,冤冤相报何时了啊,就这么办了。"

第二天,晋景公设宴招待钟仪,然后送他上路回楚国,请他向楚共王转达诚挚的问候,并表达希望两国化干戈为玉帛的和平愿望。

派一个俘虏担任和平特使,既显示了大国的气度,又不承担任何层面的风险,实在是一个绝妙的安排。

钟仪回到了楚国,直接去朝见楚共王。

"啊,老钟,你逃回来了?"看见钟仪,楚共王吃了一惊。

"不是逃回来的,是他们放我回来的。"

"放你回来? 说笑吧?"

"是真的。"钟仪把事情的前前后后说了一遍,并且把晋景公的问候带到了。

楚共王很高兴,其实他也腻了常年你打过来我打过去的。

"人家这么有风度,我们不能装聋作哑啊。"

到了冬天,楚共王派出公子辰前往晋国,对晋国释放钟仪表示感谢,同时提出请求,希望双方重修旧好,订立盟约。

第二年春天,晋国正式派出大夫籴(音迪)筏前往楚国,对楚王派公子辰访问晋国表示感谢,同时商讨签署盟约的具体事宜。

至此,晋楚两国之间的和平谈判结束了第一个回合。

回顾一下过程,首先是晋国以非正式方式伸出橄榄枝,随后楚国以正式方式提出和平建议,再随后晋国进行了官方响应。

由于最早是从钟仪演奏音乐开始的,我们称之为"音乐外交"。

如果我们还记得中美建交的过程,会发现咱们走的是同样的路线,不过这次是"乒乓外交"。

命中注定的事　

俗话说:前人栽树,后人乘凉;前人作恶,后人遭殃。

为和平而奋斗的斗士们往往享受不到和平的成果。

晋景公就是这样一个和平斗士。

在和平曙光来临的同时,在晋景公的身上,发生了一件又一件神奇的事情,至今无法解释。

就在派出和平特使前往楚国的第二天晚上,晋景公做了一个噩梦,他梦见赵衰披头散发来找他算账,要报灭门之仇。晋景公当时就被吓醒,第二天急忙找来了著名的桑邑巫师来解梦。

"你先别说做了什么梦,看我说得对不对。"巫师那可是名不虚传的,将晋景公的梦从头到尾说了一遍,听得晋景公直发愣。

"哎呀妈呀,你太神了,一点也不差啊,你说说,这梦是什么意思?"

"恕我直言啊,您哪,吃不到今年的麦子了。"巫师直言相告,意思就是活不到秋天了。

晋景公半信半疑,不过,从那之后就生了病,而且病情一天比一天严重。

晋国的医生都弄不懂晋景公的病情,一打听,说是秦国秦桓公的御用医生医缓医术高明,常常起死回生。于是,晋景公派人去秦国,请求派医缓来给看看病。秦桓公挺仗义,立马派医缓过来了。

在医缓来到的前一天晚上,晋景公又做梦了。他梦见自己的病变成了两个小孩子,小孩甲说:"医缓很牛啊,我们恐怕要完蛋了。"小孩乙说:"不怕,我们躲在膏的下面、肓的上面,他就拿我们没办法。"

第二天医缓到了,照例是望闻问切四大程序,之后进行诊断:"主公,怕是要准备后事了。你这病在膏的下面、肓的上面,用灸太猛,用药太弱,用针又够不到,确实没治了。"

"病入膏肓",这个成语就来自这里。

"真是个名医啊。"晋景公赏赐了医缓,送他回去了。

说起来,晋景公也是个很神的人,他总是能梦到将要发生的事情。

到了五月份,晋景公的身体已经很差,难以管理国事,于是,让太子州蒲提前接任国君,就是晋厉公。

六月六日这一天,晋国的第一批麦子下来了,第一时间送到了宫里。

"哈哈哈哈,请那个巫师来,我请他吃今年的新麦。"晋景公的心情不错,看来巫师的预言要落空了。

不多久,巫师来了,晋景公请他坐下,等着新麦做的馒头送上来。巫师也有些发怵,虽然自己很神,但是人家晋景公也很神啊,万一真的吃上了新麦,砸了自己的牌子事小,一发火把自己给砍了可就糟大了。

这个时候,一个小太监凑上来了。史书上没有记载他的名字,姑且就叫他景宦吧。

"主公,我昨天晚上也做了个梦,能不能让巫师给我也解解?"景宦说。晋景公平时对他们很温和,所以他才敢提这个要求。

"问吧。"晋景公同意。

"我昨天晚上梦见背着主公上天了,是什么意思?"景宦问。他怀疑是要飞黄腾达了。

"这个,"巫师思索了一下,回答说,"过一会儿就知道了。"

馒头上来了,热腾腾香喷喷的馒头。

晋景公看着馒头发笑,心说等我吃了第一口,看你阿巫怎么说话?看看馒头不那么烫了,正准备拿馒头吃,就觉得肚子发胀,突然想大便。

"你们等等,我去方便一下回来。"晋景公在两个太监的伺候下,去了厕所,心说等我肚子腾空了,狠狠地吃一顿。

大概没人愿意让别人看着自己大便,晋景公让两个太监在门口等着,自己进去解决问题。

两个太监在门口候着,一直候了半个时辰,心说就算拉肚子也该出来了,进去看看吧。两人进去一看,哎呀妈呀,景公早已经薨了,也不知道是先薨了掉进粪坑里的,还是先掉进粪坑里再薨的,总之,景公就在粪坑里漂着呢。

就这样,晋景公终究还是没有能够吃到当年的麦子。

现在,晋景公薨在了粪坑里,派谁去把他背出来呢?

从一个角度说,到粪坑背人这样的脏活是没有人愿意干的;从另一个角度说,背国君又是一个光荣而艰巨的任务,不是什么人都有资格去做的。谁去呢?

"他。"所有人都推荐景宦,理由很简单:他梦见自己背景公了。

倒霉的景宦把晋景公从粪坑里背了出来,然后又为景公殉葬。

桑邑巫师说:命中注定的事情,是不能抗争的。

如果晋景公不是非要吃着一口新麦,恐怕也不会死得这么没面子。

绝秦书

晋景公鞠躬尽瘁了，可是，和平事业没有鞠躬尽瘁。

晋厉公继任之后，继续推动晋楚和解。

晋厉公继任的第二年，在宋国的华元的撮合下，晋楚两国决定在宋国举行卿级会晤，晋国派出士燮，楚国派出公子罢和许偃，东道主宋国则是华元主持。

这次卿级对话进行得十分成功，双方达成了原则性一致并发表了联合公报，联合公报这样写道：今后晋楚两国不再以武力相争，要团结协作，共度时艰，互相援助。如果有人侵犯楚国，晋国出兵援助，反之亦然。两国之间使者往来，不需要签证。有什么意见分歧，求同存异。有背叛的国家，两国共同讨伐。谁要是不遵守誓言，神灵就灭了他，他的军队毁灭，国家灭亡。

这就是联合公报，人们都在怀疑，这有可行性吗？

不过，这是两个超级大国的第一份联合公报，具有历史意义。

秋天的时候，晋国派出郤至前往楚国，向楚共王表达问候，并且监督联合公报的执行情况。

楚共王非常高兴，命令用最高礼节招待晋国使者。

于是，王宫张灯结彩，鼓乐齐鸣。

郤至来到的时候，就发现到处都是音乐，连地下室也在奏乐。郤至吓得不敢进去了。

"老郤，进去啊，大王等着呢。"子重是当天的司仪，见郤至不敢进去，亲自来请他。

"令尹啊，这可是全套音乐啊，全活儿啊。我来了就这样，如果哪一天上天降福，让我们两国国君相见，那用什么礼仪呢？"

"嗨，要是上天降福让两国国君相见，那一定是在战场上了，还用音乐？哈哈哈哈，进去吧。"子重也不知道是缺心眼还是开玩笑，就算开玩笑，也确实不恰当。

"您刚才说的话可不是这个时候该说的啊，不过您是主人，我还是听从您的命令吧。"郤至没办法，只好跟着子重进去了。

其实，这也不全怪楚国人，一来他们对周礼这一套不是太清楚，二来他们也确实是很高兴，觉得越隆重越好。

到了冬天，楚国的公子罢到晋国，也是问候晋厉公以及监督联合公报的执行情况。

晋厉公也非常高兴,也设宴款待公子罢。

等到公子罢走了,晋厉公哈哈大笑:"哈哈哈哈,现在,我们可以打秦国人了。"

怎么晋楚和平跟秦国人有关系?为什么晋厉公要打秦国?

其实,晋国在和楚国开始和谈之后,就决定同时修复和秦国的关系,让世界真的实现和平。

秦晋两国很快达成共识,决定两国国君在晋国的令狐签署和平协议。可是到了签约的日期,秦桓公打死也不肯来,因为祖祖辈辈被晋国人忽悠,他怕。没办法,秦国派了史颗到令狐来跟晋厉公签约,这边晋国派了郤犨过去和秦桓公签约。

"这样结盟有什么用?"士燮当时就笑了,他觉得很搞笑。"信任是结盟的基础,连信任都没有,这样的盟约有用吗?结盟就是为了表达信用,如今一开始就在结盟地点的问题上不守信用,结什么盟?"

果然,秦国在双方结盟之后就暗中找到楚国和白狄,要从南、北、西三面联合进攻晋国。结果,狄人发动了进攻,却被晋国击败了;楚国人比较绝,干脆把秦国人的计划告诉晋国人。

就为了这个,晋厉公决定讨伐秦国。

应该说,晋厉公选择了一个非常好的时机。

晋国组织了联合国军队,这次的联合国军队是历史上规模最大的一次。按照晋楚盟约,楚国也有责任参加联合国军队,于是,中原诸侯纷纷派兵,楚国也象征性派出军事观察团。可以说,除了四周的蛮夷之外,这是全世界联合讨伐秦国。

在出兵之前,晋国派魏锜给秦国送去一份断绝外交关系的《绝秦书》。《绝秦书》堪称世界外交史上最绝的一篇文章。什么叫颠倒黑白?什么叫强词夺理?我们不妨来学习一下(原文省略,请参看《左传·成公十三年》)。

绝秦书

从晋献公和秦穆公开始,我们就是友好邻邦,戮力同心,结为盟友,后来又有了裙带关系。献公鞠躬尽瘁之后,秦穆公不忘两国的情谊,帮助我们的惠公继位。但是,秦国很快背信弃义,发动了韩之战。之后你们良心发现,有所悔改,又帮助我们的文公回来。这些,我们承认都是秦穆公的功劳。我们文公称霸天下之后,让天下诸侯都去朝拜秦国,这算是报答了秦国的恩德了吧?后来郑国人侵犯贵国,是我们帮着你们打郑国,可是,你们背着我们和郑国人签了和约,天下诸侯都很气愤,要消灭你们,要不是我们文公极力劝解,你们根本就回不了秦国了,这一次我们又对你们有恩吧?文公去世之后，你们穆公非但不来吊唁，还侵犯我们的崤，断绝和我们的外交关系，灭亡我们的友邦滑国，离间我们兄弟国家的关系，妄图颠覆我国政权。后来，秦穆公又勾结楚国对付我们，幸亏楚成王被害，让你们的阴谋破灭。秦穆公和晋襄公去世之后，秦康公和晋灵公继位。康公是我们的外甥，可他也是亡我之心不死，频繁骚扰我们的边境。没办法，我们才发动了令狐之战。之后康公还不思悔改，侵占我们的河曲，掠夺我们的王官，摧毁我们的羁马，因此我们又有了河曲之战。可以说，晋秦两国之间的长期敌对状态，完全是秦康公拒绝和平的缘故。

后来秦康公去世了，秦桓公您继位了，我们景公翘首以盼说："这下好了，和平有望了。"令人失望的是，您跟康公是一丘之貉（音禾），利用我们被赤狄侵犯的时候来侵略我们，抢我们的庄稼，杀害我们的边民，我们忍无可忍奋起反击，这才有了辅氏之战。前不久的令狐之盟，您又在忽悠我们，表面上跟我们和平友好，暗地里勾结白狄和楚国人来攻打我们。白狄跟我们是亲戚，跟你们是仇人，你们要我们跟你们去打白狄，我们为了友谊而牺牲亲情，答应了你们。可是随后你们又联合白狄打我们。你们两面三刀的行为，连白狄都讨厌你们，向我们告密。楚国人也很讨厌你的反复无常，他们也把实情都告诉了我们。天下诸侯知道你的无耻行径之后，义愤填膺，一定要讨伐你们。如今，我们国君在诸侯们的强烈要求下，不得不前来讨个说法。如果贵国君为天下诸侯着想，怜悯我们，肯和我们诚心签署新的合约，我们还可以试一试把诸侯们劝回去。否则的话，我们也不能阻止他们来伸张正义了。

颠倒黑白，强词夺理，借题发挥，添油加醋，威胁恫吓，基本上，《绝秦书》就是这样的了。当然，不能说秦国在所有的事情上都占理，但是他们有理的地方也被晋国人说成了没理，晋国人实在是太有才了。

自古以来就是这样，欲加之罪，何患无辞，国家之间也是如此。有理没理并不重要，有恩没恩也不重要，重要的是实力。看看今天的世界，不是也常常能够看到各种版本的《绝秦书》吗？

其实，晋厉公根本没有给秦国人机会，联合国大军随后渡过黄河，攻击秦国。在麻隧，联合国军大败秦国军队，活捉秦国大夫成差和女父。联合国军队又渡过泾水，一直推进到侯丽才撤军。

"我发誓，今后再也不跟晋国人打交道了。"秦桓公哭着说。在他的记忆中，秦国每一次跟晋国发生关系，最终都会吃大亏。

可是秦桓公忘了，如果当初秦国不跟晋国打交道，就不会有他了。

《绝秦书》作为千古绝唱流传下来，其中为我们贡献了"戮力同心"、"痛心疾首"、"惟利是视(图)"、"引颈以望"等成语和"蟊贼""逾越"、"倾覆"等词汇。文章好得连被骂的秦国人也爱不释手,组织干部认真学习,在日后骂楚国人的《诅楚文》里基本模拟了此文的体例、语法和口气。

喜好古文的同学,建议全篇背诵《绝秦书》。

第一一八章　短命的和平

现在,再来看看晋国的权力布局。

表面上看,荀家是当今势力最大的家族。但是,实际上,郤家才是最为张扬的家族。

作为郤步扬的孙子,郤至的政治资本是不够的,他之所以能够进入八卿行列,一方面是堂兄弟郤锜鼎力相助,另一方面是他确实很有学问,晋厉公也很赏识他。

郤锜和郤至有一个共同的堂叔,叫做郤犨,又叫苦成叔,不知道怎么就这么苦。郤犨现在担任中军大夫,很快就能熬到卿的位置。虽然参加不了内阁会议,但是能参加内阁扩大会议。

汲取了赵家因为内讧而被灭的教训,郤家十分团结。

"三郤",这是晋国人新发明的名词。

三郤的性格不大一样,但是有一点一样,那就是都很贪。

三　郤

郤犨在当上中军大夫之后,晋厉公给他派了个活,出使鲁国监督两国盟约执行的情况。

通常,大国到小国出差都是美差,就跟中央官员到地方出差一样。一般来说,好吃好喝好招待之外,还有好多礼品赠送。

鲁国负责接待郤犨的是执政声伯,接待郤犨的规格很高,相当于接待晋国卿的规格,郤犨很满意,但是满意不等于满足。

"感谢你的热情款待，不过，还有一件事情想麻烦你。"郤犨提出新要求。

"您说，能办到的我尽量办到。"声伯知道郤犨很贪，可是这个人还不能得罪。

"不瞒你说，我老婆不久前刚死了。家里不能没有老婆啊，所以我想再娶个老婆，还特想娶个鲁国老婆。你没听说过那个段子吗？找情人要找卫国的，娶老婆要娶鲁国的。怎么样，替我物色一个，这次我就带回去了。"

"这，您的条件太高啊，一时还真不好找。"声伯挺为难。

"嗨，高什么。听说你有个妹妹，要不，咱们做个亲戚？"郤犨早就听说声伯的异父妹妹挺漂亮。

"这个，晚了点，我已经把她嫁给施孝叔了。"声伯倒没有骗他，半年前，刚把妹妹嫁出去。

"这，这，嗨。"郤犨很懊恼，重重地拍了一下大腿。

现在，声伯看明白了，郤犨是早就瞄着自己的妹妹来的。如果不能得到自己的妹妹，说不准会干出什么来，到时候自己辛辛苦苦这通接待就算是泡汤了。怎么办呢？

"那，其实吧，我对这个施孝叔是很不满意的，要是您不嫌弃的话，我把妹妹给要回来？"声伯试探着说。他估摸着，以郤犨这样有身份的人，还会要二手货？

"好啊好啊，我不嫌弃。"得，郤犨还真要二手货。

就这么着，声伯把妹妹从施孝叔那里抢回来，给了郤犨。郤犨这个高兴啊，去了一趟鲁国，自己没花聘礼，得了个漂亮老婆，还得了彩礼，赚大发了。

这就是郤犨，类似的故事还很多，晋国人民常常拿出来编成段子。

跟郤犨比起来，郤至没有那么粗俗，不过只要说到利益，那也是绝不会退让半步的。

混上了卿，郤至得到了温这个地方作为采邑。温原本是周王室的地盘，当年周襄王一激动送给了晋文公，此后狐毛和阳处父先后被封在这里，现在则成了郤至的地盘。

在温这个地方有一个历史遗留问题，其中的一块地周王室始终没有移交给晋国，而是自己留下来了。当初狐毛和阳处父都没在乎，可是如今到了郤至这里，就不一样了。

"什么？该我的，一个子儿也不能少。"郤至眼里可揉不进沙子，当时布置了手下，去抢这块地。

说起来，王室真是虎落平阳被犬欺，王室城管队竟然干不过郤至家的保安队，那块地被郤至抢了。

那时的周王是周简王，简王咽不下这口气，于是派刘康公和单襄公去晋

国,请求晋厉公给个公道。

周王特使来了,晋厉公还是很客气的,听说是这个事情,连忙把郤至给找来,同时叫了伯宗来评理。

"我那不是为了自己啊,我是为了晋国的领土完整啊。"郤至先发言,把自己说得挺高尚。

刘康公随后发言,他首先陈述了历史遗留问题的来龙去脉,之后表示,根据全民所有制的原则,所有的土地实际上都是王室的。撇过这一点不说,王室把整个温都给了晋国,自己弄块自留地难道不行吗?

这件事情,公说公有理,婆说婆有理,历史遗留问题往往都是这样。

"伯宗,你给他们评个理吧。"厉公听得稀里糊涂,干脆让伯宗来解决这个问题。

"我看啊,再怎么说,王室也是王室,就算衰落了,还是应该尊重的。反正地也不大,还给王室吧。"伯宗也没有多考虑,算是说句公道话。

说起来,伯宗就属于没有政治头脑的那种,他没有考虑到,得罪王室无所谓,得罪郤家可就麻烦多了。

就这样,厉公命令郤至把地还给了王室。郤至表面上没说什么,心里已经把伯宗恨得牙痒痒。

与郤犨和郤至相比,郤锜更张狂一些。

其实可以想象,郤锜的爷爷和父亲都曾经是晋国中军元帅,这在晋国还是头一份。所以,郤锜一直生活得超级优越,所有纨绔子弟身上该有的缺点他身上都有,狂妄自大、骄横跋扈、目中无人、胸无点墨、巧取豪夺、欺男霸女、买官卖官等等这些词,用在他身上都适合。

郤锜听说大夫夷阳五的一块田很好,一点没客气,直接就给抢过来了,夷阳五没办法,只能忍气吞声。郤犨听说大夫长鱼矫有块地不错,也去抢了过来,长鱼矫反抗了一回,结果被郤锜带着家兵给抓起来了,全家老小捆在一辆车上游街示众。后来长鱼矫苦苦哀求,这才算完事。

从前有"二赵",现在有"三郤",晋国人对"三郤"的怨恨甚至超过了"二赵"。

郤家的名声可以说是臭名远扬,他们不仅在国内为非作歹,而且在国际上横行霸道。为什么这样说?因为这一段时间晋国的外交基本被三郤把持,出使各国的机会多半是他们的,所到之处,都是索贿受贿,稍有不从,就危言恫吓。

"真是猫生耗子,一窝不如一窝啊。"晋国人民都这么说。

《国语》上有这么一段,说是赵武二十岁那一年行冠礼。冠礼是什么呢?就是男子二十岁那年所行的成人礼。成人礼上,男子被授予帽子。所以,后来男子成年简称冠,或叫弱冠。

赵武行完冠礼,照例去各大家族拜会。

来到栾书家里,栾书对他说:"好啊好啊。从前我做你父亲的副手,你父亲也很帅,但是能力一般,希望你能超过他啊。"

来到荀庚家,荀庚说:"好啊好啊,可惜我老了,看不到你将来大展宏图了。"

来到士燮家,士燮说:"现在你可要警惕啦,贤明的人受宠更加小心,蠢人得宠则会骄傲。要多听别人的劝告,不要总想听好的。"

来到郤锜家,郤锜说:"好啊好啊! 年轻人,你比起我们这些老同志还差得远啊。"

来到韩厥家,韩厥说:"成人是什么意思? 就是要小心谨慎。要在一开始就要亲近善人远离不善。这就好像草木的生长一样,各以其类聚在一起。人戴上冠冕,就如同宫室有了墙屋,只是去除污秽、保持清洁罢了,其他还有什么可增益的呢?"

来到荀罃家,荀罃说:"你好好努力吧! 作为赵衰、赵盾的后代,如果老大了还在做大夫,这不是耻辱吗? 你老爷爷的才能,你爷爷的勤勉,难道可以忘记吗? 好好努力吧,向你的祖辈学习,你一定能够做得很好的。"

来到郤犨家,郤犨说:"年少而当官的人很多,我怎么安排你呢?"

郤犨是公族大夫,相当于组织部长之类,借着这个机会暗示要赵武送点礼才行。

来到郤至家,郤至说:"你看看自己的能力比不上谁,可以请求担任他的助手。"

最后,赵武来到张老家,张老挺客气,请赵武坐了一阵,赵武就把前面几个人的话说了一遍,张老说:"栾书、士燮、韩厥那都是好话,按他们的话去做就好了。至于三郤,估计他们都不得好死,把他们的话都当放屁就行了。"

傲慢、贪婪、无礼,一段小故事,把三郤的嘴脸描述得清清楚楚。

和平时代结束了

晋厉公二年(前579年),晋楚两国发表和平共处联合声明,世界实现了和平。但是,世界和平仅仅维持了两年时间,到晋厉公四年,一切又都恢复了原来的样子。

这一次,首先破坏和平的是楚国人。

楚共王很强烈地感到世界和平没有给自己带来任何实惠,反倒是晋国占了便宜。如今,各国似乎跟晋国都更亲近一些,楚国则被边缘化了。

"如果世界和平就是这样,老子宁可不要和平。"楚共王非常恼火,他决定要搞点事情出来。

于是,楚国出兵攻打了郑国和卫国,因为这两个国家跟晋国走得很近。不过,楚国并没有占到什么便宜。

晋国什么反应呢?没反应。

为什么晋国没有反应?因为权力斗争正在进行中。

三郤已经越来越肆无忌惮了,其他的人要么敢怒不敢言,要么冷眼旁观,等着看热闹。

栾书看在眼里,有心要有所动作,可是又怕孤掌难鸣,不敢轻举妄动;士燮跟他父亲士会一样,是个生怕是非找上门来的人,除了上朝和开会,其余时间都躲在家里种菜,两耳不闻窗外事;其余的,荀庚、荀罃和韩厥都是冷眼旁观的人,等着看热闹。而赵旃自顾不暇,哪里还敢说三道四。

终于,三郤做了一件全晋国人民都愤怒的事情。

伯宗是个以说老实话著称的人,全晋国人民都知道这个人很正直。可是就这么个人,得罪了三郤,三郤于是穷追不舍,想尽办法要害他。最终,他们罗织了大量罪名,真的就把伯宗给害死了。好在伯宗的老婆有先见之明,提前作了提防,因此伯宗的儿子伯州犁能够逃去楚国。

害死伯宗之后,三郤紧接着又害死了晋国著名的好人栾弗忌。

"郤家一定要灭亡了,一定要灭亡了,他们杀害好人,不会有好报的。"韩厥断言。不过,他还是躲在一旁冷眼观瞧,他绝不出头。

权力斗争金科玉律第二十条:最好没有正义感,即便有正义感,也千万不要出头。

副一条:相信坏人一定会被收拾,但不要认为自己能收拾坏人。

晋厉公五年(前576年),楚共王派公子成前往郑国,答应把汝阴的地给郑国,条件是郑国跟楚国混。

郑成公合计了一下,好像跟晋国没有什么好处,而且关键时刻晋国总是当缩头乌龟,去年楚国人来侵犯时,郑国去向晋国求救,晋国就是用"一贯坚持和平方式解决国际争端"的那一通屁话给忽悠过去了。

"好,成交。"郑成公很容易得出结论:跟楚国混,实惠。

就这样,郑国又成了楚国的跟班。

这一次，晋国还是干瞪眼。

大概楚共王觉得不把晋国人激怒就很没意思，所以看到晋国人没反应，他决定再搞点名堂。什么名堂？让郑国人讨伐宋国。地球人都知道，宋国是晋国最死硬的跟班。

听说要打宋国，郑国人很兴奋。不用动员，子罕就率领郑国军队出发了，郑军的战车清一色都是上次从宋军手中缴获的，基本上，这么多年以来，郑军的战车总保持一半以上来自宋军。

宋国急忙派出大将将鉏和乐惧迎战，战斗结果大爆冷门，宋国军队竟然破天荒地获得了胜利。捷报传来，宋国上下一片欢腾。

击败了郑军的将鉏和乐惧敲着得胜鼓回到了夫渠（今河南商丘境内），大家高兴啊，终于击败了郑国人，"恐郑症"从此一去不复返了。

"兄弟们，今晚开怀畅饮，庆祝胜利。"将鉏和乐惧高兴坏了，当晚大宴官兵。

宋国人真的以为击败了郑国人，但是，郑国人没有这么认为。

郑国人是被击败了，但是实际上应该说是被击退了，因为他们既没有被消灭，也没有被击溃。对于郑国人来说，只能说是上半场略处下风，真正决定胜负的是下半场。

宋国人当晚喝得很好，很高兴，以至于第二天天亮的时候都没有醒过来。可是，这个时候郑国人已经来了。

于是，这场战争最后的结果就是：宋军全军覆没，将鉏和乐惧都被活捉。

"恐郑症"不仅没有结束，反而更重了。

战争一触即发

宋军再次惨败的消息传到了晋国，晋厉公立即召开八卿会议，讨论世界局势的最新进展。

"我们必须教训郑国了，奶奶的，他们简直就像婊子，谁给钱就跟谁上床。"晋厉公非常愤怒，他已经忍无可忍了。

"不要，我觉得仅仅是郑国背叛我们，不应该出兵，该等到诸侯都背叛我们。"士燮反对。他的理论跟他的做人理论是一致的，那就是能忍则忍。

士燮能忍，别人都不能忍了。

"不行，我不能在我的手里丢掉晋国的霸主地位，一定要出兵。"栾书急了，自从当上中军帅之后，还没有什么政绩，他现在要表现一下自己。

既然国君和中军帅都表态了，别人还有什么话说？

于是,晋军四军齐出。

看看四军的人员配置。

中军帅栾书,中军佐士燮;上军帅郤锜,上军佐荀偃;下军帅韩厥,下军佐荀罃;新军帅郤犨,新军佐郤至。

看看变化的部分,原中军佐荀庚去世,儿子荀偃接班,栾书直接给安排了上军佐;原下军帅赵旃去世,郤犨破格担任新军帅。

"此次出兵,就是要跟楚国人见个高低。"在出师动员大会上,栾书直接把目标说了出来。其实不说大家也能看出来,小小郑国根本用不了四军。

相应的,栾书作了具体安排:晋厉公亲自前往督阵,八卿中,除荀罃留守之外,郤犨前往卫国和齐国请求两国出兵援助,其余六卿,全部随同出征。此外,栾书的儿子栾黡被派往鲁国请求出兵。

一切安排妥当,晋厉公五年四月十二日,晋军出发了。

晋军出发的消息很传快到了郑国,郑成公立即派大夫姚句耳前往楚国求救。

"来吧,谁怕谁?"楚共王没有犹豫,下令出兵。或许,这就是他期盼的那一天。

楚军同样是全军出动,楚共王亲自压阵,中军由司马子反率领,左军由令尹子重率领,右军由将军子辛率领。

楚国三军浩浩荡荡北上。

大军路过申地,经过申叔时的家,这时候申叔时已经离休在家。子反一向尊敬申叔时,知道他是楚国最有学问的人,因此专门上门请教。

"申老师,您看我们这次出兵的结果会怎样?"子反问。

申叔时叹了一口气,说了一大堆道理,简要来说,实际上就是几句话:"我们不讲信用,破坏世界和平,失道寡助。将军啊,你就尽力吧,反正我是再也见不到你了。"

子反听得发愣,十分郁闷地走了。

其实,不仅申叔时认为楚军要败,姚句耳也同样不看好楚军。因为与晋军相比,楚军行动迅速,但是军容不整,遇上强敌,很容易自乱阵脚。

毫无疑问,双方都动员了全部主力,大战实际上已经不可避免。

非主流

在双方军队遭遇之前,来看看背景材料。

与前两次战争不同的是,这一次双方都拿出了家底,双方国君第一次双双上阵,应了当年子重"如果国君见面一定在战场"的预言。因此也可以说,这一次才是晋楚两国真正的较量。

与前两次战争不同的是,双方对于战争都缺乏准备,都是冲动之下做出的出兵决定。双方既没有先轸这样战神级的帅才,也没有楚庄王这样掌控全局的国君。也就是说,尽管是最高等级的较量,却一定不是最高水准的战争。

在各自的阵容中,同样也都分成了主战派和主和派。但是由于两国国君是主战派,因此主和派的呼声直接被忽略了。

楚军阵营,主和派的代表是子反,但是他并没有提出自己的看法,因为他与子重矛盾极深,担心被子重借题发挥。

晋军阵营,八卿中栾书和三郤都是主战派,韩厥、荀偃和荀罃随大流,主和派只有士燮一个人。

如果我们把双方的主战派说成是主流派,那么子反和士燮就是非主流。

任何时候,非主流都是不受欢迎的,即便真理往往掌握在非主流手中。

五月,晋军渡过黄河。这时候,楚国出兵的消息传来了。

"元帅,我看,咱们还是撤军吧。我们假装逃避楚军,这样晋国的忧患就可以舒缓。再说当霸主这样的事情,不是我们能够做到的,还是等后面有能力的人来做吧。咱们就安安生生过日子,大家相安无事就好了。"非主流士燮劝栾书撤军。

栾书狠狠地瞪了他一眼,说了两个字:"不可。"

在内心里,栾书有些瞧不起士燮了。

五月二十八日,晋楚两军在郑国鄢陵(今河南鄢陵县)遭遇。

"我看,我们还是撤吧。"前敌会议上,士燮又提出建议。

栾书瞪了他一眼,没理他。栾书没理他,不等于没人理他。

"老士,太弱了吧?当年韩之战,惠公被秦国人活捉;其之战,先轸阵亡;邲之战,晋军被楚庄王击败。这三场大战,都是晋国的耻辱。如果我们再躲避楚国人,又是增加我们的耻辱。"八卿里排名第八的郤至大声呵斥排名第二的士燮,语气十分严厉。

没有人同情士燮。

士燮不说话了,等到会议结束。士燮找了一块没人的地方,自言自语:"当初跟外国打仗,那是因为齐、楚、狄、秦都是强国,不跟他们打,就要受欺负。如今齐、秦、狄都不是我们的对手,只剩下一个楚国跟我们抗衡而已。自古以来,只有圣人能够既没有外患也没有内忧,我们都不是圣人,没有外患必然有内忧。为什么不留下楚国这个外患呢?"

士燮的话有道理吗?从权力斗争的角度来说,不仅有道理,而且是非常

有道理。如果有外患,内部就会团结;如果没有外患,内部权力斗争就会升级。

管子曾经说过:"非有内忧,必有外患。"

士燮的原话是:"外宁必有内忧。"

士燮的话虽然有道理,但是在这个时候说出来肯定是不合时宜的。

所以,士燮的出发点是想遏制国内权力斗争,却一不留神让自己卷进了权力斗争。就因为他的几次建议,晋厉公、栾书、三郤都开始不喜欢他。从这个角度说,士燮不是一个成熟的政治家,与韩厥相比,他差得很远。

权力斗争金科玉律第二十一条:尽量避免成为非主流,如果不幸成为非主流,尽量不要发言。

第一一九章　鄢陵之战

五月二十九日。

楚国和晋国进行了最后的战斗准备。

楚军的盟军郑国军队抵达，而晋军盟军齐军、宋军、卫军和鲁军都还没有抵达。为什么郑军到了而晋军的盟军都没有到？因为路程太远？不，因为大家都学精了。谁愿意跟楚国打仗？谁也不愿意。可是又不能得罪晋国。所以，大家都在玩蘑菇战术，每天都在前进，但是就是到不了。

"杀千刀的，你们就磨蹭吧，就忽悠我们吧。"栾书当然看出来诸侯们的小把戏，可是他也没办法，晋国忽悠别人惯了，被别人忽悠也不算冤。

晋军中有人是经历过邲之战的，有的人想起来害怕，有的人想起来窝火，有的人想起来惭愧。怎么还有惭愧的？还真有，譬如魏锜。

邲之战中魏锜是犯了错误的，害死了不少兄弟。这么多年以来，他都受着良心的折磨。所以，他很惭愧。另一方面，尽管还没有混到卿的位置，魏锜通过韩厥的奋斗史，还是看到了希望。基于以上两个原因，他暗自发誓要在这一次战斗中立功，挣到升官的本钱。

当天晚上魏锜做了一个梦，梦见自己射中了月亮，可是自己却掉坑里了，于是赶紧找人来圆梦。

"姬姓为太阳，异姓为月亮。你这梦，一定是可以射中楚王。掉进了泥坑，说明你难免一死。"圆梦的兄弟这样分析。

晋国人在做梦，楚国人呢？

中国第一神箭手

楚国人在进行战前大比武。

楚国有两个著名的神箭手,一个是潘党,一个是养由基。一向以来,两个人就互不服气。反正闲着也是闲着,一帮弟兄们起个哄,哥俩就找地方比试箭法去了。

来到一片空地,两个神射手准备好了弓箭。

"百步以外安放靶子,看谁能射中,怎样?"潘党先划了个道出来。

"好。"养由基没意见。

于是,有人去百步之外放了靶子。

潘党先射,连环三箭过去,都射在靶子上。形象点说,都在六环以上。

潘党笑了,现在要看养由基的了。

"靶子目标太大了,看见没有,百步之外正好有柳树,哪个兄弟过去,在树叶上做上记号,我要射树叶。"养由基自己给自己提高了标准,大家一听,都有些不敢相信。

射柳树叶的难度比射靶子高了许多,一来目标小,基本上就是十环的标准;二来,微风轻吹,树叶随风摆动,还要考虑提前量。

有人去找了三片树叶,做好了标记。

养由基深深地吸了一口气,看的人也都屏住了呼吸。

搭箭,拉弓,射箭。

第一支箭,准准地射在做了标记的柳叶上。

"哇。"惊叫声。

第二支箭,又是准准地射在做了标记的柳叶上。

"啊。"大家不敢相信自己的眼睛。

第三支箭,还是准准地射在做了标记的柳叶上。

"哗。"一片欢呼声。

"百步穿杨"这个成语,就来自这里。

第一个项目,养由基胜出。

第二个项目,力量。

还是一百步以外,潘党让人把七层甲捆在一起,吊在树上,一箭出去,射穿七层甲,那支箭就嵌在甲里,只留下一个屁股在外面。

潘党又笑了。

养由基也搭上了箭,拉弓,放箭。箭离弦的时候,潘党的脸色就变了,行家一出手,就知有没有。这支箭离弦的声音就已经告诉了潘党,养由基的力量也比自己大。

那支箭稳稳地扎进了七层甲，然后穿过甲，落到了地上。

"佩服佩服，养将军神力，竟然穿过了七层甲。"潘党服了，他一点也不嫉妒，他是真服了。

"潘将军看错了，是你的箭穿过了七层甲。"养由基说。

"怎么会？"潘党有点不高兴了，这不是假谦虚吗？这不是在讽刺我吗？

有人把那七层甲拿了过来，潘党接过了甲，这时候，他的脸色又变了。

原来，甲上的箭不是潘党的，而是养由基的。那么潘党的箭呢？被养由基的箭生生顶了出去。

养由基的箭法，又准又狠。

养由基和潘党比试箭法的消息很快传遍了楚军大营，楚共王也听说了，于是也来看看热闹。

"大王，你看，我们在百步之外能射穿七层甲，有我们这样的神射手，还怕晋国人吗？"养由基和潘党正在兴奋头上，拿着那七层甲去给楚共王看，以为能够受到好评。

他们万万没有想到的是，楚共王并没有高兴，他发火了。

"你们真不要脸，知不知道骄兵必败？知不知道淹死的都是会水的？知不知道山外有山？以为就你们会射箭？你们卖弄箭法吧，明天一定就死在这上面。"楚共王说了一通很有哲理的话，最后一生气，把两个人的箭都给没收了。

真是热脸贴上了冷屁股，这一通骂，骂得养由基和潘党两个灰头土脸，就连看热闹的也觉得很没趣，一哄而散了。

共王说的有道理吗？当然有道理。可是，这个道理在这里并不适合。如果因为容易被敌人射死就不敢射箭的话，学射箭干什么？换句话说，射箭的被敌人射死，那就是死得其所，是最正确的死法，有什么好指责的？

在这一点上，楚共王和士燮一样，他们都很高明，都很懂得道理，可是，道理用错了地方。而道理用错了地方的后果将是很严重的。

顺便再说说养由基。

养由基是文字记载的中国历史第一号神射手，第二号才是李广。

关于养由基还有一个故事，在楚国的荆山有一只老猿，身手十分敏捷，楚国人打猎的时候用箭射它，老猿根本不当回事，闪转腾挪，用手接箭，用尾巴拨箭，等等，那简直是把人不当人看，而是当猴耍。

人被老猿羞辱得受不了了，于是请养由基出马。老养来到荆山，找到了老猿，然后搭弓上箭。再看老猿，老猿哭了。被射了这么多年了，它也是行家了，一看养由基的弓箭和动作，它知道自己这回算是栽了。

果然,养由基一箭出去,快如闪电,力大无穷,老猿直接就被干下来了。

斗　法　

叛徒,是很可怕的。

高级叛徒,更加可怕。

充满仇恨的高级叛徒,那就是无比可怕了。

两军阵营各配置了一个叛徒,一个高级叛徒,一个充满仇恨的高级叛徒。

苗贲皇,斗越椒的儿子,现在官为晋国上大夫,与楚国有杀父灭族之仇。

伯州犁,伯宗之子,现在担任楚国太宰,与晋国有杀父灭族之仇。

这一次,两个叛徒都来到了前线,并且,都在各自国君的身边出谋划策。

五月二十九日晚,楚军召开前敌会议。

"各位,现在两军对峙,我们什么时候打? 怎么打?"楚共王提出问题。在场的有不到十名高级将领。

"我看,再等一等,比比耐心再说。"子反的意见是这样的,内心里,他有些不想打。

"等什么等? 我等不及了。"子重反对,基本上,只要是子反支持的,他都反对。

共王各看了他们一眼,他知道这是两个缺心眼的人,问他们没什么用。

"太宰,你的看法呢?"共王问伯州犁。他觉得伯州犁真是个人才。

"大王,现在郑国军队已经到了,而晋国的盟军还在路上,我们应该趁他们还没有到来之前进行决战。"伯州犁建议速战,他的理由很充分。

共王想了想,晋国的四路盟军尽管战斗力一般,但是人数确实很多,人多胆壮啊。所以,伯州犁的看法是正确的。

"好,我决定明天决战。太宰,你对晋国军队非常熟悉,你认为我们应当怎样布置?"共王又问。

"大王,晋军作战,纪律性强,协同作战能力比我们高。如果两军阵地战,晋军实力在楚军之上。不过论单打独斗、混战,楚军强于晋军。所以,我建议我们明晨早起,迫近晋军大营列阵,这样,他们列阵缺乏空间,阵形不整,协同作战力将会大打折扣。"伯州犁的分析一五一十,说服力极强。

"噢,原来这样。"子重、子反频频点头,打了一辈子仗,今天总算开了点窍。

316　　　五月三十日凌晨,楚军起了个大早,那天还没有月亮,兄弟们黑灯瞎火吃了早饭,天微微亮就出发,到了晋军大营前列阵。

楚国人列好阵了,晋国人才刚开始吃早餐。

晋军大营,前敌扩大会议。

对面楚军阵地,楚共王站在巢车上观察晋军,身边就是伯州犁。什么是巢车? 就是类似鸟巢的车,特点是高而且有屏蔽,就是用来观察敌军的。

在这里,楚共王和伯州犁进行了一段历史上十分著名的对话,伯州犁就像一个专业的解说员来讲解对面大营中的每一个行动,而楚共王依然像记者一样提问题,不过这次不是小报,是大报,因为问题很专业。

"晋军营中车马往来,在做什么?"楚共王问。

"召集军官。"

"都到了中军大帐,干什么?"

"开前敌会议。"

……

伴随着伯州犁的精彩解说,我们还是把镜头转移到晋军大营,看看晋国人的作战程序吧。

楚国人已经逼到了眼前,对于晋国人来说,第一个要讨论的问题就是出战还是稳守。

"楚国人军心浮躁,我们只需要固守三天,他们就会撤退,到时候我们的盟军也到了,我们正好包围他们,必然获得完胜。"主帅栾书首先定了调,说句公平话,栾书的战略万无一失,确实是个好办法。

按理说,主帅定了调,而且是个好调,别人通常就不说话了。可是,三郤并不买账。

"不好,我们应该立即出击。楚国人有六大缺陷,第一,两大主将子重和子反严重不和;第二,楚王的亲兵还是庄王时候的人马,都是老弱;第三,郑国军队的阵形很不齐整;第四,楚军几乎就没有阵形;第五,月末作战,他们却在没有月亮的晚上出动;第六,楚军非常喧嚣,各自为战,而大家都在向后面看,显然是找逃跑的路线。他们有这六大缺陷,我们难道不能战胜他们吗?"郤至说话了,一点不给栾书面子。

虽然大家都有点讨厌三郤,但郤至这番话是说得有道理的,大家忍不住点头。

"说得有理,栾元帅,跟楚国人决战吧。"晋厉公决定听从郤至的建议。

栾书很不愿意这个时候跟楚国人决战,他觉得没有把握。可是晋厉公都发话了,就这么顶回去是不合适的。不过,栾书有理由。

"主公,就算郤至说得有理,可是楚军太逼近我们的大营,我们根本没有列阵的余地了。"栾书说。这倒是个现实的问题。

大家都没话说了。

"这一定是伯州犁出的主意。"荀偃忍不住说了出来。他和伯州犁是朋友,知道伯州犁的才能。

就在大家都傻眼的时候,有一个人想到了办法。谁?士匄(音盖)。

士匄是下军大夫,级别不高,因此站得靠后,这个时候走上前来。

"元帅,我有办法。我们在大营里把灶平了,帐篷拆掉,不就腾出地方来了?然后拆掉营门,就可以冲锋了。老天爷就是让晋国来抗衡楚国的,我们怕他们干啥。"士匄的主意一出,现场一片哗然,太聪明了。

晋厉公点点头,表示同意。郤至笑了,他很开心。栾书的脸色变得很难看,他瞪了士匄一眼,心说:"要说这小子缺心眼呢,他的主意还挺正;要说这小子聪明呢,可是他怎么一点眼力也没有?"

大家没有注意到,在他们赞叹不已的时候,一个人愤怒了,这个人脸涨得通红,顺手抄起一把大戟来。

"兔崽子,大人们说国家大事,你懂个屁,我叫你胡说八道。"这人说着,举起大戟来就要刺士匄。

谁这么嚣张?士燮,士匄他爹。

士燮知道,当两派意见不一致的时候,最好不要发言,只要发言,一定会得罪人的。

还好,大家把士燮的长戟夺了下来,士匄远远地躲到了一边。

苗贲皇若有所思,自言自语:"老到,老到。自我保护意识超强啊。"

"就按士匄的方法,准备战斗。"晋厉公下了最后的命令。

现在,再把镜头拉到楚军大营的巢车上,依然是楚共王和伯州犁两人在对话。

楚共王:"张幕矣。"——他们张开了帐幕。

伯州犁:"虔卜于先君也。"——这是在他们先君灵位前祈祷和占卜。

楚共王:"彻幕矣。"——他们又把帐幕拆了。

伯州犁:"将发命也。"——这是准备发布命令。

楚共王:"甚嚣,且尘上矣。"——那里非常喧闹,而且尘土飞扬。

"甚嚣尘上",这个成语来自这里。

伯州犁:"将塞井夷灶而为行也。"——这是填井平灶,看来,他们将在那里列阵了。

楚共王:"皆乘矣,左右执兵而下矣。"——都上车了,但是车上的战士又都下车了。

伯州犁:"听誓也。"——听取军令。

楚共王:"战乎?"——他们准备打吗?

伯州犁:"未可知也。"——现在还说不准。

楚共王:"乘而左右皆下矣。"——又上车了,又下车了。

伯州犁:"战祷也。"——这是在作战斗前的祈祷。

除了这些看得到的,伯州犁还把晋厉公亲军的情况作了详细汇报。

有了伯州犁,楚共王对于晋军的一举一动都很清楚了。

晋国叛徒在楚军大放异彩,楚国叛徒在晋国就没有表现吗?答案是否定的。

苗贲皇也没有闲着,他也在晋厉公的身边介绍楚军的情况。在详细介绍了楚共王亲军的情况之后,苗贲皇还提出了非常有价值的建议。

"主公,楚军一向是把精兵强将集中在中军的。我们不妨以精兵攻击他们的左右两军,然后三面合围他们的中军。这样,他们一定会大败。"苗贲皇的建议非常好,当初先轸就是这样做的。

"大家怎么看?"晋厉公问。

"嗯,好主意。"栾书表示赞同。

主意是个好主意,而且主帅都赞同了,按理说应该没有人反对。可是,郤至又说话了。

"我看不好,我看应该集中优势兵力攻击对方中军,派少量部队拖住对方左右两军。为什么这样?首先,子重与子反有仇,所以他一定不愿意增援中军。而子辛缺乏作战经验,更不敢轻举妄动;第二,楚军中军号称精锐,实际上是些老弱病残,再加上郑国军队也在中军,指挥混乱,反而降低战斗力。"

别说,郤至的分析也有道理。

总的来说,栾书的打法稳重,郤至的打法激进,二者都有可取之处。如果是晋文公,一定按栾书的策略。可是,晋厉公年轻气盛,他觉得郤至的办法更好。

"好,就按郤至的建议。"晋灵公定了调。

郤至得意地笑了,他没有注意到,栾书狠狠地瞪了他两眼。

晋军最后的作战安排是这样的:以上军对抗楚国的左军,因为子重的战力比较强;以郤犨率领新军的一半牵制楚军的右军,其余中军、下军再加上郤至率领新军的一半来攻击楚军的中军。

不得不承认,晋军的战术意识依然在楚军之上。

战斗就要打响,让我们来看晋楚之间的第三次战争。

第一二〇章　永不结束的战争

晋军摆好了阵势,随后拆除了营门和栅栏,晋楚两军正式对垒了。

伯州犁对晋军的阵势感到很吃惊,他知道形势有些不妙了。

"大王,晋军要集中优势兵力来攻击中军了,赶快通知左右两军向中军靠拢。"伯州犁提出紧急建议。

可是,晚了,因为晋国人已经开始冲锋了。

既然如此,只能死战了。

斗　箭　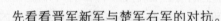

先看看晋军新军与楚军右军的对抗。

郤犫根本没有准备跟楚军硬拼,而楚军也没有想要跟晋军死磕。因此,两军以接触战的方式进行战斗,基本上是第一排的士兵打打停停,后排士兵呐喊助威。

晋国人的策略成功。

再看看晋军上军与楚军左军的战斗。

毕竟是双方主力部队,战斗远比右军要激烈得多。不过,晋军保持了阵形,楚军也并不凌乱。基本上,两军势均力敌。

总的来说,这边的战斗很有序,双方伤亡都不大。那么,有序到什么程度呢?

栾针是栾书的二儿子,因为作战勇猛,此次出任晋厉公的车右。自然,晋厉公不会冲锋在前,因此还比较悠闲。突然,栾针想起一件事来。

320

"主公，从前我出访楚国，子重问我晋军的勇武体现在哪里，我说是好以众整（军容整肃）和好以暇（从容不迫）。如今两国交兵，使节不能来往，不能说是军容整肃；说话不算数，不能算是从容不迫。我请求派人去给子重敬酒。"栾针说。

厉公一听，这主意挺好，反正闲着也是闲着，当即让人倒了一杯酒，派了一名算是战地使者的给子重送过去。

"哎，拜托拜托，酒来了啊，让个道让个道。"使者就像赶菜市场一样，一路喊一路走，大老远从中军来到了上军。

晋军和楚军看见有人端酒上来，纷纷让路，然后在一边看热闹。

使者顺利来到了子重的面前，这时候大家都不打仗了，看看要发生什么。

"我们国君缺乏人手，所以栾针这样的废材也要给国君当车右了。没办法，不能亲自前来，只能派我来为将军敬酒。"使者说完，把酒敬了上去。

子重接过了酒，恍然大悟："栾针当初在楚国说过晋军好整以暇，一定是为了这句话给我送酒的，他记性真好。麻烦你回去替我致谢，有机会我再请他喝酒。"

子重说完，把酒一饮而尽。

酒都敬了，还打什么？

之后晋楚两军基本上就跟演京戏一样了。

栾针的这杯酒，到底是真的卖弄风度，还是要瓦解敌人斗志呢？

晋国人，有的时候真的说不清。

总之，楚军的左右两军很休闲。

可是，中军就惨大了。

晋军排山倒海一般压了过来，人数上占据绝对优势。就算楚军中军都是精锐，可是人家晋军也都是精锐啊。

如果说左右两军打的是友谊赛，中军绝对是淘汰赛了。

楚共王见到形势不妙，坚持不退，拼命擂鼓。要说起来，春秋时期的国君不仅常常亲自上阵，而且常常冲锋在前，而楚国国君尤其神勇。

在楚共王的带领下，楚军中军士气大振，竟然抵挡住了晋军的攻击，尽管非常吃力。

魏锜是一员猛将，也是冲锋在前，他猛地看见楚庄王亲自擂鼓，突然想起自己的梦来，于是抽出一支箭，瞄准了楚共王。

楚共王正在擂鼓，一抬头，发现一支箭正向自己飞来，想要躲，已经来不及了，之后就觉得眼前一黑，右眼就什么也看不到了。

魏锜的箭准准地射进了楚共王的眼睛，好在距离过长力量不大，否则当场就会要命。

楚共王大叫一声,一把把箭从眼睛里拔了出来,箭头带着自己的眼珠。见到大王受伤,卫士们急忙上来搀扶。楚共王忍着痛,大叫:"养由基,养由基。"

养由基就在旁边,急忙过来。

"给你两支箭,替我杀了射我的人。"共王急了。

把箭给了养由基,共王掉转车头,到后面包扎伤口。

战前,养由基的箭都被共王没收了,因此这段时间真是干着急使不上劲,如今拿到了两支箭,急忙忙要找射伤共王的人。

"谁射的?是谁?"养由基问身边的士兵,可是兵荒马乱的,谁注意了?没人知道。

养由基正在着急,那一边目标自动出现了。

"我射中了,我射中了楚王,哈哈哈哈。"魏锜手舞足蹈,大声喊叫,他生怕大家不知道。他很高兴,他好像已经看见卿的宝座在向自己招手。

可是他显然忘了,楚国还有一个叫养由基的。

慢镜头开始了。

养由基的箭搭上了弓,拉开弓,松手,箭慢慢地飘了出去,笔直地向前飞,箭尾的羽毛在颤动。终于,箭飞到了目的地,"噗"的一声,一个脖子被刺穿。

喊叫声戛然而止,脖子弯了下来,于是我们可以看到脸。啊,原来是魏锜。

魏锜趴在了自己的箭囊上,一动不动。

他终于还是没有能够当上卿,尽管他离卿已经是无限的近。不过,能死在养由基的箭下,那绝对是个勇士的光荣。就像养由基,他最终也死在敌人的箭下,那是天下第一神射手最伟大的归宿。

养由基追上了楚共王,把剩下的一支箭还给了共王。

共王用一只眼看看他,因为他只剩下一只眼了。

"你的箭还给你。"共王收下了自己的箭,然后把养由基的箭囊递给了他。

从那以后,养由基得了个"养一箭"的绰号。

放 生

共王受伤,楚军终于抵挡不住了。

楚军中军崩了,但是并没有溃,而是一边抵抗一边后撤,这就是楚军,决不逃命的楚军。

晋军精锐已经突入楚军的阵地，一个身穿红色盔甲的晋军将军十分扎眼，这个人非常勇猛，冲在最前。

楚共王一步步后撤，而红甲将军率领着一队晋军精锐已经冲倒了眼前。共王的亲兵们紧张起来，他们知道晋国人喜欢擒贼先擒王的打法，共王已经非常危险。

然而，令楚国人吃惊的是，当红甲将军冲近的时候，他一定会跳下车，脱下头盔。这样反复三次，共王终于看出名堂来了，于是他取下自己的弓，派工尹襄给红甲将军送过去："这个红甲将军看见我就下车，一定是个君子，把这个送给他，看看他是不是受伤了。"

工尹襄把弓拿去送给了红甲将军，并且转达了共王的问候，红甲将军怎么说？这么说："托大王的威灵，外臣能够随国君作战。对大王的问候我不敢当。我并没有受伤，多谢大王的关心。军务在身，请使者转达我的敬意。"说完，红甲将军对着使者肃拜三次。

太有风度了，实在是太有风度了，风度好得简直令人嫉妒。

谁啊？郤至。

"哼。"远远地，有人冷笑了一声。

楚军还在拼命抵抗，郑国军队则早早崩溃掉了。

韩厥还是那么勇猛，他知道什么地方该出头，什么地方该掩盖锋芒。韩厥率领的兵力恰好对着郑军，于是一通冲锋，把郑军打得丢盔弃甲，郑成公没命一般狂逃。

大概是觉得跑得太快没面子，或者到时候不好交代，郑成公命令御者放慢逃命的速度。

"将军，郑伯慢下来了，一定是他跑不动了，围上去活捉他吧。"韩厥的车右提出建议。

"算了，记得当年非要捉齐侯，结果弄得大家灰头土脸。算了，别捉人家国君了，得罪一个国家的人可不是好事。"韩厥多聪明的人，他才不会再干这样的蠢事。

于是，韩厥的部队停止追击了。

随后，郤至的部队也追了上来，并且超过了韩厥的部队。

"前面是郑伯，抓住他吧。"郤至的车右也这样建议。

"算了，捉住国君是不吉利的。"郤至也拒绝了。于是，郤至的部队也停止了追击。

"哼。"远处，一个人冷笑了一声。

要不是养由基和潘党的神箭让晋军心存忌惮，楚军的大败基本上就无法避免。还好，尽管损失不小，楚军并没有崩溃。

到了天快黑的时候，晋楚两军都收兵回营了。

计点损失，楚军这边左右两军损失很小，中军伤亡被俘计两千多人，其中，共王的弟弟公子筏被晋军活捉，而郑军全部溃散。

晋军方面，伤亡千余人，基本没有人被俘，大将魏锜战死。

总体来说，是晋军小胜的局面。

子反死了

强国之间的战争，实力只是一个方面，更重要的是哪一边取胜的决心更大。

"大王，是打，还是撤?"子反请示共王。

"打。"楚共王没有犹豫，尽管受了伤，他也不肯逃跑。

于是，子反下令，三军整顿车甲，准备明天再战。

楚国人要继续打下去的消息传到了晋军这里，晋国人真是有点害怕了，楚王都瞎了一只眼还要打，那就是只要不死就要跟你拼到底啊。面对这样的对手，谁不怕?

晋国人没有打还是撤的选择，他们没有理由不打下去。可是，他们还是盼望楚国人自己撤退，免得两败俱伤。

"这样，我们也作出要歼灭他们的姿态，他们一定害怕。"苗贲皇提出建议，他知道楚国人这时候在想什么。

你横，我比你还横。

苗贲皇传达晋厉公的命令："全体修缮兵器战车，晚上好好休息，明天一早攻击楚军，活捉楚共王。"

发布命令之后，苗贲皇悄悄地命令晋军放松对俘虏的看管。果然，有几个俘虏趁机逃跑了。

逃跑的俘虏回到楚军大营，立即被带去见楚共王，因为共王想知道对方的动作。

"大王，晋国人明早就要来攻击我们，还说不捉住您就不收兵。"逃回来的俘虏汇报。

楚共王心里打鼓了，要是晋国人铁了心跟楚国干到底，还真的麻烦。不说别的，就说自己这眼睛，虽说不致命，但再这么熬下去，发炎化脓要命那就一点也不奇怪了。

"快请子反。"共王要跟子反商量一下。

为什么请子反不请子重？因为共王喜欢子反，不喜欢子重。所以子反作为司马反而指挥中军，子重作为令尹只能率领上军。

没过多久，派去请子反的人回报："报告大王，子反将军喝得大醉，正睡着呢。"

共王皱了皱眉头，他并没有太生气。因为要战斗的话需要有人出谋划策，要逃跑的话并不需要，只要一个字：快。

"看来老天是要楚国失败啊。通知三军立即收拾行囊，轻装撤退，快。"共王没有犹豫，子反来不来都会这样决断。

《左传》曰："乃宵遁。"

楚军连夜后撤，想想看，当晚也就是一个小月牙，黑灯瞎火，走得辛苦。

子反到天亮才醒过来。

"啊，该战斗了。"子反从床上滚了下来，站起身，就要冲出帐篷。

"将军，咱们已经撤到瑕了。"谷阳说。谷阳是子反的仆人，一个宦官，一直跟着子反，是子反最信任的人。

"撤了？我怎么不知道？难道，我睡了一晚上？你昨晚给我喝的是酒？"子反大吃一惊，一连串的问题问出来。

原来，昨晚子反下了准备战斗的命令之后回到帐篷，谷阳献上了一壶水。子反喝了一口，说："这是酒啊。"

"不是酒，是水，不过喝起来有点像酒。"谷阳挺会说话，不过他也是好心，想让子反喝一点酒好睡个好觉。

"不是酒？"子反犹豫了一下，他知道那是酒，可是又宁愿相信谷阳说的不是酒，最终，他咕噜咕噜一口气把一壶酒喝了个精光。

好酒，真是好酒。喝完之后，子反就什么也不知道了。

"那，大王来找过我吗？"子反问。

"撤军之前来找过，没叫醒你。"谷阳不敢撒谎。

"唉。"子反叹了一口气，阵前醉酒，那可是死罪。子反抽出刀来，自言自语："我是中军主将，这一仗就是败在了中军。就算不醉，我也该死了。"

子反举起刀来，就要自杀。

正在这个时候，楚共王派人来了。

"大王有令，本次出征，是大王亲自坐镇，失利的责任大王承担，与子反将军无关。"原来，楚共王是生怕子反想不开，派人来特赦他。

"不，如果大王让我死，那是我的光荣。我的部队是最先败退的，责任当然是我的。"子反不是一个不敢承担责任的人。

共王的使者走了，子反的心中久久不能平静，共王对自己这样宽容，实在令自己惭愧。即便共王不追究自己，自己就不该自觉一点吗？

就在子反进行激烈思想斗争的时候,子重派人来了。来干什么?

"子重将军让我给你带话,当初成得臣的故事你应该知道吧? 何去何从,自己看着办吧。"得,子重的话等于让子反自杀。

"唉。"子反又叹了一口气,他决定自杀,因为他感到惭愧。

刀起,刀落,血溅当场。

共王的亲叔叔就这样自杀了,楚国人以刚烈著称,就是指子反这样的人。

子反倒下的时候,共王的第二个特使又来了,因为共王担心子反想不开,再次来赦免子反。

可惜,晚了。

战争总结

来总结一下鄢陵之战。

首先,这是一次晋楚双方都尽了全力的战争。

晋国出动了晋厉公、七个卿和四军;楚国出动了楚共王、子重、子反和三军。双方作战地鄢陵在荥阳以南,说明晋军是跨过荥阳,主动寻找楚军作战,而楚军也是同样的想法。

其次,这次战争双方都没有表现出很高的战略战术素养,没有出现狐偃、先轸和楚庄王这样出色的战略战术家。因此,这场战争注定不会成为经典战例。

第三,双方阵容中的叛徒都很出彩,基本上,他们都能看到双方的优劣长短,应该说,不论是苗贲皇还是伯州犁,都是精英,而把这样的精英给了对方,绝对是各自国家的损失。

第四,双方都有各自表现出色的人物。晋国这边,郤至风头出足,不仅晋军的整个战术部署和打法都是他的意图,他本人还弄了一身红甲,像个明星一样前冲后突。不仅像明星,郤至还卖弄了风度,连楚共王都赞扬他。而楚国这边的头号明星无疑是养由基,往常人们称他养叔,这一战下来,得了个绰号"养一箭",端的是楚国人爱晋国人怕,扬名立万,成为中国历史第一神箭手。要是放在现在,奥运会射箭金牌别人就根本不要想了,连靶子都给你射穿。

第五,双方的内部矛盾在战争期间被压制。楚国方面,子重和子反是仇人,但是楚共王在,子重、子反没有发生正面冲突。晋国方面,尽管栾书、士燮和三郤之间意见并不统一,但是晋厉公在,内部矛盾也没有爆发。设想一下，如果楚军没有共王而晋军没有厉公，这次战争会乱到什么程度？

但是，战争期间没有爆发的内部矛盾在战争结束后立即爆发，子重借题发挥，逼死了子反。那么，晋国这边呢？

第六，晋楚两军实际上实力相当，正面作战的情况下，也就是大打小输赢，谁也没有把握战胜对手。

我们还是先把这次战争的结尾交代一下。

晋军在第二天早上发现楚军已经撤了，于是皆大欢喜。因为楚军撤得匆忙，辎重粮食等都来不及带走，晋军就在楚军大营足足吃了三天。

楚军撤走之后的第二天，齐军、卫军、宋军、鲁军都到了，晋厉公一看，好嘛，仗打完了，你们也来了。

不过，鲁军最终没有能够与晋军会合，因为鲁国权臣宣伯暗中派人对郤犨说鲁成公是故意磨蹭，等到晋楚两军决战之后再看风使舵的。其实呢，明摆着个个诸侯都这样的，不过郤犨收了宣伯的贿赂，因此拒绝鲁军前来会合。

"这帮该死的来锦上添花来了，不能便宜他们。"晋厉公下令晋国军队凯旋回国，留下随后赶来的下军佐荀罃统帅诸侯军队攻打郑国。

联军的实力实在太差，也许他们也觉得很无聊，也许他们觉得晋国人派个下军佐来领导自己太没面子，要知道齐国和卫国都是国君带队，宋国是华元领军，结果要在你晋国老六的领导下打仗，心情怎么会爽？

总之，联军的军事行动很不成功，打郑国打不动，于是屁股一歪，打到陈国去了。打了一通陈国没什么成果，屁股再歪一歪，转蔡国去了。在蔡国转了一圈，屁股再歪一歪，又来到了郑国颍上。

郑国的子罕看透了联军这点把戏，他们并不想打仗，可是又不敢就这么回去，因此四处转悠。

"转，转你们个头啊。"子罕也没客气，率领郑军精锐半夜袭击了联军，结果打得联军抱头鼠窜。得，这回也不用不好意思了，联军直接跑回国了。

鲁成公原本还有些忐忑不安，听说联军被郑国打得丢盔弃甲，不禁暗自庆幸。

士燮父子

对外战争获胜了，内部的斗争就会更加激烈。

"主公，您这么年轻，而我们都没有什么才能，我们为什么获得这么大的胜利呢？主公一定要戒骄戒躁啊。《周书》说了：天命不会一成不变。也就

是说只有有德的人才能享受天命。"晋军回国的时候,士燮对晋厉公这样说。

晋厉公瞥了他一眼,没有说话。

栾书也瞥了他一眼。

三郤瞥了他三眼。

就连士匄也瞥了父亲一眼。

士燮暗暗地叹了一口气,不再说话了。

从晋文公称霸开始到现在,晋国的强势人物按照顺序分别是:狐偃、先轸、赵盾、郤缺、荀林父、士会、郤克、栾书。

同样按照这个顺序,狐家首先从晋国逃亡,在晋国政坛消失;随后,先家惨遭灭门;再随后,赵家惨遭灭门。按照这个顺序,下一个难道就是郤家?

如果这是一个诅咒,上面的七家是不是都无法逃避?

晋国的卿,没有一个死在楚国人的车前,却纷纷倒在晋国人的刀下。什么是权力斗争? 这就是权力斗争。

权力斗争,远比战争要残酷得多。

权力斗争,就是一场永不结束的战争。